ВНЕ ЗАКОНА

ЧИНГИЗ АБДУЛЛАЕВ

ЧИНГИЗ АБДУЛЛАЕВ

ПУТЬ ВОИНА

ЭКСМО-ПРЕСС
2 0 0 1

УДК 882
ББК 84(2Рос-Рус)6-4
А 13

Серийное оформление художника *А. Семенова*

Серия основана в 1996 году

Абдуллаев Ч. А.

А 13 Путь воина: Роман. — М.: Изд-во ЭКСМО-Пресс, 2001. — 384 с. (Серия «Вне закона»).

ISBN 5-04-007413-1

Восток — дело тонкое. А японцы — и вовсе особый мир. Европейцу их не понять. Эксперт-аналитик Дронго, прибыв в Токио для расследования убийства, сталкивается не только с криминальной загадкой, но и с загадкой японской души. По всем раскладам никто из подозреваемых — респектабельных банкиров — убийцей быть не мог. И тем не менее трупы есть. Но, в самом деле, не «ниндзя» же, проникший в комнату, где проходило совещание, стрелял из пистолета? А другого объяснения у Дронго пока нет. Оно найдется позже, когда ему откроется та самая тайна японской души...

УДК 882
ББК 84(2Рос-Рус)6-4

ISBN 5-04-007413-1

«Знаешь противника и знаешь себя — победа будет за тобой; знаешь себя, а его не знаешь — один раз победишь, на другой потерпишь поражение; не знаешь ни себя, ни его — каждый раз будешь терпеть поражения».

Из китайского трактата «Сунь-Цзы».

Глава 1

Самолет пошел на посадку. Когда включились огни, Дронго машинально застегнул ремни. Перелет был утомительным, даже в салоне первого класса. Из Франкфурта летели без посадки до Токио. На протяжении многих часов, проведенных в роскошном кресле, Дронго чувствовал себя не совсем хорошо. Особенно когда самолет начинало трясти и предупредительный немецкий пилот включал сигнал, оповещающий пассажиров о необходимости пристегиваться ремнями. Не помогали ни алкоголь, ни удобное кресло, которое легко превращалось в кровать. Комфорт в первом классе — это абсолютный сервис и приватная обстановка, хотя по большому счету нет никакой разницы, в каком классе летишь. Всех одинаково трясет, несмотря на величину кресла.

Он пытался уснуть, но спать в самолете не удавалось, и поэтому, достав свой ноутбук, он снова и снова просматривал информацию, которая могла ему понадобиться в Токио.

Дронго летел в Японию второй раз в жизни. Он

уже провел в Токио несколько дней, когда прибыл сюда осенью девяностого года с делегацией сторонников мира. С тех пор прошло одиннадцать лет. Токио изменился, и законченный комплекс аэропорта Нарита стал одним из самых современных и технически оснащенных сооружений подобного типа в мире. Дронго убрал свой ноутбук, посмотрел в окно. Внизу уже был виден гигантский комплекс аэропорта. Огромный лайнер авиакомпании «Люфтганза» плавно снижался.

«Если бы не приглашение Симуры, я бы никогда не решился на такой длительный перелет», — подумал Дронго. Хотя почему бы и не прилететь в Токио, в котором не был столько лет.

Он успел переодеться, и, когда пассажиры первого класса начали спускаться по лестнице, на нижний этаж, чтобы выйти из салона, он был уже в костюме, чувствуя привычно затянутый узел галстука на шее. С годами у него не менялись пристрастия. Когда-то привыкший к костюмам от Валентино, он не менял своего выбора уже много лет. Аромат «Фаренгейта» сопровождал его повсюду. Он носил обувь «Балли», предпочитая эту фирму всем остальным.

Пройдя пограничный контроль, он нашел свой чемодан, который выехал на транспортерную ленту, с характерным оранжевым ярлыком, указывающим на приоритетный багаж пассажира первого класса. Глядя на остальные чемоданы пассажиров первого класса, Дронго усмехнулся. Почти все чемоданы были похожи друг на друга. «Виттон», «Делсей», «Самсунайт».

Положив чемодан и свой ноутбук на тележку, он прошел зеленую линию таможенного контроля и оказался перед толпой встречающих. Перед ним возник высокий японец с короткой стрижкой, глубоко запавшими глазами и небольшим шрамом на подбородке.

— Мистер Дронго. — Незнакомец не спрашивал, он, очевидно, получил точное описание гостя, которого должен был встретить.

— Да, это я.

— Я Сиро Тамакити, — представился мужчина, чуть наклонив голову, — меня послал господин Симура, чтобы я вас встретил.

— Очень любезно с его стороны, — наклонил голову в ответ Дронго.

Мужчина взял его тележку и покатил ее к выходу. Больше не было произнесено ни слова.

Они вышли на стоянку, где находились автомобили, припаркованные по строгой схеме, указывающей, где именно можно оставлять свою машину. Тамакити замер на месте, Дронго же недоуменно огляделся. Длинный белый «Мицубиси» представительского класса, с темными стеклами, подъехал к ним и остановился рядом с тележкой. Из автомобиля быстро вышел водитель, он открыл багажник и положил чемодан в машину. Дронго успел забрать свой ноутбук, с которым редко расставался. Затем водитель, поклонившись Тамакити, протянул ему ключи. Тот с ответным поклоном принял их. Водитель отошел на шаг, почтительно ожидая, когда Тамакити сядет за руль. Дронго удивленно оглянулся, не понимая, почему водитель остается в аэропорту. Затем, пожав плечами, направился к передней дверце, чтобы сесть рядом с Тамакити, но тот вежливо покачал головой.

— Вам лучше сесть сзади, — показал он на другую дверцу. По-английски он говорил достаточно хорошо.

Дронго шагнул к задней дверце, открыл ее и увидел... самого Кодзи Симуру, который улыбался ему с заднего сиденья. Покатый лысый череп, редкие волосы, внимательные глаза. Под ногами у Симуры лежала его палка. Он был одет в кимоно фурисодэ — нарядное кимоно, предназначенное для особых выходов. Дронго сел в машину и протянул руку пожилому человеку. Он был потрясен поступком Симуры. Тому было далеко за семьдесят, и в его возрасте не следовало приезжать в аэропорт, чтобы встретить человека, годившегося ему в сыновья.

— Сэнсэй... — вежливо начал Дронго.

— Не нужно говорить так торжественно, — устало посоветовал Симура, — я рад тебя видеть.

Он протянул руку и сжал ладонь Дронго.

Тамакити оглянулся и, улыбнувшись, мягко тронул машину с места. Симура убрал свою руку. Для сдержанных японцев подобное проявление чувств было жестом, выходившим за рамки обычных представлений о гостеприимстве.

Кодзи Симура уже давно был легендой Японии. Вместе с Мишелем Доулом из Англии и комиссаром Дезире Брюлеем из Франции он основал синклит самых выдающихся аналитиков мира, в который два года назад был торжественно принят и Дронго. Именно поэтому Дронго с удовольствием согласился прилететь в Токио, к своему наставнику. Он знал Симуру, тот не стал бы вызывать человека по пустякам. И уж тем более не стал бы настаивать на его прилете, приуроченном к определенной дате. Однако приезд Симуры в аэропорт его поразил. Он знал, что у старика тяжелая болезнь почек и он почти все время проводит в больничной палате либо дома, покидая свою квартиру лишь в исключительных случаях. Очевидно, приезд Дронго и был таким исключительным случаем. К тому же Тамакити сел на место водителя, чтобы в салоне автомобиля не было постороннего человека.

— Спасибо, что прилетел, — тяжело сказал Симура, откидываясь на спинку сиденья. — Мне нужно было с тобой поговорить, и поэтому я решил приехать в аэропорт.

— Вам не следовало приезжать, — пробормотал Дронго.

— Не нужно, — прервал его старик, — я знаю, как долго ты летел. Но я специально пригласил именно тебя, Дронго.

— Я понимаю, — кивнул он, ожидая продолжения разговора.

Симура замолчал. Он словно собирался с силами. Тамакити на всякий случай, обернувшись, посмотрел на него. Но старик лишь отдыхал перед началом длинного монолога.

— Мне нужен был именно ты, — задумчиво повторил Симура.

Машина выезжала на трассу. Японские дороги однажды использовались великим Тарковским в его фильме «Солярис». Эти кадры Дронго хорошо помнил. «Солярис» был одним из его любимых фильмов.

— Дело в том, что у нас случилось неприятное происшествие, — выдохнул старик. — В прошлом году в автомобильной катастрофе погиб руководитель службы безопасности одного из крупнейших банков страны «Даиити-Кангё». В мировой иерархии банков он занимает четырнадцатое место. Погибший был не просто моим учеником...

Симура закашлялся. Тамакити озабоченно оглянулся, но Симура покачал головой, давая понять, что может себя контролировать.

— Погибший Ёситака Вадати был моим лучшим учеником, — продолжал Симура, глядя перед собой. — Он несколько раз приходил ко мне, рассказывал о ситуации, сложившейся в банке. Конечно, в общих чертах, не раскрывая профессиональных секретов. Я думал, этот человек сумеет заменить меня, когда я уйду из нашего синклита. Мне казалось, я вырастил достойную замену... И все получилось так...

Симура снова замолчал, тяжело вздохнув. Дронго терпеливо ждал. Старик набрал воздуха для дальнейшего разговора. Было видно, как ему трудно говорить.

— Он погиб в ноябре, — продолжал Симура, — по нашим традициям, его тело кремировали. А через три месяца мы случайно обнаружили, что автомобиль, в котором он ехал, был неисправен. Он был неисправен, до того как машина Вадати выехала на трассу. Кто-то сознательно испортил его автомобиль.

— Вы сообщили об этом в полицию? — поинтересовался Дронго.

Тамакити чуть повернул голову, но не посмел еще раз обернуться. Симура вздохнул, глядя в окно. Наконец сказал:

— Машина была в гараже. Мы не стали ничего сообщать в полицию. Именно поэтому я и просил тебя приехать в Токио. Дело в том, что президент банка, о котором я говорю, должен уходить на пенсию. Он очень известный и уважаемый в нашей стране человек. И завтра состоится церемония представления нового президента, нынешнего первого вице-президента банка. О машине мы узнали несколько дней назад. Это Тамакити нашел неисправности в электрической системе автомобиля. Но я запретил об этом рассказывать. Банк переживает трудные времена. И если о подробностях смерти Вадати узнают журналисты, банку грозят серьезные неприятности.

— Понимаю, — кивнул Дронго. — Вы хотите, чтобы я завтра был на церемонии?

— Это не совсем церемония. Это прощальное выступление президента перед руководящим составом банка.

Симура закрыл глаза. Несмотря на идеальное покрытие дороги и мягкий ход автомобиля, ему было трудно сидеть в одном положении. Он достал таблетку и положил ее в рот.

— Я бы не стал тебя вызывать, — сказал Симура. — Мне не хотелось вмешивать в это дело постороннего. Но... — он запнулся, затем, чуть отдышавшись, сказал: — Мне важно, чтобы завтра на церемонии был посторонний человек. Я хочу, чтобы ты провел это расследование.

От аэропорта Нарита до центра города было больше семидесяти километров. Проехав сначала в аэропорт, а затем возвращаясь обратно, Симура почувствовал, как силы покидают его.

— Хочу тебе сказать, — прошептал он. — Никто не должен знать о наших подозрениях, пока ты точно не установишь, кому была выгодна смерть Вадати. Ты не должен никому ничего рассказывать. Тамакити поможет тебе. А в самом банке я попросил еще одного человека ввести тебя в курс дела. Ты сегодня вечером с этим человеком познакомишься...

— Хорошо, — кивнул Дронго.

Он не стал спрашивать, почему расследование не мог провести тот же Тамакити или кто-нибудь из учеников Кодзи Симуры, которым было легче ориентироваться в японской действительности. Старик словно читал его мысли. Впрочем, опытный аналитик может предугадать очередной вопрос собеседника.

— Ты не спрашиваешь, почему я позвал тебя? — улыбнулся Симура.

Дронго был более чем на тридцать лет моложе, но он тоже умел предвидеть развитие разговора. И поэтому он улыбнулся в ответ:

— Я полагал, вы сами объясните мне причину столь необычного вызова.

— Верно, — с удовольствием сказал Симура, — ты правильно подумал. Я действительно должен объяснить тебе мотивы моего странного поступка. Или ты догадаешься сам?

Он снова закрыл глаза, давая Дронго возможность поразмыслить.

— Вы наверняка знаете, что я был в Японии только один раз, — начал вслух размышлять Дронго, — поэтому могли вызвать меня только в самом крайнем случае. Вы хотите, чтобы расследование проводил человек, не связанный с вашей страной. Нет, скорее не так. Не связанный какими-то предрассудками. Или традициями? Но, с другой стороны, вы позволяете Тамакити мне помочь. Значит, дело не в традициях. Найдя неисправную машину, вы не стали обращаться в полицию. Почему?

Дронго посмотрел на сидевшего с закрытыми глазами Симуру. Тот никак не реагировал на его слова.

— Вы не хотите, чтобы скандал стал известен. Вадати был вам близок, вы сказали, что это был один из ваших лучших учеников. Может быть, он был вашим сыном и вы не хотите проявлять ненужную пристрастность? Нет. Тогда вы сообщили бы в полицию. Хотите сами найти убийцу? Чтобы ему отомстить? Это на вас не похоже. Логика и разум для вас превыше мести, в этом я убежден. Тогда почему вы не обратились в полицию? С другой стороны, в банке мне кто-то будет помогать. И еще Тамакити. Вам не нужен скандал в банке.

Он громко размышлял, глядя на Симуру, но тот никак не реагировал. Было такое впечатление, словно он спит. Знаменитый метод Дронго, когда можно наблюдать за реакцией собеседника, в данном случае не срабатывал. Приходилось полагаться исключительно на логику и силу своего воображения.

— Президент банка уходит со своей должности, — продолжал Дронго, — и вам нужно, чтобы завтра я был на этой церемонии. Вы полагаете, что она важна для понимания ситуации. Но никому из своих помощников и учеников вы не стали поручать расследование этого дела. Выходит, для вас важно, чтобы президент банка ушел без скандала, а я бы провел расследование достаточно деликатно. Как фамилия президента? — неожиданно спросил Дронго.

Симура раскрыл глаза. Повернул голову.

— Прекрасно, — пробормотал он, с трудом улыбаясь, — ты всегда был лучшим среди всех. Президент банка Тацуо Симура — это мой старший брат. Ты абсолютно прав. Мне не нужен скандал в банке, но я не могу оставить смерть Вадати безнаказанной. А любой из тех, к кому я могу обратиться в Японии, наверняка будет знать, что президент банка — мой брат. Вот поэтому я и обратился к тебе. Веря в твою объективность и порядочность.

— Спасибо, — взволнованно сказал Дронго, — спасибо за доверие, сэнсэй. Я постараюсь его оправдать.

— Ты можешь немного прибавить скорости, — разрешил Симура, обращаясь к Тамакити, — и останови около больницы. Там меня уже ждут.

— Хорошо, — кивнул Тамакити.

— Я сбежал из больницы, — объяснил Симура. — Мне нужно было тебя встретить и все объяснить. Я хотел, чтобы ты понял.

— Вы напрасно проделали такой путь, — деликатно заметил Дронго.

— Ты поедешь в отель «Хилтон», — продолжал Симура. — Как видишь, я помню, в каких отелях ты обычно останавливаешься. Это в районе Синдзюку. Там ты сможешь отдохнуть и встретиться с тем человеком из банка, о котором я тебе говорил. Тебе передадут привет от меня. Этому человеку ты можешь доверять.

— Мы подъезжаем к больнице, — сообщил Тамакити.

— И учти, — строго сказал Симура, — среди подозреваемых может быть и мой брат. Для меня важно установить, кто и зачем убил Вадати. Поэтому ты должен провести свое расследование без оглядки на моего брата. Я надеюсь, ты меня понял.

Машина въехала в сад, огибая небольшой фонтан с лужайкой. Перед зданием больницы уже ожидали несколько врачей и медицинских сестер. Рядом с ними стояло инвалидное кресло. Увидев его, Симура чуть поморщился. Он наклонился, чтобы поднять палку, но Дронго мгновенно среагировал и опередил его. Симура принял палку и покачал головой:

— Твоя первая ошибка в этой стране. Не нужно помогать, если тебя об этом не просят. Европеец проявляет заботу, подчеркивая свою предупредительность, а японец полагает, что столь нетактично ты напоминаешь мне о моей болезни и возрасте.

Он открыл дверцу и, опираясь на палку, начал вылезать из машины. Тамакити, выйдя из автомобиля, помогал врачам пересаживать Симуру в его кресло. Уже пересев в кресло, Кодзи Симура кивнул Дронго и закрыл глаза. Кресло развернули и покатили в сторону больницы. Тамакити поклонился на прощание. Молча усевшись в машину, он вывернул руль, выезжая с площадки. И до самого отеля не проронил ни слова. Лишь когда они подъехали к высокому, волнообразному, светло-коричневому зданию «Хилтона», Тамакити обернулся и вежливо сказал:

— Мы приехали. Вам заказан номер на шестнадцатом этаже. Вот ваши ключи. — И он протянул две магнитные карточки, вложенные в рекламный проспект отеля. — В семь часов вечера к вам приедут, — добавил он. — Будьте в номере. Если понадобится, вызовите меня. Мой телефон записан на карточке. Можете идти. Я распоряжусь, чтобы ваш чемодан подняли к вам в номер. До свидания.

— До свидания, — пробормотал несколько ошеломленный Дронго, вылезая из автомобиля. В конце концов, этот Тамакити мог быть и более разговорчивым. Хотя не стоит забывать, что это Япония. Здесь свои правила и свои порядки.

Глава 2

Дронго был отведен двухкомнатный сюит, куда подняли его чемодан. Он успел принять душ, заказать обед в номер, пообедать. До назначенного времени оставалось еще около четырех часов. Весной в Токио часто царит умиротворяюще спокойная погода, когда возникает своеобразное равновесие между океаном, окружающим город, небом, нависшим над ним, и самим пространством земли, застроенным многоэтажными исполинами вперемежку с небольшими одноэтажными и двухэтажными домами. Район Синдзюку расположен на западе Токио и известен своими новостройками. Здесь находятся высочайшие городские здания, построенные в период бума семидесятых годов. Это так называемый участок небоскребов, новый деловой район Токио.

Рядом с отелем расположен обширный парк Синдзюку-гёэн, в котором растут уникальные деревья. Японцы называют этот парк садом и приходят отдыхать сюда семьями. Однако Дронго зашагал в противоположную сторону, имея на руках карту Токио, которую ему любезно предоставил портье. Поднимаясь по улице Синдзюку-дори, он прошел мимо почтамта, вошел в книжный магазин Кинокуния. Здесь продавали книги и на английском языке. Он с удовольствием просмотрел новинки — те же книги, которые популярны и в Париже, и в Нью-Йорке, и в Йоханнесбурге. Западная цивилизация давно и прочно обосновалась в культуре Японии: в магазинах американские бестселлеры, в кино засилье голливудских штампов, а светящиеся красные буквы «Макдоналдсов» можно увидеть на каждой улице. Вместе с тем в магазине продавались и книги современных японских писателей, некоторых из них Дронго знал.

Выйдя на улицу, он прошел мимо филиала банка Фудзи и повернул направо. На другой улице находился храм Ханадзоно-дзиндзя, напротив него на карте был обозначен филиал банка «Даиити-Кангё». Он довольно быстро нашел характерную табличку. Толкнув дверь, он вошел в банк. Здесь царила тишина, слышался только легкий стук пальцев работавших на компьютере молодых людей. Один из клерков улыбнулся Дронго дежурной улыбкой.

— Я могу вам чем-нибудь помочь? — спросил он по-английски.

— Мне нужен банк Сумитомо. — Дронго заранее просмотрел карту и знал, что филиал другого банка находится метров на двести ближе к железной дороге.

— Вам нужно пройти немного дальше, — улыбнулся клерк. Он не сказал, что гость ошибся. Подобные слова означали бы неуважение к гостю, а проявлять неуважение в этой стране было не принято.

Дронго кивнул в знак понимания и вышел из банка. Возвращаясь обратно, он зашел в универмаг Исэтан, где продавались бытовая техника и электроприборы. Там он купил переходник для своего компьютера, чтобы иметь возможность пользоваться ноутбуком в любом месте Японии. В самом «Хилтоне» были установлены европейские стандартные розетки.

Вернувшись в отель, он включил свой компьютер и, подключившись к Интернету, довольно быстро выяснил, что банк «Даиити-Кангё» — один из самых крупных банков в Японии. Просмотрев историю банка, он обратил внимание на фотографии, помещенные на сайте банка. Президент банка Тацуо Симура возглавлял его с восемьдесят четвертого года. Под его руководством банк добился выдающихся успехов, значительно преумножив свои активы. Первый вице-президент банка Сэйити Такахаси работал в банке восемь лет, перейдя сюда из банка Мицуи. Другие двое вице-президентов работали в банке соответственно восемнадцать и двадцать семь лет. Хидэо Морияма и Каору Фудзиока. На сайте были помещены стандартные наборы биографических данных, которые обычно даются в рекламных роликах, рассказывающих о достижениях банка.

Дронго разочарованно отключился. О погибшем Вадати здесь не было ни слова. «Типичная азиатская скрытность», — подумал он недовольно. Американцы дают гораздо больший объем информации о руководителях своих финансовых учреждений. Там указываются даже их привычки и вкусы. Здесь сухие строчки биографии. Нужно быть готовым к тому, что всю информацию придется выдавливать по капле.

В этот момент в дверь позвонили. Дронго поправил галстук, взглянул на пиджак, лежавший на диване.

— Не обязательно встречать японца в пиджаке, — подумал Дронго. — В конце концов, мы должны работать, а не устраивать церемониальные встречи друг с другом.

Он подошел к двери и, даже не взглянув в глазок, открыл ее. На пороге стояла женщина лет тридцати. Среднего роста, полноватая, с раскосыми японскими глазами. У нее был немного вытянутый нос, не характерный для японцев. Волосы острижены и тщательно уложены. Незнакомка была одета в светло-голубой костюм. У нее были полноватые ноги в светлых колготках. В руке она держала серую сумочку. Обувь была подобрана в тон сумочке. У нее было круглое подвижное лицо, и на щеках постоянно появлялись смешные ямочки. Она посмотрела на Дронго и, мягко улыбнувшись, спросила:

— Вы господин Дронго? Вам привет от сэнсэя Симуры.

— Спасибо.

Он посторонился, пропуская ее в номер. Такого визитера он не ждал. Пока она проходила к столу, он дошел до дивана, взял свой пиджак и поспешно надел его. Она обернулась. Увидев, что он стоит уже в пиджаке, улыбнулась.

— Я не думал, что мне пришлют такого помощника, — пробормотал Дронго.

— Вас смущает, что я женщина? — По-английски она говорила достаточно хорошо.

— Нет. Скорее радует. Садитесь на диван. Кажется, мое пребывание в Японии будет интересным.

— Сэнсэй Симура предупреждал меня, что вы опасный сердцеед. — Она села на диван.

Есть женщины, присутствие которых вызывает у вас сильные сексуальные позывы. Есть женщины, к которым вы абсолютно равнодушны. А есть женщины, рядом с которыми почему-то становится приятно и спокойно. Словно они созданы для домашней, товарищеской обстановки. Из таких женщин получаются отличные матери и верные жены. А еще они хорошие друзья, с ними приятно беседовать.

— Я только притворяюсь, — пробормотал Дронго. — Как вас зовут?

— Извините за то, что я не представилась. Меня зовут Сэцуко Нумата. Я заместитель пресс-секретаря банка. — Она попыталась подняться, но он махнул рукой и улыбнулся.

— Очень приятно. Вашему банку повезло. И не нужно вставать. Где вы научились так хорошо говорить по-английски? Здесь, в Японии? — Он сел в кресло, стоявшее рядом с диваном.

— Нет, — улыбнулась она в ответ, — я училась в средней школе в Канберре. И закончила Сиднейский университет. Мой отец был советником посольства Японии в Австралии. Мы жили там семь лет, а до этого жили в Сингапуре.

— У вас была интересная жизнь, — вставил Дронго.

— Что вы, — махнула она рукой, — это у вас была интересная жизнь, сэнсэй Симура о вас рассказывал. И я о вас слышала, когда путешествовала по Европе. Это я оформляла вам приглашение в Японию и вашу визу. Поэтому я немного про вас знаю.

— Очень приятно. Говорят, завтра будет прием?

— Да, — ответила она, — я принесла вам приглашение на завтрашнюю церемонию.

Она достала из сумочки плотный конверт и положила его на столик.

— Несколько месяцев назад погиб вице-президент по вопросам безопасности Ёситака Вадати, — напомнил Дронго. — И только недавно удалось установить, что его машина была намеренно выведена из строя. Вы об этом знаете?

— Да. Мне обо всем рассказали. Дело в том, что мой отец и сэнсэй Симура знакомы много лет. Именно поэтому я пошла работать в банк, президентом которого был старший брат нашего сэнсэя.

— Теперь давайте по порядку. Я просмотрел сайт вашего банка, прочел некоторую открытую информацию о ваших руководителях. Я думаю, мы оба понимаем, что организовать автомобильную аварию вице-президенту банка не мог рядовой клерк. Поэтому мне нужно, чтобы вы более подробно рассказали мне обо всех руководителях вашего банка. И мой первый вопрос: кто занял место Вадати?

— Инэдзиро Удзава. Но он пока начальник охраны, а не вице-президент. Его будет утверждать новый президент. Завтра пройдет официальная церемония прощания президента Симуры.

— Удзава работал в банке вместе с Вадати?

— В нашей стране не принято часто менять место работы, — чуть улыбнулась она, показывая две смешные ямочки на щеках.

— Сколько лет они работали вместе?

— Больше десяти. Удзава был правой рукой погибшего вице-президента. Он очень переживал смерть своего руководителя.

— Сколько ему лет?

— Тридцать девять. Он работает у нас почти одиннадцать лет. Начинал рядовым охранником. Перешел к нам после того, как вернулся из армии. Он служил восемь лет на флоте. Кажется, ему там нравилось, но потом он решил уйти. Он женат, у него двое сыновей.

— Как вы думаете, его утвердят новым вице-президентом?

— Безусловно, — ответила Сэцуко, — в этом не может быть сомнений.

— Мне нужно, чтобы вы узнали, почему он ушел с морской службы.

— Хорошо. Я позвоню в наше управление кадров. Там есть его полное досье.

— Давайте дальше.

— Президент банка — Тацуо Симура. Ему семьдесят восемь лет. Он работает в нашем банке уже пятьдесят четыре года. Начинал с самой низкой ступени, двенадцать лет был первым вице-президентом, следующие семнадцать президентом банка. Можно сказать, что он поднял наш банк после знаменитого кризиса в конце семидесятых. И все об этом знают. В последние годы он часто болел. И принял решение уйти в новом веке, сразу после Нового года. Но из-за смерти Вадати немного отодвинул свой уход.

— Его должен сменить Сэйити Такахаси? — спросил Дронго.

Она удивленно взглянула на него:

— Вы знаете Такахаси?

— Нет. Но я сказал, что читал о вашем банке. На сайте есть и его фамилия.

— Он сложный человек, — чуть нахмурившись, сказала Сэцуко, — жесткий, требовательный, некоторые считают его даже жестоким. Очень придирчивый, пунктуальный. Даже для японца. Он никогда и никуда не опаздывает.

— Он перешел к вам из банка Мицуи, — вспомнил Дронго. — Странно, что он бросил банк, в котором работал много лет.

— Да. Ему пятьдесят три, и он работал почти двадцать лет в банке Мицуи. Был вице-президентом банка. Но ушел оттуда к нам первым вице-президентом. Ему предложил перейти сам Тацуо Симура.

— Насколько я знаю, в Японии подобные вещи не приняты, — заметил Дронго. — Ведь у вас культивируется верность своей компании. И у вас не принято уходить в другой банк, даже в случае значительного повышения должностного оклада. Он ведь был не бедным человеком?

— Он богатый человек, — кивнула Сэцуко, — из очень состоятельной семьи.

— Тогда почему он ушел из своего банка? Только из-за денег? Или из-за должности? Он мог стать первым вице-президентом и в своем банке. Или не мог?

— Я думаю, он пришел не из-за этого, — ответила Сэцуко. — Тогда умер наш первый вице-президент после тяжелой болезни. Он умер совсем молодым, и Симура решил готовить себе преемника. Вот, наверно, тогда он и выбрал Такахаси. Он готовил его восемь лет.

— Стимул стать президентом крупного банка мог оказаться решающим, — согласился Дронго. — Но у вас есть другие вице-президенты, которые могли претендовать на должность президента.

— Нет, — ответила Сэцуко, — не могли. Хидэо Морияма еще молод, ему только сорок три года. И он совсем недавно стал вице-президентом банка. А Каору Фудзиока, наоборот, слишком стар. Ему уже шестьдесят один год. У нас такие вопросы не обсуждаются. Все знают, что Такахаси займет место президента, Фудзиока его место, а Морияма будет курировать вопросы, которыми раньше занимался Фудзиока. В наших банках не бывает интриг, свойственных американским или европейским банкам, — добавила она, снова улыбнувшись.

— И тем не менее Вадати кто-то подставил, — напомнил Дронго.

— Да, — согласилась она, — но его смерть не обязательно связана с работой в банке. Ёситака Вадати был очень влиятельным человеком, у него было много друзей среди сотрудников полиции и управления национальной безопасности. И было много врагов среди нашей мафии — «якудзы». Он финансировал борьбу против «якудзы». Об этом знали многие в Японии. Вадати принимал участие в борьбе против коррупции среди наших чиновников. Был организатором специальных фондов.

— В вашем банке предусмотрены должности трех вице-президентов, — уточнил Дронго, — не считая первого вице-президента. Предположим, что Такахаси перейдет на должность президента. Фудзиока станет первым вице-президентом, Морияма займет его место. Остаются еще два вакантных места. Кто займет эти места?

— Один вице-президент по вопросам безопасности, — ответила Сэцуко, — это будет Удзава. А другой вице-президент занимается нашими филиалами. Если уйдет Морияма, то его место могут занять два человека. Или Кавамура Сато — он руководитель нашего отделения в Осаке. Или Аяко Намэкава. Она руководит нашим филиалом в Нью-Йорке.

— Я полагал, у вас более патриархальное общество, — вставил Дронго. — Не думал, что в руководстве вашего банка могут работать женщины.

— Она возглавляет наш филиал в Нью-Йорке, — возразила Сэцуко. — Вы же знаете, какое значение американцы придают эмансипации женщин. Мы должны выглядеть в их глазах более развитым обществом. Поэтому Симура решил назначить в наш нью-йоркский филиал Аяко Намэкаву. Она молодая женщина, ей тридцать восемь лет. Знает несколько иностранных языков. Разведена. У нее есть дочь.

— Идеальный руководитель банка в Америке, — съязвил Дронго.

— Да, наверно. Завтра она будет на нашем приеме. Учтите, нельзя брать с собой оружие и мобильные телефоны. Там будут премьер-министр и члены его кабинета. Они придут из уважения к президенту банка. Все знают, что это его последний прием и он уходит из банка. Будут руководители и других банков, иностранные послы.

— Вы знаете, какие вопросы курировал в своем банке Такахаси?

— Нет, — удивилась Сэцуко, — но я могу узнать, это нетрудно.

Он согласно кивнул головой и затем спросил:

— Вы давно работаете в банке?

— Уже три года, — ответила Сэцуко. — Раньше я работала в газете, но потом перешла в банк. И сейчас я назначена заместителем руководителя пресс-службы нашего банка.

— А кто до вас работал на этом месте?

— Наш новый пресс-секретарь Фумико Одзаки. Она стала руководителем нашей пресс-службы.

— Что стало с ее предшественником?

— Он был хорошим журналистом и ушел работать в газету. Он давно мечтал уйти в газету. И ему предложили стать редактором крупной газеты.

— Вы тоже хотите уйти?

Она смутилась. Потом улыбнулась.

— Конечно. Любой журналист мечтает о карьере в газете или в журнале. В банке готовить пресс-релизы не совсем творческая работа. Но я полагаю, что здесь можно многому научиться. В том числе вы получаете и очень хорошие связи с руководителями всех крупнейших банков страны и их пресс-службами.

— Кажется, вы сумели проникнуться европейским прагматизмом.

— Скорее американским, — рассмеялась Сэцуко. — Я не сказала, что еще стажировалась в Америке.

— Ну, это как раз чувствуется. Кто из руководителей банка говорит по-английски?

— Все, — удивилась Сэцуко. — Наш президент

выучил английский уже в пятьдесят лет. Такахаси очень хорошо говорит. Морияма учился в Бостоне. Фудзиока все понимает, но говорит с акцентом. У нас все знают английский язык. Такахаси говорит еще и на китайском, а Морияма знает французский. Аяко Намэкава знает испанский и итальянский языки. Не считая английского. Даже Фумико знает несколько языков.

— Очень впечатляюще, — пробормотал Дронго. — Теперь остается узнать, на каких языках говорите вы. Кроме английского?

— Китайский и французский, — улыбнулась Сэцуко, — но китайский я начала учить недавно. А французский изучала еще в школе, в Австралии.

— Тогда мне повезло с помощником, — усмехнулся Дронго. Она нравилась ему своей жизнерадостностью и молодым задором. — Можно я приглашу вас на ужин в японский ресторан? — неожиданно спросил он.

— Вы любите японскую еду? — обрадовалась Сэцуко. — Только разрешите, я сама выберу ресторан.

— Конечно, — согласился Дронго.

Поужинать с такой симпатичной женщиной было приятно. И ей незачем знать, что он не очень любит японскую еду. Он просто не понимает, как можно поглощать сырую рыбу в сасими или сваренные рисовые шарики суши с кусочками рыбы и овощей. Ему гораздо больше нравилась китайская или итальянская еда. Не говоря уже о французской.

Перед тем как сесть за руль автомобиля, она чуть поколебалась и неожиданно спросила у Дронго:

— Вы хотите сами повести машину?

— С правосторонним движением? — развел руками Дронго. — Я оценил вашу учтивость, но будет лучше, если машину поведете вы.

— Обычно европейцы любят садиться за руль, — удивилась Сэцуко. — И мы заказали эту машину для вас. Тем более если вы англичанин.

В Японии и в Англии одинаковое правостороннее движение.

— Значит, я на них не совсем похож, — резонно ответил он.

Они отъехали от отеля, когда она сказала:

— В отеле «Окура» есть несколько ресторанов — японский, китайский, французский. Этот отель находится в районе Роппонги, рядом с американским посольством. Если хотите, поедем туда, но там фешенебельные рестораны, и мне придется переодеться, чтобы появиться в «Окуре».

— Тогда предлагайте другой вариант.

— Поедем в Гиндзу, — предложила она, — там рядом с отелем «Гиндза-Кокусаи» есть очень интересный ресторанчик, где можно попробовать народную японскую еду. Вы не возражаете?

— Сегодня вы мой проводник.

Сэцуко повернула руль влево. «Странно, эта молодая женщина так бесшабашно ведет машину, — недовольно подумал Дронго. — Она едет слишком быстро. Это, наверно, тоже влияние американцев».

Через пятнадцать минут они были на месте. Небольшая вывеска ресторана, несколько столов в глубине зала. Все столы были заняты, причем здесь обедали в основном европейцы.

— Здравствуй, Сэцуко, — приветствовала их пожилая женщина лет шестидесяти. Она появилась в зале, улыбаясь новым гостям и что-то продолжая говорить на японском. Дронго не понял ни слова, но он понял жест его провожатой.

— Я приехала не одна, — сказала Сэцуко, показывая на гостя, и что-то добавила. Женщина рассмеялась и кивнула головой в знак согласия.

— Я попросила ее показать все свое мастерство, — пояснила Сэцуко. — Это очень известный ресторан.

Пожилой мужчина, чуть хромая, подошел к ним и показал на пустой столик в глубине зала. Они прошли туда и уселись довольно близко друг к другу.

— Здесь вы попробуете настоящую японскую народную еду, — улыбнулась Сэцуко.

На стол поставили маленькие чашечки для сакэ и белый кувшин. Дронго дотронулся до него, он был горячим. Перед ними поставили пустые тарелки, палочки для еды.

— Как они называются по-японски? — спросил Дронго, показывая на палочки.

— Хаси, — объяснила Сэцуко.

Хромающий официант принес и поставил на стол другой кувшин. Дронго дотронулся до него. Он был ледяным. Им дали еще две чашечки, чуть побольше.

— Это кальпис, — продолжала свои объяснения Сэцуко, — японский прохладительный напиток. Он немного похож на йогурт. Его готовят на молочной основе. Говорят, в России есть похожий напиток, кажется, называется кефир.

— Надеюсь, мой желудок все это выдержит, — пробормотал Дронго.

Она разлила сакэ, и они выпили первые чашечки, слегка чокнувшись друг с другом. Ноги Дронго иногда касались ее ног. Ему было неловко, но изменить положение он не мог. С одной стороны была стена, а с другой сидела Сэцуко.

В течение следующего часа он попробовал сначала закуску, называемую татамииваси, состоящую из ломтиков сушеной мелко нарезанной рыбы. Затем им принесли мисо — густой японский суп из перебродивших бобов. Им подавали хорошо прожаренный тайяки, состоящий из крупно нарезанных кусков свежего карпа. Они ели умэбаси — токийское кушанье из слив — и наслаждались тэмпурой — ломтиками рыбы, начиненной овощами и завернутой в тесто. В этот вечер он узнал много нового о японской кухне.

Им трижды меняли горячие кувшины с сакэ, и под конец вечера его уже не смущали коленки Сэ-

2 – 3065

цуко, находившиеся совсем рядом. Она оказалась веселой и доброй женщиной. Они вспоминали какие-то потешные истории и весело смеялись. Когда они закончили ужин, было поздно. Дронго взглянул на часы, посмотрел на смеющуюся Сэцуко и нахмурился.

— Вам нельзя садиться за руль в таком состоянии, — строго сказал он.

— Да, — кивнула она, — конечно, нельзя. Но вы не беспокойтесь. Хозяйка ресторана — моя родственница. Ее муж отвезет вас в отель. А я живу недалеко, в районе Акихабары. Вызову такси и поеду домой.

— В таком случае я отвезу вас, — возразил Дронго. — Вы живете одна?

— Нет, — рассмеялась Сэцуко. — Я еще не успела выйти замуж за своего друга, но он у меня есть и мы живем вместе, — подняла она указательный палец, покачав им перед лицом Дронго.

— Передайте ему привет, — сказал Дронго, вызвав новую волну смеха. Она смеялась так заразительно, что засмеялся и он.

— Встретимся завтра, — кивнула она ему на прощание. — Я заеду за вами в одиннадцать часов.

— Завтра, — согласился он, еще не зная, что больше они не увидятся.

Он расплатился с хозяйкой, оставив щедрые чаевые, и вышел к машине. Что-то заставило его обернуться. Сэцуко улыбалась ему на прощание. Он помахал ей рукой и сел в машину. Он даже не предполагал, что эта ночь будет последней в жизни смешливой Сэцуко Нуматы.

Глава 3

Проснувшись в десять часов утра, он почувствовал, как болит голова. Сказывались долгий перелет и изменение часового пояса. Обычно в Америке в первые дни трудно спать по утрам, так как биологические часы внутри человека заставляют его подниматься в шесть-семь часов, когда в Европе уже полдень, а в Москве уже два-три часа дня. Но в Японии все наоборот, здесь хочется спать подольше, так как десять часов утра в Японии соответствуют полуночи по европейскому времени.

Приняв душ, он спустился в ресторан позавтракать. По утрам обычно есть не хотелось, и он ограничивался чашкой чая с небольшой сладкой булочкой. Ему принесли «Файнэншл таймс», и, листая газету, он с удовлетворением отметил, что банк Тацуо Симуры занимает достаточно прочные позиции в мировом бизнесе. Газета приводила полный рейтинг ста ведущих банков мира.

Вернувшись в номер, он терпеливо уселся на диване, дожидаясь прихода Сэцуко. Но в одиннадцать часов никто не пришел. Была уже половина двенадцатого, когда он начал волноваться. Японцы пунктуальны, даже смешливая Сэцуко не посмела бы опоздать более чем на полчаса. Он начал звонить ей. Домашний телефон не отвечал, мобильный был отключен. Дронго нахмурился. Когда в самом начале расследования происходят подобные непредвиденные случайности, дальше можно ожидать и более крупных неприятностей. В первом часу он уже серьезно забеспокоился. Сэцуко должна была позвонить или хотя бы предупредить, что задержится. В банк звонить было нельзя, не нужно, чтобы там знали о его встрече с их сотрудником.

Еще через полчаса он позвонил Сиро Тамакити, который встречал его в аэропорту. Тамакити пообещал все выяснить и перезвонить. Однако прошел целый час, а он не звонил. До семи часов вечера, когда должен был состояться прием, оставалось все меньше времени.

Приходилось ждать в номере. Он сел работать за компьютер и не заметил, как прошло еще около двух часов. Дронго взглянул на часы и подумал, что придется заказывать обед в номер. Он уже протянул руку к телефону, когда в дверь позвонили. Быстро поднявшись, он подошел к двери, посмотрел в глазок. На пороге стоял Тамакити. Открыв дверь, Дронго взглянул ему в лицо. Даже если бы Тамакити ничего не произнес, то и тогда можно было бы догадаться о чрезвычайном происшествии. Невозмутимый японец был явно взволнован, в его глазах отражалось смятение, хотя он старался держать себя в руках.

— Что произошло? — спросил Дронго, пропуская гостя в номер.

Тамакити вошел, оглянулся по сторонам, словно опасаясь, что их услышат. И неожиданно сделал жест рукой, приглашая Дронго выйти из номера. Они вышли в коридор, прошли на аварийную лестницу.

— Она умерла, — сообщил Тамакити невероятную весть.

— Как это умерла? — нахмурился Дронго. Ему стало больно. С ней было так весело и приятно.

— Ее нашли дома, — пояснил Тамакити, — сегодня утром. Ее друг уехал на работу в половине восьмого, и она была еще жива. Потом она пошла принимать душ. И, видимо, включила фен. В общем, там замкнулось электричество, фен упал в ванну. Ее ударило током, и она умерла. Врачи говорят, смерть была мгновенной.

Дронго ошеломленно молчал. Поверить в подобную случайность он не мог.

— Кто ведет расследование? — поинтересовался он.

— Полиция и прокуратура, — пояснил Тамакити.

— А почему вы позвали меня в коридор?

Тамакити мрачно отвернулся. Затем спросил:

— Вы верите в такую случайность?

— Нет. А вы?

— Я тоже не верю. Ее убили сразу после встречи с вами. Я не стал говорить сэнсэю, но боюсь, вам придется сложно. Если за ней следили...

— Кому понадобилась ее смерть? — вздохнул Дронго. — Вы убеждены, что это не несчастный случай?

— Не знаю, — признался Тамакити. — Она была очень добрым человеком. Но невнимательным. Может быть, она ошиблась. Но почему тогда она погибла именно сегодня утром?

— Что думаете делать?

— Поеду в полицию. Узнаю подробности, как она погибла. Вам нужно будет сегодня вечером поехать на прием. Он состоится в отеле «Империал», в приглашении указано время и адрес.

— Вы приедете туда?

— Я приеду за вами в шесть часов вечера. И расскажу вам все, что узнаю. Будьте осторожны. Если ее смерть не случайна, значит, кто-то целенаправленно убирает свидетелей. Сначала убили Ёситаку Вадати, сейчас Сэцуко Нумату. Я не верю в такие случайности. Сэнсэй говорил мне, чтобы я всегда видел причинные связи между событиями.

— Узнайте, как все произошло, — попросил Дронго. Он вдруг почувствовал, как заболело сердце. Смерть молодой женщины, с которой он только вчера ужинал, сильно на него подействовала.

Когда Тамакити ушел, Дронго вернулся в свой номер, тяжело опустился на диван. «Бедная девочка», — подумал он, вспоминая Сэцуко. Врачи говорят, что смерть была мгновенной. А кто ответит за нее? «Какой я, к черту, аналитик, — подумал Дронго. — И частный детектив из меня никудышный. За столько лет можно было бы привыкнуть и к человеческой подлости, и к потерям. Но я не могу. Не могу смириться с тем, что кто-то пришел к веселой, доброй, солнечной Сэцуко и бросил фен в ее ванну. Не могу я с этим смириться».

Каждый раз, сталкиваясь с человеческой подлостью, он воспринимал ее как вызов самому себе. Как вызов здравому смыслу. И каждый раз он думал о том, как разоблачить мерзавца, заставить его почувствовать страх и боль, восстановить истину, словно в этом было его настоящее призвание.

«Получается, кто-то за ней следил, — подумал Дронго, — кому-то не понравилась ее встреча со мной». И молодую женщину решили убрать до сегодняшнего приема. Тогда получается, кто-то связывает именно с этим приемом свои планы. Но в таком случае нужно убирать не только Сэцуко, но и самого Дронго, чтобы неизвестным ничего не мешало во время сегодняшнего приема... Он взглянул на дверь. До назначенного времени оставалось около четырех часов. Может, ему лучше вообще не выходить сегодня из номера? Но если убийцы смогли так ловко подстроить смерть руководителя службы безопасности банка и несчастной Сэцуко, то они могут попытаться устроить и смерть приехавшего иностранца. Дронго подошел к окну. Отсюда он не выпадет, окно почти не открывается, а в открывшуюся щель его не просунут даже мертвым. Трюк с феном они не станут использовать во второй раз, слишком очевидно. Электрической бритвы у него нет, он бреется ручным станком.

Еда, напитки. Его могут попытаться отравить. Или усыпить. За завтраком он почти ничего не ел. Кажется, он хотел заказать обед перед приходом Тамакити. Получается, Тамакити невольно спас его. Если, конечно, убийцы готовы действовать. Но почему они убрали именно Сэцуко? Ведь они должны были знать, что она успела встретиться с Дронго. И самое важное уже рассказала ему. Значит, дело не в информации, которую она могла ему дать. Дело в самом появлении Сэцуко на сегодняшнем приеме. Кто-то не захотел, чтобы она там присутствовала. Но почему? Кому могла помешать эта молодая женщина? Чему она могла помешать?

Нужно вспомнить вчерашний разговор. Весь разговор до мельчайших подробностей. Кажется, он просил узнать, почему преемник убитого Вадати перевелся с военной службы на гражданскую. Первая зацепка. И еще. Что-то она не знала и пообещала узнать. Что именно? Он закрыл глаза, вспоминая разговор. Точно. Она не знала, чем именно занимался в своем банке их первый вице-президент Такахаси. Если он курировал финансовые вопросы, тогда все понятно. А если службу безопасности, то это вызовет много вопросов. В том числе и к самому президенту Симуре. Почему он нашел себе преемника со стороны? Это не в японских традициях.

Можно было готовить себе преемника, выбирая из кадровых сотрудников своего банка. Восемь лет назад тому же Фудзиоке было пятьдесят три года, и он вполне мог претендовать на должность первого вице-президента, чтобы в дальнейшем возглавить банк. Однако президент банка решил иначе. Почему?

«В этом деле загадок больше, чем конкретных фактов», — подумал Дронго. В любом случае надо принимать в расчет и возможную опасность со стороны неизвестного убийцы. Придется сегодня поголодать. Нужно было утром поесть. Хотя, с другой стороны, зачем им убивать самого Дронго? Даже если она получила информацию, какую хотела узнать, то не успела ничего передать Дронго, а значит, ее убрали именно из-за этого, и тогда ему не грозит непосредственная опасность. Иначе убийцы не стали бы ждать так долго. С восьми часов утра прошло столько времени. Или ее убили чуть позже?

В любом случае ее убили именно сегодня, либо не разрешив ей встретиться повторно с Дронго, чтобы передать ему какие-то сведения, либо для того, чтобы она не попала на вечерний прием. За дверью послышался шум, и он насторожился. Подошел к двери, посмотрел в глазок. Две девушки-негритянки, очевидно, приехавшие из США, не могли попасть в свой номер, находившийся в конце коридора. Они неправильно засовывали карточку-ключ в дверь и громко смеялись при этом. Он уже видел сегодня утром этих девушек. Кажется, ему сказали, что они спортсменки, прилетевшие на какой-то чемпионат мира. Именно поэтому они жили на этом престижном этаже и остановились в соседнем сюите. Наверно, сестры, подумал Дронго.

Девушки наконец смогли открыть дверь и с шумом прошли в свой номер. Больше в коридоре никого не было. Не думаю, что меня захотят убрать, решил Дронго. Они ведь понимают, какой скандал может произойти. Нет, они подстраховались, убрав Сэцуко. Они убили ее не из-за приема, они убили ее именно из-за возможной встречи со мной. Тогда получается, что она успела узнать со вчерашнего дня какую-то новость, которая стоила ей жизни.

«В любом случае не нужно сидеть и ждать, пока тебя убьют», — невесело подумал Дронго. Он переоделся и вышел в коридор. В кабине лифта никого не было. Он спустился в ресторан и заказал себе легкий обед, чтобы подкрепиться. К шести часам вечера к нему снова приехал Тамакити. На этот раз он прибыл точно в срок.

Они снова вышли в коридор, стали спускаться по служебной лестнице вниз, чтобы поговорить без свидетелей.

— Я все узнал, — тихо рассказывал Тамакити, который шел позади Дронго. — Мы были правы. Полиция сомневается, что она погибла сама. Дело в том, что на убитой было нижнее белье в момент смерти. Получается, она принимала душ в нижнем белье. Хотя один инспектор считает, что она могла начать одеваться и снова встать под душ, чтобы обработать волосы феном. И именно в этот момент произошло замыкание. Странно, фен был новым, недавно купленным. Выходит, он упал в воду и повредил каркас, после чего получилось короткое замыкание.

— Неужели она пользовалась китайским феном?

— Нет, японским. — Тамакити замолчал, понимая, почему его спросили о фене. — У нее была хорошая зарплата, у ее друга тоже. Он фотохудожник. Получает большие гонорары за свои снимки в наших и американских журналах. У него абсолютное алиби...

— Ну, это понятно, — недовольно произнес Дронго. — Если бы он хотел убить Сэцуко, то придумал бы какой-нибудь другой способ. Отравил бы ее или толкнул в ванной. Нет, здесь действовали специалисты. Каким образом японский фен мог стать причиной смерти? Разве ваши приборы не проверяют на попадание воды?

— Конечно, проверяют, но у него оказались оголены провода при падении.

— Он упал в воду? — сжав зубы, спросил Дронго.

— Да. — Тамакити сделал еще несколько шагов и только тогда понял, о чем именно его спросил Дронго. — Вы правы, — ошеломленно сказал он. — Если фен упал в воду, то он не мог удариться так сильно, чтобы разбился его корпус и оголились провода. Даже если она его бросила со всей силой.

— Вот именно, — вздохнул Дронго, — получается, фен сначала сломали, а потом бросили туда, где она стояла. На руках нет синяков?

— Нет. Полицейские осмотрели ее запастья. Может, она сама влезла под воду. Ей могли угрожать оружием.

— Выходит, так они и сделали, — выдохнул Дронго. — Бедная девочка. Она вчера мне так понравилась. Мы поехали в район Гиндзы и обедали там в ресторане у ее родственницы.

— Я знаю, — сказал Тамакити. — Это ее тетя. Она мне уже звонила. Тело Сэцуко сейчас в полицейском морге. И я все еще ничего не рассказал сэнсэю. Врачи сказали, он очень плохо себя чувствует и его нельзя беспокоить.

— И не нужно беспокоить, — согласился Дронго. — Скажите, Тамакити, у вас есть оружие?

— Нет, — ответил молодой человек, — туда не пустят с оружием. В отеле ожидается приезд нашего премьер-министра и многих послов, в том числе и американского. Туда никого не пропустят с оружием. Поэтому у меня с собой ничего нет. Если у вас есть мобильный телефон, его лучше с собой не брать или оставить при входе в гардеробе, его тоже не разрешат пронести на прием. И будьте осторожны. Постарайтесь ничего не пить. Если берете стакан, то выбирайте его сами и не оставляйте на другом столике.

— Постараюсь вообще не пить, — пробормотал

Дронго. — Мне нужно, чтобы вы показали мне всех руководителей банка. Всех, чьи фамилии я буду вам называть. Это возможно?

— Конечно. Я знаю всех. Или почти всех из тех, кто там будет.

— Сэцуко говорила, что их бывший руководитель пресс-службы ушел в газету работать главным редактором. Вы его знаете?

— Разумеется, — сразу ответил Тамакити, — его знает вся Япония. Это очень известный человек, хороший журналист. Его все уважают. Мицухаро Хазивара, он очень известный журналист. В банке он работал только несколько лет, до этого был заместителем главного редактора нашего популярного журнала.

— Понятно. Он тоже будет на встрече?

— Обязательно будет. Пригласят всех известных журналистов.

— Сэцуко сказала мне, что сейчас руководителем пресс-службы является Фумико Одзаки. Она заняла эту должность сразу после ухода Хазивары. Вы ее знаете?

— Немного, — признался Тамакити. — Она училась в Англии, в Оксфорде. Очень красивая женщина. Образованная, умная, цепкая. Ей двадцать восемь лет, и она дочь самого Сокити Одзаки, нашего телевизионного магната. Она из очень богатой семьи, и карьера интересует ее больше, чем достижения банка. Но говорят, что Симура доволен ее напористым характером. Не знаю, как она будет работать с новым президентом, если им станет Такахаси. У обоих очень непростые характеры.

— Покажите мне эту Фумико, — попросил Дронго.

— А вы ее сразу узнаете, — улыбнулся Тамакити. — Такую женщину нельзя ни с кем перепутать.

Они спустились наконец на первый этаж и вышли из отеля в сад. К вечеру стало довольно тепло. Можно было поехать даже без плаща. Дронго поправил платок в кармане. Ему всегда нравились галстуки, продающиеся с платками в карман. Посмотрел на Сиро Тамакити и негромко сказал:

— Идемте, мой Вергилий, в ваш банковский вертеп. Вам нужно будет провести меня по всем кругам этого ада. До тех пор пока я не найду убийц Сэцуко. Это теперь мое личное дело.

— Сэнсэй говорит, что нельзя примешивать личные чувства к поискам виновного, — негромко сказал, словно извиняясь, Тамакити.

— Нельзя, — согласился Дронго. — И все-таки я стану их искать не только потому, что меня попросил сэнсэй Кодзи Симура, но и потому, что я хочу найти их и посмотреть им в глаза.

Глава 4

Роскошный отель «Империал» находится в самом центре Токио, в районе Касумигасэки, расположенном на границе с районом Гиндза и отделенном от него железнодорожным полотном. Отсюда можно пройти до императорского дворца за парком Хибия. Отель насчитывает более тысячи номеров и считается одним из самых престижных в городе. Прямо напротив отеля располагается так называемый театральный участок, а чуть дальше и знаменитый императорский театр.

Начиная с половины седьмого у отеля начали останавливаться роскошные автомобили представительского класса, из которых выходили послы иностранных государств, министры, известные банкиры, политики, журналисты, даже актеры и режиссеры. Прием обещал превратиться в самое грандиозное мероприятие весеннего сезона. Ни для кого не было секретом, что президент банка «Даиити-Кангё» Тацуо Симура собирал на этот прием всю элиту страны, чтобы в последний раз предстать перед собравшимися в роли хозяина банка.

Дронго и Тамакити приехали на такси, но швейцар любезно открыл им дверь. В отелях такого класса не делят гостей на приехавших в роскошных автомобилях и в такси. Опытные швейцары прекрасно знают, что любой опаздывающий посол или министр может оказаться в такси, не говоря уже о банкире или популярном актере, которому придет в голову подобная экстравагантная идея. Так же встречают и небрежно одетых клиентов в фешенебельных отелях во всем мире. Сотрудники отелей знают, что миллиардер может появиться в шортах, а известный режиссер приехать в рубище. Одежда и машина давно перестали быть символами богатства и преуспевания. Швейцары научились узнавать клиентов по выражению лица, по холеным рукам, по дорогой обуви, по манере поведения.

Но на официальный прием все прибывают в строгих костюмах или в смокингах, если они оговорены в приглашении. Дронго и Сиро Тамакити миновали охрану, причем они не просто прошли через стойку металлоискателя, но и подверглись личному досмотру со стороны охранников банка и отеля, которые совместно обеспечивали безопасность в зале. При входе находились еще сотрудники службы безопасности, отвечавшие за охрану высших должностных лиц страны.

В зале приемов, украшенном живыми цветами, находились уже около ста человек. У входа в зал стоял президент банка Тацуо Симура, лично приветствовавший всех гостей. Сиро Тамакити вошел первым и протянул ему руку, Симура улыбнулся в ответ. Очевидно, он знал помощника своего младшего брата. Дронго улыбнулся, увидев президента, братья были поразительно похожи друг на друга. Среднего роста, с лысым покатым черепом, внимательные, глубоко посаженные глаза.

— Это мистер Дронго, — показал на своего спутника Тамакити. — Он прибыл из Европы. Финансовый консультант, о котором говорил ваш брат.

Рука Тацуо Симуры, протянутая для приветствия, не дрогнула. Он посмотрел на Дронго и крепко пожал ему руку. Рядом с президентом банка стоял его первый заместитель. Это была как передаваемая эстафета. От одного к другому. Сэйити Такахаси был высокого роста, с тяжелыми, резкими чертами лица, густыми бровями, широким подбородком, словно расплющенным от удара. Он пожал руку Дронго, едва взглянув на него, и сразу протянул руку следующему гостю, оказавшемуся новозеландским послом.

Рядом с двумя мужчинами стояла молодая женщина. Дронго обратил на нее внимание, когда вошел в зал. Словно сошедшая с популярного журнала мод, она была одета в черное длинное платье. Короткая прическа «под мальчика» подчеркивала молодость женщины. У нее были удивительно красивые раскосые глаза, чувственные губы, изящный носик. И длинные обнаженные руки. Увидев Тамакити, она кивнула ему в знак приветствия и улыбнулась дежурной улыбкой.

— Это мистер Дронго, — сказал ей Тамакити.

Протянутая рука неожиданно дрогнула. В лице мелькнуло какое-то смятение. Или ему показалось. Она перестала дежурно улыбаться и внимательно взглянула в глаза Дронго. Ее ладонь с длинными узкими пальцами была прохладной. Он пожал ей руку. Она смотрела ему в глаза и, даже когда он отошел, все еще о чем-то думала. Новозеландский посол стоял с протянутой рукой несколько секунд, пока наконец она не очнулась.

Отходя от них, Дронго повернулся и посмотрел на женщину. Она глядела в его сторону.

— Это и есть пресс-секретарь банка Фумико Одзаки, — сказал Тамакити. — Вы тоже обратили на нее внимание. Очень эффектная женщина. Я ведь вас предупреждал.

— Да, — кивнул Дронго, — очень красивая женщина.

Через пятнадцать минут президент банка направился к микрофону, установленному в другом конце зала. Он по-японски сказал несколько энергичных слов, вызвавших аплодисменты. Затем перешел на английский, приветствуя собравшихся гостей. Он говорил достаточно энергично для своего возраста, хотя его английский не был безупречен и чувствовался сильный японский акцент. Пожелав собравшимся долгого здоровья и поблагодарив за участие в приеме, Симура снова перешел на японский. И опять вызвал аплодисменты.

После президента банка обычно никто не говорит. Японцы не любят длинных, цветистых речей на подобных приемах. Но неожиданно слово предоставили Сэйити Такахаси. Все замерли. Даже премьер-министр, беседовавший с американским послом, повернул голову, чтобы увидеть и послушать человека, который скоро должен был стать одним из руководителей могущественной финансовой империи.

Такахаси подошел к микрофону, поблагодарил президента и сказал несколько фраз громким, несколько глуховатым голосом. И затем повторил свои слова по-английски.

— Мы рады приветствовать наших гостей, — по-английски он говорил гораздо лучше своего руководителя, — и надеемся, что в будущем веке банк «Даиити-Кангё» будет столь же успешно развиваться, как он развивался в двадцатом веке.

Сказав эти несколько предложений, Такахаси отошел от микрофона и взял у подошедшего официанта бокал с шампанским.

«Он мог бы этого не говорить, — подумал Дронго, — но ему было важно подчеркнуть свое место и значение в банке. Кажется, он действительно заменит президента. Интересно, почему он согласился уйти со своего прежнего места работы? Похоже, там ему не было гарантировано место руководителя банка». Мимо них прошел мужчина средних лет, подстриженный ежиком. Он взглянул на стоявшую недалеко от них женщину и улыбнулся. Она улыбнулась ему в ответ.

— Кто это? — спросил Дронго у Тамакити.

— Хидэо Морияма, — шепотом ответил Тамакити, — вице-президент банка, курирующий международные филиалы. Он поздоровался с руководителем нью-йоркского филиала банка. Говорят, она его протеже. Если он перейдет на должность Фудзиоки и будет курировать финансовые вопросы, то его должность станет вакантной и на нее может претендовать Аяко Намэкава.

Дронго посмотрел на женщину, стоявшую у столика в окружении нескольких мужчин. Ей было не больше сорока. Стильно уложенные волосы, модная прическа, уверенный взгляд. Дорогая оправа очков. Было видно, что она склонна к полноте, но физические упражнения и строгие диеты позволяли ей сохранять моложавость фигуры. У нее были правильные черты лица, и в Америке ее могли принять скорее за пуэрториканку или мексиканку, чем за японку. Она была в темно-синем костюме. Дронго обратил внимание на покрой костюма и его расцветку. Очевидно, она отдавала предпочтение американским модельерам.

— А где сам Фудзиока? — спросил Дронго.

— Разговаривает с южнокорейским послом, — показал Тамакити.

Фудзиока стоял рядом с послом и был удивительно на него похож, словно был корейцем, а не японцем. У японцев лица гораздо грубее, чем у их соседей — корейцев и китайцев. Хотя у корейцев обычно более широкие лица. Фудзиока был небольшого роста, с редкими седыми волосами. Одетый в синий костюм в полоску, он внимательно слушал южнокорейского посла, иногда кивая головой.

— Он очень известный специалист, — уважительно сказал Тамакити. — Говорят, ему дважды предлагали должность заместителя министра финансов Японии, но он отказывался, предпочитая оставаться в банке.

— Извините, — раздался голос за их спиной.

Дронго обернулся и увидел Фумико Одзаки. Он почувствовал легкий аромат парфюма. «Аллюр», вспомнил он. Эта молодая женщина любит модные французские духи от Коко Шанель.

— Вы действительно мистер Дронго? — спросила она. — Тот самый Дронго, о котором говорит вся Европа?

Дронго переглянулся с Тамакити.

— Я финансовый консультант... — начал он.

— Не нужно, — улыбнулась она, глядя ему в глаза, — я много слышала о вас, мистер Дронго. Неужели вы прибыли сюда только для того, чтобы побывать на нашем приеме? И странно, что вас привел сюда помощник самого Кодзи Симуры, который, очевидно, работает финансовым консультантом в той же фирме, где трудитесь и вы.

Дронго усмехнулся. У этой молодой женщины было аналитическое мышление. И напор, которому мог позавидовать любой мужчина.

— Вы правы, — сказал он, не обращая внимания на недовольство Тамакити, — я действительно специалист по другим вопросам. К сожалению или к счастью, финансы не моя специфика. Я занимаюсь человеческими особями определенной категории.

— Я знаю, — ответила она. — Вы ведь приехали сюда, чтобы встретиться с моим заместителем. Сэцуко давно должна была приехать. Наверно, задерживается.

— С чего вы взяли?

— Догадалась.

Она намеренно шагнула в сторону, и он был вынужден шагнуть вместе с ней, отходя от Тамакити. По-английски она говорила безупречно.

— Вы думаете, в нашем банке есть нечто такое, что может заинтересовать столь известного эксперта, как вы? — поинтересовалась Фумико.

— А вы думаете, что нет?

— У нас скучно. — Когда она улыбалась, он видел идеальную линию ее мелких, ослепительно белых зубов.

— Вы не похожи на женщину, умирающую от скуки, — заметил Дронго.

— Возможно, — она оценила его выпад и улыбнулась. Эта женщина привыкла быть первой, подумал он. Ей действительно будет трудно с Такахаси, когда тот станет президентом.

— Странно, что я не вижу Сэцуко, — снова сказала Фумико, оглядываясь по сторонам. — Обычно она не опаздывает.

— Она не придет, — сказал Дронго, внимательно наблюдая за своей собеседницей.

— Почему? — спросила Фумико, поворачиваясь

к нему. Какие у нее красивые глаза, подумал Дронго. Кажется, вишневого цвета.

— Она умерла. — Дронго смотрел ей в глаза. Женщина вздрогнула. Глаза чуть сжались. Но она не испугалась. Только удивилась.

— Вы шутите? — Она вдруг поняла, что он не станет шутить такими вещами. — Как это случилось? — тихо спросила Фумико.

— Сегодня утром она принимала душ и уронила фен. Произошло короткое замыкание, и ее убило током. Полиция считает, что это случайность.

— И поэтому вы прилетели? — выдохнула она. Потом, не спуская с него глаз, покачала головой. — Нет. Если бы вы прилетели из-за смерти Сэцуко, то не успели бы долететь сюда из Европы. Значит, вы прилетели раньше?

— Да, — сдержанно ответил Дронго, — я прилетел вчера утром.

— И Сэцуко случайно уронила фен, — прокомментировала она. — Вам не говорили, что вы страшный человек? Ваш приезд мог спровоцировать ее смерть?

— Не знаю, — ответил он, — но боюсь, что вы правы. Мне кажется, на нас смотрят все мужчины. Вы производите на них сильное впечатление.

— Мне это неинтересно, — отмахнулась она. Привыкшая к обожанию мужчин, эта избалованная дочь телевизионного магната могла отмахнуться от окружавших ее министров, банкиров и послов.

— Зато им интересно на вас смотреть, — возразил Дронго.

— А вам?

— Мне тоже, — угрюмо ответил Дронго, — но я постепенно становлюсь японцем. Учусь сдерживать свои чувства.

— Она не случайно уронила фен? — спросила Фумико. — Скажите откровенно. — Было заметно, как эта новость ее взволновала.

— Вполне вероятно, но вам лучше позвонить в полицию, — посоветовал Дронго.

— Я так и сделаю. Вы не ответили на мой вопрос. Зачем вы приехали?

— Хочу посмотреть, как цветет сакура, — поклонился ей Дронго.

Она отвернулась и раздраженно отошла к широкоплечему коренастому мужчине. Она была выше него ростом. Наклонив голову, она что-то ему быстро сказала. Он коротко возразил ей. Она нервно вздрогнула и произнесла несколько энергичных фраз. Неизвестный мрачно посмотрел на нее и, уже не возражая, пошел к выходу.

— Это Инэдзиро Удзава, новый руководитель службы безопасности банка. Назначен вместо погибшего Вадати, — прокомментировал появившийся за спиной Дронго Тамакити.

— Я скоро запутаюсь в иерархии этого банка, — проворчал Дронго. — Кажется, мне не стоило сюда приезжать. У вас здесь странные отношения между сотрудниками банка. Почему Фумико командует руководителем службы безопасности банка? Разве он ей подчиняется?

— Она командует и другими, — улыбнулся Тамакити. — Эта женщина вполне может претендовать на роль руководителя банка. Она могла бы стать первым президентом-женщиной в нашей стране.

— Я думал, у вас западная страна, — пробормотал Дронго.

— Нет, — ответил Тамакити, — конечно, нет. Мы настоящая азиатская страна. Мы можем позволить, чтобы женщина руководила нашим филиалом в Нью-Йорке, только для того, чтобы понравиться американцам. Или назначить такую женщину, как Фумико, на должность руководителя пресс-службы в банке. Но не больше. Она тоже знает, что в Японии не назначают женщин на должность руководителей банков. И у нас женщина не может стать премьер-министром. Это абсолютно исключено. Мы страна самураев.

— Вам не кажется, что вы слишком пессимистичны, Тамакити? Нельзя поддаваться таким чувствам.

— Можно, — вздохнул Сиро Тамакити. — Если бы сегодня утром убили кого-нибудь из заместителей руководителей отделов банка, прием бы наверняка отменили, посчитав, что его нельзя проводить после такой трагедии. Но убийство Сэцуко их не волнует. Для них она лишь женщина, которая занимала не свое место. На ее месте должен был работать мужчина, и тогда бы ничего не произошло. Так они рассуждают.

— Не обязательно, — возразил Дронго. — И учтите, убийство Сэцуко — всего лишь наши подозрения. Наверняка новый руководитель службы безопасности уже знал о смерти Сэцуко. Когда Фумико сказала ему о ней, он ей что-то ответил. И она, разозлившись, стала ему выговаривать. Я думаю, он знал о смерти Сэцуко и поэтому не удивился, когда она спросила его.

— Назначение Фумико — это тоже дань нашим американским друзьям и нашим европейским связям, — пробормотал Тамакити. — Она дочь известного человека, училась в Англии. Она не совсем типична в этом смысле. Мне кажется, она искренне считает, что руководитель пресс-службы представляет банк наравне с президентом.

— Так и есть, — удивился Дронго.

— В Японии немного по-другому, — возразил Тамакити. — Здесь только президент может говорить от имени банка. А пресс-секретарь всего лишь его сотрудник. Он должен озвучивать мысли президента банка. И не более того.

— Я думаю, она не согласится с таким положением дел.

— Симура оказался слишком либерален, — пробормотал Тамакити, — он решился назначить на такую должность женщину, хотя на ее месте всегда работали мужчины. Но Сэйити Такахаси не такой. Он не потерпит ее вольнодумства. И все должно быть так, как считает Такахаси. Иначе ей придется уйти из банка.

— Мне кажется, она так и сделает, — кивнул Дронго.

Они увидели, как возвращается Инэдзиро Удзава. Подойдя к Фумико, он заговорил с ней. Она несколько раз покачала головой, не соглашаясь с ним. Неожиданно она повернула голову, очевидно, разыскивая Дронго, и, встретив его взгляд, резко дернула плечом. Затем, оставив Удзаву, решительным шагом поспешила к президенту банка, стоявшему рядом с премьер-министром. Очевидно, премьер сделал ей комплимент, и она рассеянно его поблагодарила. Но попросила президента отойти с ней, чтобы поговорить о весьма важном деле. Стоявший рядом с премьером один из руководителей правящей партии поднял брови. Такого в стране раньше не могло случиться. Чтобы сотрудник банка отозвал президента в сторону, когда тот разговаривает с премьер-министром. Нравы меняются, с огорчением подумал представитель правящей либерально-демократической партии.

Фумико о чем-то быстро рассказывала президенту. Тот слушал ее спокойно, не меняясь в лице. Столько лет руководя крупнейшим банком страны, он привык и к плохим известиям, и к хорошим. Поэтому, молча выслушав пресс-секретаря, он пожевал губами и сказал несколько твердых фраз. А затем вернулся к премьер-министру, который терпеливо его ждал.

— Кажется, она нервничает, — заметил Тамакити, обращаясь к Дронго.

Симура закончил разговор с премьер-министром и поклонился ему. Тот поклонился в ответ. Очевидно, оба были довольны состоявшейся беседой. Симура поклонился еще раз и отошел от премьера. Поискав глазами руководителя службы безопасности, он подозвал его к себе властным кивком головы. Удзава поспешил подойти. Симура коротко отдал приказ и направился к другим гостям. Удзава поклонился уже спине уходящего президента и повернулся, явно кого-то разыскивая. Увидев Тамакити, он поспешил к ним.

— Извините меня, — сказал, подойдя к Тамакити, руководитель службы безопасности, — я прошу вас, господин Тамакити, представить меня вашему другу.

Он произнес это по-японски, и Дронго ничего не понял. Но Тамакити полуобернулся к нему и, церемонно поклонившись Удзаве, сказал:

— Господин Дронго, финансовый консультант из Европы. Господин Инэдзиро Удзава, руководитель службы безопасности банка.

— Добрый вечер, — пробормотал Дронго, слегка кланяясь.

— Извините меня, — Удзава говорил по-английски с сильным акцентом, — я прошу вас принять приглашение нашего президента, сэнсэя Тацуо Симуры. Он приглашает вас подняться после приема в розовый зал, предназначенный для узкого круга друзей. Я могу передать ваше согласие?

— Можете, — разрешил Дронго.

Удзава поднял голову. На мгновение в его глазах блеснули любопытство и недоброжелательность. Ему явно не нравился этот неизвестный тип, появившийся так некстати. Он поклонился еще раз и поспешил вернуться к президенту. Рядом послышался громкий смех. Это Такахаси с бокалом в руке о чем-то весело говорил с американским послом. Оба смеялись, довольные друг другом. К ним подошел министр обороны, и все трое продолжали громко разговаривать, привлекая внимание остальных гостей.

Дронго посмотрел по сторонам. Фудзиока слушал южнокорейского посла, вежливо кивая ему в знак согласия. Морияма подошел к Аяко Намэкаве и о чем-то с ней заговорил. Дронго неожиданно заметил, с каким вниманием следит за этой парой высокий мужчина с седыми волосами, протиравший очки.

— Кто это? — спросил он у Тамакити.

— Руководитель филиала банка в Осаке Кавамура Сато. Он из очень древнего японского рода. Говорят, он может стать вице-президентом банка вместо Мориямы. Но тот настаивает, чтобы его место заняла Аяко. Он считает, это нужно для укрепления имиджа банка в глазах американцев и европейцев. Симура его поддерживает, но Такахаси и Фудзиока категорически против. Они считают Аяко Намэкаву слишком американизировавшейся японкой. Так говорила мне Сэцуко.

Официанты внесли в зал очередные подносы с напитками и закусками. Играла легкая музыка. В зале появилось много европейских женщин в красивых платьях.

— Неужели это все японские банкиры или иностранные послы? — пошутил Дронго.

— Нет, — улыбнулся Тамакити, — в каждом крупном банке или большой финансовой корпорации обязательно есть сотрудник по связям с европейскими и американскими коллегами. У нас даже в универмагах есть такие сотрудники. Говорят, покупатели им больше доверяют. Видя европейское лицо, они инстинктивно тянутся к нему.

Дронго снова увидел Фумико. Она молча стояла в углу, наблюдая за гостями. Очевидно, известие о смерти Сэцуко все-таки вывело ее из привычного равновесия. Когда мимо проходили знакомые, она улыбалась им дежурной улыбкой. Неожиданно к ней подошел высокий пожилой мужчина. Она повернула голову и вдруг поцеловала его. Очевидно, незнакомец только недавно прибыл на прием. Дронго почувствовал, как ему неприятно смотреть на этого мужчину. Он был одет в великолепный серый костюм. Красный шелковый галстук, платок в нагрудном кармане. «Обычно японцы не носят платков», — подумал Дронго, глядя на неизвестного. Интересно, почему она его поцеловала? Это ее друг или просто знакомый? Кажется, она не замужем.

— Она замужем? — спросил он, глядя на Фумико. Она о чем-то шепталась с неизвестным, и ее губы почти касались его уха.

— Кто? — не понял Тамакити.

— Фумико Одзаки, — сказал Дронго, по-прежнему глядя на молодую женщину. Странно, что она его так волновала.

— У нее нет мужа, — удивился Тамакити.

Он взглянул туда, где Фумико разговаривала с незнакомцем, и вдруг улыбнулся.

— Разве она может кого-нибудь полюбить? — спросил Тамакити. — Я думал, вы его сразу узнаете.

Глава 5

Дронго еще раз посмотрел на незнакомца. Фумико что-то шептала ему, и он согласно кивал головой, даже не глядя на молодую женщину. Мужчина был неуловимо похож на нее.

— Он приглашен на прием, — вслух сказал Дронго. — Она ему доверяет. Он лет на тридцать старше. И к тому же похож на нее. Неужели это ее отец?

— Конечно, — улыбнулся Тамакити, — это сам Сокити Одзаки, владелец нескольких телевизионных компаний и радиостанций. Его называют самым крупным телевизионным магнатом страны.

— Имея такую поддержку, она может позволить себе вести себя столь независимо, — сказал Дронго.

— Она еще стажировалась в Лос-Анджелесе, — улыбнулся Тамакити. — Такая женщина недолго протянет на наших островах. Она наверняка снова уедет или в Англию, или в США. Как только Такахаси станет президентом банка, она немедленно подаст в отставку. Он не позволит ей говорить от своего имени. Только от его имени. А его слова будут словами всего руководства банка. И, кажется, все это уже понимают.

Отец, выслушав дочь, кивнул и сказал ей что-то. Фумико не согласилась. Она покачала головой и закусила губу. Было видно, что отец гордится своей дочерью, с такой любовью и восхищением смотрел он на собственное творение.

— У него есть еще дети?

— Есть младший сын, — ответил Тамакити, — он, кажется, учится в Гарварде.

Прием заканчивался. Президент прошел к выходу, чтобы лично проводить премьер-министра страны. За ушедшим лидером потянулись и другие члены кабинета. Американский посол тепло попрощался с Такахаси и, кивнув Симуре, ушел из зала. Постепенно уходили все важные гости. Сокити Одзаки подошел к президенту Симуре и протянул ему руку совсем по-американски. Симура осторожно пожал ее и поклонился. Одзаки усмехнулся, поклонился и вышел, помахав рукой дочери. В зале осталось совсем немного людей.

Увидев, что основная масса гостей покинула зал,

Тацуо Симура огляделся вокруг и направился к боковому выходу. Поспешившие за ним охранники открыли дверь и выпустили президента банка.

— Вы не забыли о приглашении? — спросил Тамакити. — Вам нужно подняться в розовый зал. Это на втором этаже. А я подожду вас в холле, внизу.

«Интересно, будет ли там Фумико?» — подумал Дронго, направляясь к выходу из зала.

Он поднялся на второй этаж, где уже находились несколько охранников. Рядом с ними стоял Инэдзиро Удзава. Увидев Дронго, он чуть наклонил голову и провел гостя в комнату, примыкавшую к залу. Дронго сел в небольшой светлой комнате без окон, ожидая, когда его позовут. Вошла молодая женщина и спросила, не хочет ли он выпить. Дронго отказался, и женщина осторожно вышла. На ней была форма отеля «Хилтон». Еще через несколько минут вошел Удзава и, как-то особенно торжественно поклонившись, провел его в розовый зал, где уже собрались руководители банка.

Дронго вошел в зал вместе с ним. Здесь царил полумрак. В центре стоял длинный стол, вокруг него двенадцать стульев с высокими спинками. Три окна в розовом зале выходили прямо в сад. Они были закрыты тяжелыми занавесками. В углу стоя-
а большая китайская ваза. В другом углу был не-
ольшой сервант, искусно вырезанный из красного
рева. Горело несколько светильников. Дронго уви-
сидевшего во главе стола Симуру. В какой-то мо-

мент ему показалось, что это младший брат приехал сюда, чтобы присутствовать на заседании, настолько похожи были оба брата.

С правой стороны от Симуры сидел первый вице-президент банка Сэйити Такахаси. С левой стороны — вице-президент Каору Фудзиока. Рядом с ним расположился Хидэо Морияма. В зале больше никого не было, кроме этих четверых.

— Садитесь, мистер Дронго, — разрешил президент, показывая на кресло, стоявшее в самом конце.

Дронго сел в кресло, глядя на президента. Удзава отступил в тень, оставаясь в комнате.

— Мы будем говорить по-японски, — решил Симура, обращаясь к своим заместителям. Он подумал немного и оглядел собравшихся.

— Кажется, мы хотели провести реорганизацию нашего состава, — сказал президент уже на японском языке, — поэтому нам нужно пригласить сюда руководителя нашей пресс-службы и двух кандидатов на должность Мориямы. Они должны знать о проблемах банка. Чтобы не было никаких слухов.

— Зачем их звать? — недовольно спросил Такахаси. — Вопрос и так очень тяжелый для нас.

Дронго слушал их и почти ничего не понимал.

— Такахаси, — сказал Симура своему первому вице-президенту, — нам все равно нужно объяви о наших решениях. Я думаю, будет лучше, если о с самого начала будут присутствовать на всех наших заседаниях. Удзава, позови их.

Руководитель службы безопасности вышел из комнаты. И через несколько секунд вернулся уже не один. Очевидно, остальные ждали в коридоре. Две женщины и мужчина. Фумико Одзаки, руководитель нью-йоркского филиала Аяко Намэкава и руководитель филиала в Осаке Кавамура Сато. У женщин в руках были сумочки. У Фумико — небольшая сумочка от Шанель, а у Намэкавы — сумка с инициалами «Донны Каран». Все трое уселись спиной к двери, на той стороне, где сидели Фудзиока и Морияма. Рядом с Мориямой села Аяко Намэкава, дальше устроился Кавамура Сато. Последней в этом ряду оказалась Фумико, которая взглянула на Дронго и сразу отвела глаза. Дронго заметил, что ни один из вошедших не решился перейти в другой ряд, чтобы оказаться рядом с первым вице-президентом банка. Для этого нужно было обогнуть стул президента и сделать несколько лишних шагов или пройти мимо Дронго. Но никто не хотел этого делать. Даже женщины, одна из которых уже много лет работала в Америке, а другая презирала условности. Очевидно, существовали некие строгие правила, соблюдавшиеся всеми без исключения.

Вошедшие сотрудники чувствовали себя несколько скованно. Аяко Намэкава сидела, опустив глаза в стол, а Кавамура Сато разглядывал свои руки. Здесь

3*

считалось неприличным даже смотреть в глаза президенту банка, если он не обращался лично к кому-нибудь из присутствующих. Даже Фумико чувствовала себя непривычно, понимая важность предстоящего разговора.

— Фумико, — обратился к молодой женщине президент банка, — мы будем говорить по-японски. Ты сидишь рядом с нашим гостем — переводи ему на английский. Ты лучше всех нас говоришь по-английски. Я хочу, чтобы он присутствовал на нашей встрече. А потом мы с ним поговорим о наших проблемах. Удзава, — обратился Симура к руководителю службы безопасности, — ты можешь сесть рядом со всеми.

Удзава обогнул стол и сел, также не решаясь сесть поближе к Такахаси. Фумико чуть подвинула стул и оказалась совсем рядом с Дронго. Она взглянула на него и пояснила, наклоняя голову:

— Я буду вашим переводчиком.

Симура удовлетворенно кивнул и начал говорить.

— Как вам известно, — сказал Симура, осторожно подбирая слова, — я принял твердое решение покинуть банк. Мне уже много лет, и мне становится все труднее заниматься проблемами банка, которые требуют моего постоянного присутствия. Я благодарю вас за прекрасную работу.

В комнате была абсолютная тишина. Дронго подумал, что никто не осмеливается даже дышать. Все смотрели на президента. Опомнившаяся Фумико наклонилась к Дронго и прошептала ему на ухо слова Симуры. Ее свежее дыхание приятно щекотало ухо. Он подумал, что еще несколько минут назад завидовал ее отцу, не зная, что окажется на его месте.

— Мое решение принято давно, — продолжал Симура. — Я думаю, все присутствующие знают, что новым президентом банка должен стать Сэйити Такахаси.

Ему было трудно долго говорить, но он продолжал свой монолог, неторопливо подбирая слова. Фумико переводила скороговоркой, словно боясь нарушить этот неспешный ритм. Такахаси старался сохранять абсолютно непроницаемое выражение лица, но удовлетворенность, промелькнувшая в его взгляде, была очевидна. Он поклонился, принимая решение патрона.

— Наш банк — это единая семья, — сказал Такахаси. — Я всегда буду стараться сохранить эти семейные отношения.

— На его место первого вице-президента должен перейти... — Симура вздохнул и неожиданно сказал: — Хидэо Морияма.

Фумико шумно выдохнула воздух. Послышались вздохи присутствующих. Очевидно, такое решение Симуры было удивительным для всех. Кроме самого Мориямы. Он улыбался, не скрывая своей радости.

— Сэнсэй, — встал он со своего места, — сэнсэй... — Он не мог ничего сказать, только кивал головой.

— Сядь, — резко махнул рукой старик, — тебя еще должен будет утвердить совет директоров. Я подумал, будет лучше, если Такахаси уже сейчас начнет готовить себе преемника. Нужен молодой и энергичный человек, знающий мировую экономику. Конечно, ты еще очень молод, Морияма, но, думаю, на посту первого вице-президента ты сможешь принести пользу нашему банку.

— Спасибо, сэнсэй, — сказал явно взволнованный Морияма. На сидевшего рядом Фудзиоку он старался не смотреть. Тот сжал губы и никак не комментировал назначение более молодого коллеги на пост, который, казалось, должен был освободиться для него.

— Фудзиока остается на своем месте, — выдохнул старик, не глядя на сидевшего рядом с ним человека, с которым проработал больше всех. — Но нам нужен еще вице-президент по нашим филиалам. Если Морияма перейдет на другую должность, мы должны будем кого-то рекомендовать на его место.

Он подождал, пока Фумико переведет его слова Дронго.

— Я думаю, все считают, что мы должны выдвигать молодых женщин, — сказал Симура, глядя на двух претендентов — Аяко Намэкаву и Кавамуру Сато, — и, наверно, было бы правильно, если бы такой пост заняла женщина.

Фумико переводила с явным удовольствием. Кавамура Сато сидел с каменным выражением лица.

Он был готов к приговору, который ему готовился вынести президент банка. Аяко, не скрывая своей радости, пыталась сдержать улыбку.

— Аяко Намэкава — опытный и энергичный руководитель, — задумчиво сказал старик. — Мы ее очень уважаем, и в своей стране она бы никогда не смогла стать руководителем такого ранга, каким стала в Нью-Йорке.

Она уже готова была подняться, чтобы поблагодарить президента за оказанное доверие. Фумико продолжала шептать Дронго на ухо, и этот полумрак, ее прерывистый шепот, запах ее парфюма действовали на Дронго несколько возбуждающе.

— Но в нашей стране другие порядки, — неожиданно сказал Симура, — и в банке не примут женщину — руководителя такого уровня. Поэтому пусть Аяко останется руководить в Нью-Йорке, где у нее все так хорошо получается. Это тоже важный пост. Может быть, со временем она даже сможет стать вице-президентом по другим вопросам, заменив самого Фудзиоку. А вице-президентом станет Кавамура Сато. Я буду рекомендовать его.

Фумико замерла, не решаясь переводить. Улыбка упала с лица Аяко Намэкавы. А Кавамура Сато все еще сохранял абсолютно невозмутимое выражение лица. Он лишь поднялся и поблагодарил сэнсэя за доверие. Фумико, опомнившись, быстро перевела последние слова президента банка. Ей было явно неприятно переводить их, и Дронго почувствовал, с каким возмущением она это делает. Он обратил внимание на реакцию Мориямы. Тот сидел, словно остолбенев. Очевидно, такое решение Симуры стало для него абсолютной неожиданностью. Если минуту назад он был готов к известию о своей высокой должности, то, выслушав слова об отклонении кандидатуры Намэкавы, он не просто удивился. Он был ошеломлен.

— И наконец, — сказал Симура, — я думаю, будет правильно, если у нас не будет вице-президента по вопросам безопасности. Достаточно, если у нас будет руководитель службы безопасности, как в других банках. Как ты думаешь, Удзава?

— Я согласен, сэнсэй, — несколько напряженным тоном произнес поднявшийся Удзава.

— Тогда мы закончили первую часть нашего разговора, — удовлетворенно констатировал Симура. — А сейчас перейдем ко второй части. Самой неприятной для меня. Мы будем говорить по-английски, чтобы наш гость мог принять участие в беседе.

— Господин Дронго, — перешел на английский язык Симура, тщательно подбирая слова, — расскажите нам о вашей встрече с Сэцуко Нуматой.

— Мы встречались с ней и говорили о вашем банке, — ответил Дронго.

— Она выдавала вам наши служебные тайны? — гневно спросил Такахаси. — Какое она имела право? Мы уволим ее из банка.

— Конечно, нет. Мы встретились с ней по другому поводу...

— Извините меня, — прервал его Симура, — я думаю, сейчас уже можно сказать, зачем вы приехали в Японию. Дело в том, что у моего брата Кодзи Симуры возникли подозрения насчет смерти нашего бывшего вице-президента Ёситаки Вадати. Мой брат считал, что его смерть произошла не случайно. Кто-то испортил его автомобиль, из-за которого он попал в аварию.

Заскрипели стулья. Такахаси нахмурился и побагровел. Морияма вздрогнул. Даже Фудзиока помрачнел. Эта новость не понравилась никому. Но никто не смел задавать никаких вопросов.

— Поэтому мистер Дронго согласился к нам приехать, — пояснил Симура, — и именно поэтому он встречался с нашей Сэцуко. Это я разрешил их встречу.

— Мы об этом не знали, — сказал Такахаси.

— Не знали, — подтвердил Симура, — я не хотел никому говорить, пока мистер Дронго не приедет к нам для расследования. Он приехал, чтобы установить, кто именно испортил машину погибшего Вадати.

Снова наступило молчание.

— Может, нам лучше обратиться в полицию? — нерешительно предложила Аяко Намэкава. Сказывался американский опыт работы.

— Нет, — решительно возразил Симура, — мы

должны сами найти преступника. И понять, кому понадобилась смерть Вадати. Почему его убили, кому было выгодно его убивать? Я не хочу уходить со своего поста, оставив этот вопрос своему преемнику.

— Мы должны найти убийцу, — быстро поддержал президента Такахаси.

— Это не единственное убийство, — тяжело произнес Симура. — Сегодня погибла Сэцуко.

На этот раз скрип стульев стал сильнее. Такахаси даже крякнул.

— Удзава, — обратился к руководителю службы безопасности Симура, — расскажи, что тебе сказали в полиции.

— Она погибла сегодня утром, — поднялся со своего места Удзава. — В полиции сначала считали, что это несчастный случай. Но сейчас они думают, что это убийство. Она уронила фен в воду, и он сломался. Кто-то позвонил в полицию и объяснил, что фен не мог упасть в воду с такой силой с высоты человеческого роста.

«Молодец Тамакити, — подумал Дронго, — значит, он успел позвонить в полицию. А может, они сами все поняли. Это было не столь сложно».

Фумико недоверчиво глядела на Дронго. Потом тихо спросила:

— Это вы позвонили?

— Я не знаю японского, — ответил Дронго.

Она больше ничего не спросила.

— Мы должны помочь господину Дронго в его поисках, — тяжело дыша, сказал Симура по-японски, — я думаю, мы все понимаем, как это важно. Сначала погиб Ёситака Вадати, а сегодня убита Сэцуко. Мой брат решил, что нам нужен независимый эксперт, который поможет нам разобраться в этой ситуации. К сожалению, я принял решение уйти и не смогу вам помочь. Насколько я знаю, мистер Дронго — один из самых известных аналитиков мира.

Он подождал, пока Фумико переведет его слова, и посмотрел на Дронго.

— Надеюсь, вам повезет, — сказал он по-английски, — и вы найдете мерзавцев, которые, выполняя злую волю, убили наших сотрудников.

Он не успел закончить свою речь, когда одновременно погасли все светильники.

— Что это? — крикнул кто-то. — Почему погас свет?

Вдруг в темноте метнулась чья-то тень. И раздались две вспышки. Два выстрела. Дронго даже не успел поднять руки. И заметить, откуда стреляли. Все произошло слишком быстро, слишком неожиданно. Послышались крики.

— Включите свет, — закричал кто-то в комнате. — Почему погас свет?

Из коридора вбежали охранники, щелкая зажигалками. Причудливые огоньки зажигалок освещали розовый зал в разных местах. В коридоре включился запасной свет.

— Посмотрите, — вдруг крикнул один из охранников.

И все обернулись. За столом остались сидеть президент банка Тацуо Симура и его первый вице-президент Сэйити Такахаси. Очевидно, выстрелы предназначались им. Одна пуля попала Такахаси в сердце. Пуля, выпущенная в президента, попала ему в легкое, чуть ниже сердца. Он держал руку, зажимая рану, из которой лилась кровь. Его лицо постепенно бледнело.

— Вы ранены, сэнсэй, — крикнул охранник. Симура попытался что-то сказать, но потерял сознание, сидя рядом с мертвым Такахаси.

Глава 6

— Сэнсэй, — подскочил к потерявшему сознание президенту Инэдзиро Удзава. — Помогите мне, — приказал он своим охранникам.

И в этот момент поднявшийся со своего места Дронго резко крикнул по-английски:

— Оставайтесь все на местах!

Он оглядел комнату. Кроме убитого Такахаси и тяжело раненного Симуры, в комнате были еще четверо мужчин и две женщины. Если не считать охранников, ворвавшихся после выстрелов. Все произошло так неожиданно, что никто не мог точно сказать — откуда именно были произведены выстрелы.

Дронго поднялся и подошел к Такахаси. Дотронулся до его шеи. Не было никаких сомнений, бедняга был убит наповал. Дронго наклонился над президентом. Кровь продолжала идти, старик явно умирал.

— Заберите его, — приказал Дронго и взглянул на Фумико, чтобы она перевела его слова.

Удзава кивнул охранникам, и они подбежали, помогли ему поднять раненого президента. Его вынесли из комнаты. Оставшиеся испуганно смотрели друг на друга. У Аяко Намэкавы дрожали губы. Морияма, сидевший рядом с ней, поднялся, чуть пошатнувшись.

— Нужно вызвать полицию, — сказал он.

Остальные молчали. Присутствие убитого Такахаси сказывалось на гнетущей обстановке комнаты. Неожиданно вспыхнул свет, и при ярком освещении мертвый Такахаси выглядел еще страшнее.

Морияма посмотрел на сидевшего Фудзиоку. Формально Каору Фудзиока был более старшим по должности, чем Морияма, так как последний еще не успел официально стать первым вице-президентом банка. Фудзиока понял, он должен что-то сказать. Он поднялся, его глаза обшарили комнату. Было видно, что он держится изо всех сил. Фудзиока наклонился, словно собираясь найти оружие, которого рядом с ним не было. Потом выпрямился, оглядел собравшихся и тихо сказал:

— Это большое несчастье. Но мы должны быть все вместе. Это наш долг.

Он не успел закончить, когда в комнату снова вбежали люди. Теперь это были сотрудники охраны отеля, полицейские, дежурившие рядом, врачи, которых успели вызвать. Все бросились к Такахаси, и Дронго невольно поморщился, увидев, как много людей ворвалось в комнату.

Морияма и Сато помогли поднять тело погибшего Такахаси, его положили на носилки и вынесли в коридор. Врачи все еще надеялись вернуть его к жизни и шли рядом с носилками.

— У вас кровь на рубашке, — неожиданно сказал Морияма, обращаясь к Фудзиоке. Тот взглянул на рубашку. Несколько капель крови попали на нее. Очевидно, когда стреляли в сидевшего рядом с Фудзиокой президента Симуру, кровь из раны брызнула на рубашку Фудзиоки. Тот ничего не сказал, лишь показал на руки Мориямы. Они были в крови Такахаси.

— Да, — тяжело согласился Морияма, — нам нужно срочно переодеться.

Дронго не мог никого остановить. Фудзиока еще раз посмотрел по сторонам. Он был словно в шоке, так подействовала на него эта неожиданная стрельба. Фудзиока вышел из комнаты, чуть пошатываясь. Следом за ним и остальные мужчины потянулись к выходу. Аяко Намэкава выбежала последней. В комнате наступила тишина. Сейчас здесь никого не было, кроме Дронго и Фумико. Она продолжала сидеть на своем месте. Потом взглянула на Дронго.

— Вы это предвидели? — резко спросила она. У нее дрожала рука, когда она закрывала свою сумочку.

— Нет, — ответил Дронго, стараясь обойти место, где сидели в начале совещания президент и первый вице-президент. — Я не думал, что такая трагедия может произойти в Японии, — признался Дронго. — Тем более в вашем банке.

— Стреляли, наверно, из сада, — предположила Фумико. Она наконец встала со стула.

Он подошел к первому окну. И раскрыл занавески. Потом ко второму, к третьему. Все стекла были целы.

— Вот видите, — сказал Дронго, показывая на стекла. — Оттуда не стреляли. Такахаси сидел спиной к окну. В него стреляли с очень близкого расстояния. При этом убийца был с другой стороны стола.

— С другой стороны стола сидели мы пятеро, — напомнила Фумико.

Он кивнул головой и, ничего не говоря, наклонился, чтобы посмотреть под столом.

— Что вы ищете? — поинтересовалась она.

— Оружие, — пояснил Дронго, — здесь должен быть пистолет, из которого стреляли. Убийца не решился бы оставить его при себе. Слишком явная улика.

— Вы думаете? — Она наклонилась, чтобы тоже посмотреть. Под столом ничего не было. Там, где сидел Симура, на полу было большое красное пятно.

— Это его кровь, — тяжело вздохнул Дронго. — Ему повезло меньше, чем Такахаси. Тот умер сразу, не мучаясь. Пуля попала в сердце. А Симуре пуля попала под сердце и, видимо, пробила легкое. Я видел, как он задыхался, а на губах были кровавые пузыри. В его возрасте с таким ранением долго не живут.

— Вы думаете, это стрелял кто-то из нас? — с ужасом спросила Фумико.

— Вы же были в этой комнате вместе со мной. Когда погас свет, дверь не открывалась. Почти сразу раздались выстрелы. Может быть, убийца заранее знал, что свет погаснет. Во всяком случае, сюда никто не входил, иначе мы бы услышали, как вошел неизвестный. И потом, как мог сюда войти посторонний? У дверей стояли ваши охранники. Получается, неведомый убийца успел пробежать по коридору, открыть дверь, вбежать в комнату, выстрелить в полной темноте в ваших руководителей и снова убежать. Вы полагаете, это возможно?

— Не знаю, — растерялась Фумико. Она присела на корточки, чтобы было легче искать. Под сервантом тоже ничего не было.

— Странно, — сказал Дронго, — я был уверен,

что оружие будет на полу. Его бы не успели никуда спрятать.

— Убийца мог бросить его в вазу, — предположила Фумико. Она была в каком-то лихорадочном возбуждении. У нее неестественно горели глаза. Она поднялась и подошла к вазе, заглянула внутрь.

— Здесь ничего нет, — разочарованно пробормотала она.

Дронго посмотрел под сервантом и в этот момент услышал за своей спиной:

— Я нашла!

Он обернулся, чтобы крикнуть ей. Но она уже поднимала пистолет, сжимая его в правой руке.

— Проклятие, — выругался Дронго, — кто вам разрешил его трогать? Дайте мне немедленно.

За дверью послышался шум. Дронго достал носовой платок, быстро обтер пистолет и бросил его на пол.

— Вы все испортили, — яростно прошептал он.

В этот момент в комнату вошел Удзава, с ним мужчина среднего роста лет сорока. Он был в темных очках, на нем были твидовый пиджак и серые брюки, галстук небрежно спущен. Это был старший инспектор полиции, он прибыл из полицейского управления сразу после получения сигнала о покушении на жизнь руководителей крупнейшего банка страны. Он обвел глазами комнату, удовлетворенно кивнул и что-то спросил у Удзавы. Тот ему ответил, показывая на места, где сидели Симура и Такахаси.

Вошедший подошел к стульям, внимательно осмотрел оба места, затем снова задал Удзаве вопрос. Тот ответил, показывая на место, где сидел Дронго. Очевидно, старшего инспектора интересовал только иностранец в качестве подозреваемого. Он посмотрел на Дронго и что-то спросил.

— Я не говорю по-японски, — ответил Дронго.

Вошедший сквозь зубы сказал еще несколько слов.

— Господин инспектор спрашивает, что вы здесь делаете? — перевел Удзава.

— Я был на приеме по приглашению президента банка Тацуо Симуры, — объяснил Дронго, — и сюда пришел тоже по его приглашению.

Фумико, вмешавшись, произнесла длинную фразу. Очевидно, она объясняла сотруднику полиции, кто такой Дронго и почему он находился здесь в момент преступления. Старший инспектор Хироси Цубои работал в полиции уже около двадцати лет. За время своей службы он привык к различным преступлениям. Прибыв на место, он узнал, что в закрытой комнате неожиданно потух свет и кто-то выстрелил в президента банка и его первого вице-президента. Удзава рассказал ему, что в комнате были только руководители банка и один иностранец. Старший инспектор был патриотом и не любил иностранцев. Он не сомневался, что ни один из служащих банка никогда не решится на такую дикость, как убийство собственных руководителей. Старший инспектор Цубои слишком верил в японскую традиционную добродетель. Даже сталкиваясь ежедневно с многочисленными преступлениями, он все-таки продолжал верить в некие незыблемые японские устои. Банкиры не бывают убийцами, эту истину Цубои выработал за много лет своей службы.

— Я должен буду его задержать, — сказал инспектор, показывая на Дронго. — Вы должны меня понять. Здесь произошло убийство, и я должен все проверить.

— Он не виноват, — вступилась Фумико. Она сказала еще несколько слов, но инспектор упрямо покачал головой и коротко возразил.

— Он хочет вас арестовать, — перевела Фумико слова инспектора. — Он думает, что вы стреляли в Симуру и Такахаси.

— Не говорите с ним по-английски, — приказал инспектор. — Пусть он позвонит в свое посольство и вызовет своего консула и адвоката.

Фумико перевела эти слова, добавив, что может сама позвонить в посольство. Дронго улыбнулся и покачал головой.

— Нет, — сказал он, — моего посольства в Японии нет. И боюсь, что у меня нет в этой стране и знакомого адвоката. Объясните этому господину, что я приехал сюда на прием и присутствовал в розовом зале только потому, что меня пригласили.

— Он упрямый осел, — разозлилась Фумико, — не хочет понять, что вы не стреляли. Думает, вы преступник, оказавшийся здесь, чтобы убить Симуру и Такахаси.

— Его трудно будет переубедить, — сказал Дронго. — Лучше найдите Тамакити. Пусть он свяжется с братом вашего президента банка, чтобы тот хотя бы нашел для меня адвоката.

Фумико обернулась к инспектору и произнесла гневную тираду. Затем указала на вазу, рядом с которой валялся пистолет. Дронго закусил губу. Этого нельзя было делать, сотрудники полиции сами должны обнаружить оружие, из которого были произведены выстрелы. Теперь инспектор будет убежден, что именно Дронго бросил пистолет на пол, а Фумико под влиянием симпатии к этому иностранцу пытается его выгородить.

— Не трогайте оружия, — приказал инспектор Цубои. Теперь он не сомневался в верности своей версии. Этот не понравившийся ему иностранец с развязными манерами виновен в убийстве. Очевидно, когда все выбежали, он отбросил пистолет в сторону, и Фумико Одзаки увидела, куда брошено оружие.

— Вы арестованы, — уверенно сказал инспектор, обращаясь к Дронго. — Можете вызвать своего адвоката.

Инспектор не знал английского языка и от этого чувствовал еще большую ненависть к иностранцам. Ведь не любят чаще всего то, что не понимают. И националистами бывают, как правило, ограниченные люди, не желающие понимать и принимать истину других. Хироси Цубои не любил американцев и европейцев, а китайцев и корейцев вообще считал гражданами второго сорта.

— Вы не правы, инспектор, — в последний раз попыталась Фумико отстоять Дронго. — Он не стрелял. Я сидела рядом с ним и могу точно сказать, что он не стрелял.

— Господин Удзава, — обратился инспектор к начальнику службы безопасности банка, — вы тоже были в комнате. Можете ли вы подтвердить, что этот иностранец не стрелял в президента и первого вице-президента вашего банка?

— Нет, — ответил Удзава, — не могу. Он мог встать и выстрелить. Кто-то стрелял в них с противоположной стороны стола. Я не знаю, кто стрелял, но не могу быть уверен, что он не стрелял.

Удзава старался не смотреть на Дронго. Узнав сегодня вечером, зачем этот тип прибыл в Японию, Инэдзиро Удзава очень обиделся. Его задело и недоверие со стороны руководителей банка, не рассказавших ему о подробностях смерти его предшественника Вадати. И, конечно, его обидело появление здесь этого неизвестного эксперта, который должен был расследовать убийство Вадати. Удзава не был убежден, что именно этот иностранец стрелял сегодня в комнате, но он злорадно подумал, что если Дронго посадят, то затем депортируют из страны и он не сможет продолжать свое расследование, которое может провести Удзава.

В комнату вошли несколько сотрудников полиции. Один из них надел на Дронго наручники.

— Я найду Тамакити, — сказала Фумико. — Можете не беспокоиться. И мы поедем к сэнсэю Симуре. Извините меня... — Дронго понял, что она извиняется за поднятый пистолет, который он обтер платком.

— Ничего, — улыбнулся Дронго, — я надеюсь, все обойдется. Только будьте осторожны, Фумико. Я убежден, что убийца — кто-то из сидевших с нами в комнате людей.

— Этого не может быть, — возразила она, но его уже уводили полицейские.

Инспектор Цубои распорядился начать осмотр комнаты и, упаковав пистолет в целлофановый пакет, передал его экспертам для более детального осмотра. После чего двинулся следом за арестованным Дронго.

Они прошли по коридору и спустились вниз. Дронго посмотрел на окна, выходившие в сад, внизу вдоль дорожек светились фонари. Двое полицейских шли вместе с ним. Они были одеты в штатское, чтобы не выделяться рядом с Дронго. Однако в холле уже бушевала толпа журналистов. Со всех сторон стали щелкать фотоаппараты, заработали камеры. Дронго поднял руки, чтобы прикрыть лицо.

«Только такой рекламы мне и не хватало, — недовольно подумал он. — Завтра мой снимок появится во всех японских газетах».

— Кого убили? — закричали сразу несколько корреспондентов. — Говорят, перестреляли все руководство банка. Это был взрыв бомбы? Это было покушение? Кто убит? Где Симура? Где прятались террористы?

Инспектор посмотрел на журналистов и досадливо поморщился. Но ничего не ответил. В полицейском управлении есть специалист по связям с общественностью. Вот пусть он и отрабатывает свой хлеб, подумал Цубои, пробиваясь сквозь толпу. И вдруг услышал уверенный женский голос за спиной. Дронго тоже услышал этот голос и сумел обернуться.

— Дамы и господа, — сказала громко по-английски Фумико, — я пресс-секретарь банка Фумико Одзаки. Сегодня в отеле «Империал» произошла трагедия, в результате которой оказались тяжело ранненными наш президент Тацуо Симура и первый вице-президент Сэйити Такахаси. Оба доставлены в больницу. Мы надеемся, что их здоровье позволит им в будущем вернуться к руководству банком. В данный момент обязанности президента исполняет вице-президент банка Каору Фудзиока. Мы уверены, что все наши клиенты могут быть спокойны, их интересы не пострадают. Что касается полиции, то она, как обычно, оказалась не на высоте. Старший инспектор Цубои не нашел ничего лучшего, как задержать нашего друга, иностранного эксперта, прибывшего к нам из Европы. Мы надеемся, что это недоразумение...

Дальше Дронго не слышал. Его вывели и посадили в машину. Он успел увидеть, как буркнул какое-то ругательство Цубои. И затем машина тронулась в сторону полицейского управления, находившегося за станцией Хибия, совсем рядом с отелем.

Дронго привезли в полицейское управление, сфотографировали, сняли отпечатки пальцев. И затем поместили в одиночную камеру. Когда дверь за ним захлопнулась, он огляделся. Небольшая кровать, которая ему явно не по росту, небольшой бачок в углу, раковина. Маленький стол, привинченный стул. Окно под потолком, закрытое решеткой. Светлая комната метров четырнадцати.

Это не «Хилтон», вздохнул Дронго. Какая молодец эта Фумико, она устроила настоящий скандал. Теперь Цубои должен либо предъявить ему конкретные обвинения, либо выпустить из тюрьмы.

У него не отобрали ни ремень, ни галстук. Это была камера предварительного заключения, и здесь не отбирали одежду. В Японии только после приговора суда у заключенного отбирают одежду, выдавая голубую или синюю форму. Дронго подумал, что этот день не самый лучший в его жизни. Утром погибла бедная Сэцуко, потом этот прием и выстрелы в руководителей банка. И, наконец, его собственный арест. Он разделся, с трудом умещаясь на тюремной койке.

— Надеюсь, завтрашний день будет лучше нынешнего, — вздохнул он, перед тем как заснуть.

Спал он, как обычно, беспокойно. И в снах к нему все время приходила Сэцуко. А под утро он увидел и Фумико.

Глава 7

Утром его рано разбудили, принеся обильный завтрак. Он недовольно убрал поднос с завтраком и попытался заснуть, но дежурный постучал по двери. Это означало, что нельзя спать и нужно завтракать.

«Кофе в постель», — подумал Дронго. Даже в лучших отелях он редко заказывал завтрак в номер, предпочитая спускаться вниз. А здесь ему приносят завтрак в камеру. Стандартный набор масла, хорошо нарезанной колбасы, джема, даже мед положить не забыли. Горячий завтрак, состоящий из омлета с беконом. Прямо пятизвездочный отель, с той лишь разницей, что кофе не совсем горячий и не в серебряном чайнике. Хотя зачем ему здесь серебряный чайник.

Он выпил кофе и съел булочку с маслом, после чего убрал поднос и сел на кровать. «Во всех тюрьмах одинаковый идиотизм. Почему нельзя спать после определенного часа? Понятно, что не разрешают спать в колонии, где нужно выполнять определенную работу. Но почему нельзя спать в камере предварительного заключения, непонятно. Надо пожаловаться в Женеву или в Гаагу, — подумал он, пожимая плечами. — В конце концов, нельзя так нарушать права заключенных».

Слава богу, он еще не заключенный, а подозреваемый. И если Фумико вчера не нашла Тамакити, то он будет подозреваемым весь нынешний день. Дронго встал и, подойдя к двери, постучал. Когда появился дежурный надзиратель, он попросил принести ему газеты. Но дежурный ничего не понял. Дронго несколько раз повторил слова «газеты» и «журналы» на разных языках, но надзиратель попрежнему не понимал. Дронго вернулся на свое место. Минут через десять ему в камеру бросили газеты. Очевидно, дежурный догадался спросить, что означают его слова. Но на большее у него мозгов не хватило. И он бросил в камеру пачку газет... на японском языке.

— Идиот, — прокомментировал Дронго.

Тем не менее он взял газеты, добросовестно просмотрел цветные картинки. В японских иероглифах он все равно ничего не понимал. Во многих газетах на первой полосе было сообщено о трагическом происшествии в банке. Были помещены фотографии всех руководителей банка.

«Как они оперативно сработали, — подумал Дронго, — даже умудрились найти фотографии во все утренние газеты. Впрочем, для того и пресс-службы, чтобы своевременно обеспечивать газеты нужными фотографиями. Интересно, почему этот кретин инспектор не вызывает меня на допрос? Мог бы поинтересоваться, что я о нем думаю. Или переводчик у них выходит на работу с двенадцати часов дня? Может, у них есть свой профсоюз полицейских переводчиков».

Он попросил принести ему бритву. Полицейский мгновенно его понял и принес электрическую бритву в коробочке. Дронго покачал головой, показывая на станок. К его удивлению, ему быстро принесли бритвенный набор и крем для бритья. Дежурный даже принес крем после бритья. Очевидно, заключенные в этой камере не были лишены некоторых удобств, столь естественных в нормальной жизни.

При временном задержании у подозреваемых не отнимают их личных вещей, за исключением часов и денег. Почему-то ценности изымаются во всех странах мира. Хотя это всего лишь свидетельство недоверия к собственным надзирателям, которых могут подкупить заключенные. Если в камере много народу, то изъятие денег еще можно оправдать тем, что они могут быть отобраны другими заключенными. Но когда человека помещают в одиночную камеру и отнимают деньги, то делают это только для того, чтобы заключенный не имел возможности передать свои деньги надзирателю.

Он ждал около двух часов, пока наконец дверь не открылась и в комнату не вплыл невысокий японец. У него была лысая голова, круглая, как отполированный шарик. И мелкие черты лица, словно нарисованные на этом шарике.

— Я ваш адвокат, — проворковал незнакомец, — Кобо Сакагами. Не волнуйтесь, комната для нашего разговора еще не готова, и я решил зайти к вам. Я вообще не люблю всех этих сложностей. Вы обвиняетесь в убийстве, и вам по закону положен адвокат. Зачем нам нужны неприятности? Вы ведь иностранец? Верно? Откуда вы приехали? Из Франкфурта? Из Москвы? Не волнуйтесь, мы все уладим.

Он говорил не останавливаясь. На английском он говорил со смешным японским акцентом, но его можно было понять.

— Вы, конечно, не думали, что полиция приедет так быстро. — Сакагами обернулся на дверь и приложил палец к губам. — Никто из них не говорит по-английски. Вас наняли, чтобы убрать Симуру и Такахаси? Вы, наверно, наемный убийца?

«Кажется, мне прислали еще одного кретина», — огорченно подумал Дронго.

— Я не убийца, — сказал он.

— Не беспокойтесь, в моей практике бывали и такие случаи. — Сакагами уселся на стул, стоявший у небольшого столика. — Я вам все объясню. Самое главное — чистосердечное признание. Если сумеете честно рассказать о том, что вас наняли, шантажировали, заставили стрелять в Такахаси, я смогу доказать, что вы стреляли с испуга. Свет случайно потух, и вы открыли стрельбу. Но вы не хотели никого убивать. Случайно попали в Такахаси и в Симуру.

Кстати, президент банка еще живой. Врачи всю ночь боролись за его жизнь. Все считают, что он долго не протянет, но пока держится. Эти старики — удивительные люди. Кажется, душа еле держится в теле, но живут так долго. Старая закалка. Тогда можно было пить воду из крана и есть нашу рыбу. А сейчас все эти продукты отравлены. И где найти экологически чистые продукты? Сейчас с этим такие проблемы.

— Он еще жив? — переспросил Дронго.

— Пока живой, — улыбнулся Сакагами. — Я вижу, мы с вами быстро найдем общий язык. Только давайте откровенно. Какой гонорар вы сможете мне заплатить? Конечно, я обязан защищать вас бесплатно, вы обвиняетесь в очень серьезном преступлении. Но я готов вам помочь. Разумеется, у меня будут некоторые расходы, но я полагаю, вы сможете их оплатить.

«Если есть один жуликоватый адвокат в Японии, то он должен был достаться именно мне», — усмехнулся Дронго.

— Мне назначили адвоката потому, что обвиняют в серьезном преступлении? — уточнил он.

— Вы же все понимаете. — Сакагами оглянулся на дверь. — Дело сложное, очень сложное. Вы единственный подозреваемый. На девяносто девять процентов все убеждены, что именно вы стреляли в Симуру и Такахаси.

— А последний процент для кого оставили?

— Бывают разные чудеса, — улыбнулся Сакагами. — Этот процент на чудо. Но вообще-то все понимают, что, кроме вас, никто не мог стрелять.

— Вы меня успокоили, — кивнул Дронго. — Получается, полиция даже не рассматривает другие версии.

— Они проверяют все версии, — возразил Сакагами, но на этот раз значительно тише.

— Я никого не убивал, — громко сказал Дронго.

— Конечно, не убивали, — сразу согласился Сакагами, — разве я говорю, что вы убивали? Я только сказал, что полиция считает вас главным подозреваемым. Все говорят, что в этот момент погас свет, и никто не может определить, почему он вдруг погас.

— Убийца знал, что свет погаснет, — вставил Дронго. — И поэтому он воспользовался этой секундной паузой.

— Наверно, — кивнул Сакагами, — но мы готовы действовать. Ваш пистолет уже нашли. На нем, правда, нет отпечатков пальцев, но инспектор считает, что вы успели стереть отпечатки, перед тем как выбросить пистолет. К счастью, никто не видел, как вы бросили оружие на пол. Но все помнят, как вы вскочили со своего места и подошли к убитому Такахаси.

— Я хотел, чтобы убийца не сумел спрятать пистолет, — попытался объяснить Дронго.

— Не сомневаюсь, но... — Сакагами улыбнулся и снова приложил палец к губам.

Вошедший дежурный надзиратель разрешил им

пройти в комнату для свиданий, находившуюся в конце коридора. В сопровождении дежурного они прошли туда. Сакагами сел напротив Дронго.

— Не нужно говорить о помощи, — суетливо предложил адвокат. — Какая помощь убитому? Лучше признаться, что вы открыли стрельбу, испугавшись. И вам дадут пять лет, а после того как вы отбудете половину срока, вас выдворят из страны. С учетом нескольких месяцев, которые вы просидите в тюрьме до суда, это не так много. Может, мне даже удастся убедить судью дать вам четыре года. Убийство по неосторожности. А потом вы испугались и выбросили пистолет. Такая линия защиты будет идеальной, все могут подтвердить, что свет действительно погас, а вы испугались.

— Неужели вы думаете, что судья поверит в такую чушь?

— Обязательно поверит, — взмахнул короткими ручками Сакагами. — Никто другой не мог стрелять в розовом зале. Я говорил с инспектором Хироси Цубои. Там никого не было.

— Кроме меня, в комнате сидели еще восемь человек, — зло напомнил Дронго. — Почему нельзя подозревать одного из них?

— О чем вы говорите? — даже испугался такой кощунственной мысли Сакагами. — Кого вы подозреваете? Вы думаете, кто-то из них мог выстрелить в президента Симуру? Или убить Такахаси?

— Почему бы и нет? Кто-то из них и выстрелил.

— Не говорите так. — Сакагами даже обернулся

на дверь, опасаясь, что их могут услышать. — Это очень уважаемые люди. Каору Фудзиока — один из лучших финансистов нашей страны. Он несколько раз отказывался от высокой государственной должности. Хидэо Морияма — из известной семьи, его предки были знамениты еще в семнадцатом веке. Фумико Одзаки, дочь такого человека...

— Хватит, — прервал его Дронго, — я и без того знаю, кто там сидел. Кроме меня, там были и другие.

— Но они не могли стрелять, — почти с отчаянием выкрикнул адвокат. — Такого просто не может быть. Как же вы не понимаете! Никто из них даже не подумал бы стрелять в Симуру и Такахаси. Это противоречит нашей этике, нашему менталитету. Никто, — решительно закончил Сакагами. — Скорее можно предположить, что там был чужой человек, который сумел воспользоваться темнотой и войти в вашу комнату.

— Никто бы не сумел войти, — возразил Дронго, — охрана была в коридоре, а там был свет со двора. Ведь, когда в отеле погас свет, во дворе горели лампы и охранники наверняка увидели бы когонибудь из посторонних. Когда меня вчера выводили из розового зала, я обратил внимание на эти светильники.

— При чем тут светильники, — отмахнулся адвокат, — я и без них могу вам сказать, что никто из присутствующих не решился бы на такое страшное преступление. Фудзиока уже объявил, что стрелял какой-то сумасшедший. Будет гораздо лучше, если этим сумасшедшим будете именно вы.

— Я похож на психопата?

— Очень похожи, — замахал маленькими ручками Сакагами, — если думаете, что в Японии возможны такие преступления. Не спорю, у нас тоже бывают убийства и грабежи. Но такое... такого в Японии не было никогда. И поэтому вам никто не поверит.

— В таком случае объясните, как я пронес пистолет на прием? — разозлился Дронго. — Ведь там проверяли всех и не пропускали никого с оружием. На приеме были ваш премьер-министр и члены его кабинета. Может, кто-то из них одолжил мне свой пистолет?

— Не нужно говорить о том, кто там был, — испугался адвокат. — Члены кабинета министров уже уехали из отеля, когда все это случилось.

Он не успел закончить свое предложение, когда в комнату вошел инспектор Цубои. Недовольно взглянув на Дронго, он что-то сказал адвокату. Тот быстро ответил и затем перевел для Дронго.

— Он говорит, сюда приехал сам прокурор Хасэгава. Он хочет вас видеть. Вы можете пройти вместе с ним.

Дронго кивнул в знак согласия и, поднявшись, пошел за инспектором. Следом поспешил адвокат. Их провели в комнату, где находились еще двое неизвестных мужчин, очевидно, руководители полицейского управления. За столом сидел мужчина в

4 – 3065

сером костюме. Ему было не больше сорока пяти. У него были уставшие, печальные глаза. Мягкие волнистые волосы, мешки под глазами, глубокие морщины на щеках. Увидев Дронго, он что-то спросил по-японски, видимо, уточнив, говорит ли тот на японском. Ему ответили, что не говорит, и тогда прокурор перешел на английский язык, разрешив задержанному сесть на стул перед ним.

— Моя фамилия Хасэгава, — представился прокурор. — Я знаю, почему вас задержали. Вчера вы были в розовом зале в тот момент, когда произошло убийство. Погиб первый вице-президент банка Сэйити Такахаси. Тяжело ранен президент банка Тацуо Симура. Он находится в коме и еще не пришел в сознание, хотя врачи боролись за его жизнь всю ночь. Никто не дает гарантии, что он выживет. Вы должны нас понять, мистер Дронго. Для Японии это неслыханное преступление. Мне дали список людей, находившихся в момент убийства в розовом зале. Кроме Симуры и Такахаси, там были еще пятеро мужчин и две женщины. И один из них были вы, мистер Дронго.

— Лишь один из семерых подозреваемых, — возразил Дронго. — Тем не менее арестовали только меня.

— Вы были единственный, кто не должен был находиться в розовом зале, — пояснил прокурор. — Именно поэтому инспектор принял верное решение задержать вас до выяснения всех обстоятельств.

— Неужели вы успели уточнить все обстоятельства?

Сакагами опасливо кашлянул. Ему не нравилось, как Дронго разговаривал с прокурором. Но прокурор не прореагировал на очевидную дерзость сидевшего перед ним человека.

— Мы все проверили, — сообщил Хасэгава. — Экспертиза установила, что выстрелы были произведены с очень близкого расстояния. Стрелявший находился в комнате, рядом с вами.

— Возможно, — согласился Дронго, — но это был не я.

— Я еще не закончил, — холодно сказал прокурор. — Мы сделали запрос в Интерпол. Оказывается, вы один из лучших экспертов Интерпола и ООН в области предупреждения преступлений...

— Вот именно, — снова не выдержал Дронго, — предупреждения преступлений, а не их совершения.

— Нам прислали выдержки из вашего досье, — продолжал Хасэгава. — Вы действительно выдающийся эксперт, и они написали про вас много лестных слов. Но мы обратили внимание и на другие ваши достоинства. В вашем досье указано, что вы идеальный стрелок, мистер Дронго. Принимали участие в международных соревнованиях. Стрельба из пистолета — ваша любимая забава. А кто еще может в абсолютной темноте попасть в двух людей, сидящих на другом конце стола? Причем, как бы хорошо ни стрелял убийца, он все-таки промахнулся. Второй выстрел не убил Симуру, а прошел в сантиметре от сердца.

— И вы полагаете, что я выстрелил в них, а потом выбросил пистолет? Но зачем мне это нужно?

— Если бы мы были уверены, то уже сегодня предъявили бы вам обвинение, — сухо сказал прокурор, — но у нас нет никаких доказательств. Более того, никто из сидящих в розовом зале не может точно сказать, откуда именно раздались выстрелы. Все видели две вспышки и слышали выстрелы. Но никто не слышал, как убийца выбросил пистолет. Никто. Однако, когда все вышли из зала, оказывается, в нем остались вы и Фумико Одзаки. Она заявила, что вы все время разговаривали с ней и искали оружие. Но мы ей не верим. Пистолет лежал рядом с вазой на полу, и его невозможно было не заметить.

— Значит, мы его не заметили, — ответил Дронго. — Мы смотрели на раненых, а не на вазу.

— Но вы профессионал, — справедливо возразил Хасэгава. — Вы обязаны были понять, что никто не мог войти в комнату, минуя охрану. И должны были сразу организовать поиски оружия. Однако вы этого не сделали. Кроме вас, там были только сотрудники банка, которые не обязаны знать подобные вещи.

— Там был еще начальник службы безопасности Инэдзиро Удзава, — напомнил Дронго. — Он тоже знает, как обращаться с оружием.

— Верно, — согласился прокурор, — и мы сейчас проверяем все версии. Вы напрасно думаете, будто мы подозреваем вас только потому, что вы иностранец. Но вы должны понять и нас. Мы обязаны найти убийцу, выяснить, кто мог решиться на такое чудовищное преступление. Тацуо Симура и Сэйити Такахаси были люди, известные во всем мире. Во всем мире, мистер Дронго, — подчеркнул прокурор.

Наступило недолгое молчание. Прокурор мрачно смотрел на лежавшие перед ним бумаги.

— Мы будем вынуждены задержать вас еще на несколько дней, — наконец сказал Хасэгава, — пока не проведем все допросы и не выясним, где находился каждый из вас в момент выстрелов. Вы должны нас понять, у нас нет другого выхода.

— Господин прокурор, неужели для того, чтобы найти убийцу, нужно обязательно посадить единственного иностранца в этой компании? — спросил Дронго.

В этот момент в комнату кто-то ворвался. Дронго повернул голову. Это была Фумико.

— Мне нужно сделать заявление, — громко сказала она.

Прокурор поднялся, следом встали все остальные.

— Госпожа Одзаки, — поклонились прокурор и другие. Фумико чуть наклонила голову.

И начала что-то громко говорить по-японски. Она была в светлом плаще, в темном брючном костюме. Дронго подумал, что сегодня она выглядит еще лучше, чем вчера. Вчера ее красиво уложенная прическа была несколько вычурной, она сделала ее именно для приема. А сегодня, вымыв волосы и уложив их, как обычно, она выглядела гораздо естественнее и от этого еще красивее.

Дронго не понимал, о чем она громко говорит прокурору. Но видел, как тот пытается возражать, постепенно уступая ее напору. Дронго дернул стоявшего рядом Сакагами за рукав пиджака.

— О чем она говорит? — спросил он.

— Она говорит, что вы не виноваты, — осторожно перевел Сакагами. — Говорит, что сидела рядом с вами и переводила вам слова Симуры с японского, когда раздались выстрелы. Она говорит, что вы не вставали в тот момент, когда раздались выстрелы, потому что она переводила вам слова президента.

Фумико говорила неправду. Но Дронго понял, почему она здесь появилась. Ей хотелось помочь человеку, который успел вчера стереть с пистолета отпечатки ее пальцев, спасая ее от позора и обвинения в убийстве. Дронго еще раз потянул адвоката за рукав, чтобы тот перевел слова Хасэгавы.

— Прокурор обещает принять во внимание ее свидетельские показания, — перевел адвокат.

Их невозможно убедить, понял Дронго. Фумико от растерянности и бессилия чуть повысила голос, но прокурор был непреклонен. К тому же ему не хотелось терять лицо при подчиненных. Инспектор Цубои, на которого крик Фумико не действовал, демонстративно пожал плечами и что-то пробормотал. После чего прокурор сказал несколько решительных слов и сел на свое место. За ним сели остальные.

— Что он сказал? — спросил Дронго.

— Он сказал, что не может больше с ней разговаривать, — перевел адвокат, также усаживаясь на место.

Фумико обернулась к Дронго. Она явно нервничала. Остались стоять только она и инспектор Цубои, он подошел к ней, показывая, что молодой женщине нужно покинуть кабинет. И вдруг... прокурор изменился в лице, растерянно поднимаясь со своего места. За ним так же растерянно начали подниматься остальные. Обернувшаяся Фумико замерла. Даже Цубои замолчал, не решаясь двинуться с места. Сидевший рядом с Дронго адвокат поднялся и начал быстро кланяться, улыбаясь вошедшему. Дронго повернулся, взглянул на входную дверь.

Опираясь на палку, в комнату вошел сам Кодзи Симура. Он был бледен, тяжело дышал. Его поддерживал под руку Тамакити.

Глава 8

Нужно было видеть лица стоявших в кабинете людей. Они выражали крайнюю степень уважения к вошедшему человеку. Симура оглядел собравшихся. Ему было трудно стоять, но он держался изо всех сил. Поверх обычного кимоно на нем было хаори — короткое верхнее кимоно, в котором он приехал в полицейское управление. Пройдя к столу, он кивнул Дронго и опустился на любезно подвинутый к нему стул. Все стояли, не решаясь сидеть в присутствии такого человека. Каждый знал, что Кодзи Симура не просто известный японец, прославившийся своими аналитическими способностями, но и близкий друг нынешнего премьер-министра, вхожий в императорскую семью. Кроме всего прочего, Симура был братом президента банка, в попытке убийства которого сейчас обвиняли Дронго.

— На каком основании вы арестовали друга нашей семьи? — хрипло спросил Симура.

Адвокат, замешкавшийся с переводом, взглянул на Дронго, но тот еще раз потянул его за рукав, попросив переводить разговор. Сакагами оглянулся по сторонам и прошептал своему клиенту вопрос Симуры.

— Извините нас, сэнсэй, — уважительно начал прокурор, — я думал, вам не разрешают выходить из больницы. Вы себя плохо чувствуете?

— Это не имеет никакого отношения к нашему делу, — резко ответил Кодзи Симура. — Сядьте, — махнул он своей палкой, на которую опирался, даже сидя на стуле.

Прокурор посмотрел на своих подчиненных и сел первым. За ним сели остальные руководители управления. Цубои, усмехнувшись, отошел в угол комнаты. Фумико взяла стул и села рядом с Дронго. Он снова ощутил тонкий аромат ее парфюма.

— Вчера произошло убийство, — осторожно объяснил Хасэгава. — Во время приема неизвестный убийца застрелил Сэйити Такахаси и выстрелил в вашего брата. Вы знаете, в каком состоянии он сейчас находится. Врачи считают, что он может не выжить.

— Я не спрашивал вас, как он себя чувствует, — резко перебил прокурора Симура. — Я хочу знать, почему вы арестовали моего друга?

Прокурор посмотрел на двух офицеров полицейского управления, сидевших рядом с ним. Если бы кто-нибудь другой попробовал поговорить с ним в таком тоне, он бы выставил наглеца из кабинета. Но перед ним сидел великий Кодзи Симура. И дело было даже не в его моральном авторитете. В присутствии остальных чиновников полиции прокурор не имел права проявить неуважение к такому человеку.

— Он был в розовом зале, — пояснил Хасэгава, — в тот момент, когда произошло убийство.

— Он сидел рядом со мной, — сразу вставила Фумико, — и я сказала, что он не стрелял, иначе я бы услышала, как он попытался встать.

— Почему вы полагаете, что убийца именно мой друг? — поинтересовался Симура.

— Мы не знали, что он ваш друг, — осторожно ответил прокурор.

— Теперь вы это знаете. — Симура наступал, не давая своему собеседнику перевести дух. — И объясните мне, какие у вас подозрения против моего друга. Или вы его арестовали только потому, что он был единственным иностранцем в этом зале?

— Нет, — смутился Хасэгава, — конечно, нет. Мы подозреваем, что именно господин Дронго произвел два выстрела. В сообщении Интерпола, которое нам прислали, указано, что задержанный нами господин Дронго — отличный стрелок.

— Чтобы убить человека с расстояния в три метра, не обязательно быть хорошим стрелком, — желчно произнес Симура. — Или я ошибаюсь? Может, там был неизвестный снайпер, который стрелял из парка?

— Окна были закрыты, сэнсэй, — вежливо ответил прокурор. — Мы все проверили. Стрелял кто-то из находившихся в розовом зале.

— Вы нашли оружие?

— Да, — кивнул Хасэгава, — мы нашли пистолет, из которого были сделаны выстрелы. Это бельгийский «браунинг». Он очень небольшой, но вполне удобный, чтобы спрятать его в кармане и затем произвести два выстрела.

Адвокат, переводивший Дронго слова прокурора, пояснил при этом, что пистолет все еще находится на экспертизе, хотя уже сейчас известно, что там не было никаких отпечатков пальцев.

— Вы нашли отпечатки пальцев нашего друга на

пистолете? — спросил Симура, словно услышавший, что именно сказал Сакагами.

Прокурор переглянулся с руководителями полицейского управления. Взглянул на Цубои. Тот пожал плечами. Ему не нравилось поведение Хасэгавы, постепенно сдающего свои позиции перед напором Симуры. Инспектор полагал, что, несмотря на все заслуги Симуры и его возраст, прокурор не должен давать объяснений этому человеку. Очевидно, Цубои не всегда и не во всем чтил старые традиции, которые еще существовали в стране.

— Там не было отпечатков пальцев, — вынужден был признать Хасэгава.

Наступило молчание. Симура повернул голову, взглянул на Дронго, потом на сидевшего рядом адвоката Сакагами. И неожиданно спросил:

— Вы его адвокат?

— Да, — пролепетал Сакагами, чуть привставая со своего места.

— Какие основания есть у сотрудников прокуратуры и полиции для задержания вашего клиента? Я имею в виду законные основания, не считая того факта, что он сидел в момент убийства в розовом зале. Какие?

Сакагами взглянул на прокурора. Тот отвернулся. Офицеры полиции смотрели в пол. Только Цубои насмешливо фыркнул, но для адвоката он не был авторитетом.

— Никаких, — выдавил из себя Сакагами. Он

взглянул на Хасэгаву и быстро добавил: — Но господин Дронго был в розовом зале в момент убийства. И оставался там с госпожой Одзаки, когда все вышли из комнаты.

— Господин Сакагами, — тихо произнес Симура, — вы, очевидно, назначенный адвокат?

— Да. — Сакагами так и не решился сесть, отвечая на вопросы старика.

— Я думаю, будет лучше, если у господина Дронго будет другой адвокат, — жестко заметил Симура. — С этой минуты я готов представлять интересы господина Дронго в этом деле, — объявил он при полном замешательстве всех присутствующих.

Дронго попросил адвоката перевести его заявление. Но тот отмахнулся от него. Он понял, что его недолгая деятельность в качестве адвоката столь интересного клиента заканчивается. Фумико, усмехнувшись, обернулась к Дронго и пояснила, что сэнсэй Симура готов лично представлять интересы задержанного.

— Вас что-то смущает? — спросил Симура у прокурора. Было видно, что он держится изо всех сил. Тамакити, стоявший за его спиной, тревожно взглянул на старика. Тот смотрел на прокурора, ожидая его решения.

Хасэгава хотел что-то сказать, но Симура неожиданно закашлялся. Тамакити бросился к столу, где стояла бутылка с водой, и, быстро наполнив стакан, протянул его старику, но тот оттолкнул его руку.

— У меня есть лицензия на занятие юридической практикой, — прохрипел Симура, обращаясь к прокурору. — Вы должны объяснить мне, на каких основаниях вы его держите?

Прокурор озадаченно посмотрел на обоих офицеров, сидевших рядом с ним. К такому повороту он явно не был готов. Одно дело — разговаривать с податливым Сакагами, готовым поддержать любые требования прокуратуры, лишь бы остаться при деле и заработать полагающийся назначенному адвокату гонорар, и совсем другое — с таким человеком, как Симура, который не только обладает нужными связями, но и знает все японские законы. С Симурой невозможно договориться. Хасэгава снова посмотрел на офицеров полиции. Затем перевел взгляд на Цубои. Тот, поняв взгляд прокурора, покачал головой, не соглашаясь с решением, которое уже готов был принять Хасэгава.

— Может быть, вам лучше отдохнуть? — участливо спросил прокурор, обращаясь к Симуре. — Мы постараемся разобраться и принять правильное решение.

— Я хочу знать, почему вы не хотите его отпустить, — снова закашлялся Симура, — какие у вас юридические основания? Или вы задержали его только потому, что он иностранец? Как на это посмотрит наше Министерство иностранных дел? Или премьер-министр. Он ведь тоже был на приеме, и его охрана обеспечивала безопасность участников. —

Симура отдышался и продолжал: — Получается, вы не доверяете охране нашего премьера. Или охране отеля «Империал». Или вы полагаете, что охрана банка могла пропустить на встречу иностранца с оружием. Я думал, вы лучшего мнения о наших охранниках. Или вы думаете, что среди них могли быть предатели?

— Господин Хасэгава, наверно, считает, что они помогали иностранцу убивать руководителей нашего банка, — насмешливо вставила Фумико.

Симура попал в точку. Одно дело — обвинять иностранца, который к тому же был экспертом по вопросам преступности. И совсем другое — подозревать службу безопасности в том, что она допустила ошибку. Прокурор нахмурился. Он смотрел на Фумико и понимал, что совершил ошибку, разрешив ей присутствовать при разговоре. Если сейчас он не примет решения, то эта бесноватая дамочка, выйдя отсюда, соберет пресс-конференцию и скажет, что прокурор Хасэгава считает охранников премьера пособниками убийства.

— Я такого не говорил, — сразу сдал свои позиции прокурор. — Мы не обвиняли нашу службу безопасности в просчете. Но если кому-то удалось пронести пистолет в розовый зал, значит, были ошибки конкретных людей.

— Всех прибывших проверяли, — возразила Фумико. — Никто не имел права проносить оружие.

— Возможно, — согласился прокурор, — но убийце удалось пронести оружие. Мы пока никого не обвиняем, мы лишь проверяем известные нам факты. Возможно, вы правы, сэнсэй, — сказал он, обращаясь к Симуре. — Кроме убийцы, там должен быть и человек, отвечающий за безопасность участников встречи. Мы допросим всех сотрудников охраны отеля и службы безопасности банка. Кроме того, мы намерены обратиться с запросом в Управление национальной безопасности. Возможно, они располагают сведениями, которых мы еще не имеем.

— В таком случае вы можете пока отпустить господина Дронго, — предложил Симура. — Он будет жить у меня в доме и никуда не сбежит, пока вы не закончите расследование. Вы можете передать дело в суд, который вынесет решение о целесообразности его задержания.

Японская правовая система была скопирована с американской сразу после поражения Японии во Второй мировой войне. Именно суд должен определять обоснованность ареста или задержания подозреваемого, если прокурор выносит такое решение. В отличие от бывшего Советского Союза и нынешней России в демократических странах нельзя без решения суда держать человека в тюрьме даже с санкции прокурора.

Хасэгава посмотрел на сидевшего перед ним Кодзи Симуру. «Этот старик может явиться и в суд», — подумал прокурор. Он представил себе, как будут выглядеть в таком случае сотрудники прокуратуры и полиции, подозревающие в покушении на убийство Симуры человека, которого станет защищать его брат. Кроме того, Симура не обычный адвокат, и все журналисты страны приедут, чтобы осветить это событие. А эта дамочка наверняка подключит своего отца, с ужасом подумал прокурор, глядя на Фумико. Если все телевизионные каналы ее отца начнут массированную атаку против Хасэгавы, ему лучше сразу написать заявление об отставке.

Прокурор больше не смотрел на старшего инспектора. В конце концов, он не обязан идти на поводу у Цубои, который ненавидит всех прибывающих в страну иностранцев. Симура терпеливо ждал, пока прокурор примет верное решение.

— Хорошо, — согласился наконец Хасэгава, — мы готовы отпустить господина Дронго с условием, чтобы он не покидал Токио до окончания нашего расследования.

Цубои достал сигарету, демонстративно сжал ее в руке и вышел из комнаты. Зато оба офицера полиции, сидевшие рядом с прокурором, не скрывали своей радости. Им не нужны были лишние проблемы. Фумико обернулась к Дронго.

— Он согласился вас отпустить, — коротко сообщила она.

— Я думаю, что могу быть вам полезен, — сразу зашептал Сакагами, обращаясь к Дронго. — Вам нужен будет постоянный переводчик и представитель ваших интересов. Сэнсэй Симура не сможет ездить с вами повсюду и помогать вам с переводом. Это правда, что вы самый известный эксперт в мире? Вы очень богатый человек?

— Не очень, — умерил его пыл Дронго, — более того, я очень нуждающийся человек.

— Но вы прилетели первым классом и живете в «Хилтоне», — не унимался Сакагами. Видимо, он узнал все о своем клиенте, прежде чем разрешил «назначить себя» на это дело. Но Дронго его разочаровал.

— Билет и проживание в гостинице мне оплатил банк, пригласивший меня на прием, — прошептал он адвокату. Тот недовольно нахмурился.

Симура поднялся, с трудом сохраняя равновесие. Тамакити помогал ему. Почти сразу поднялись все остальные. Симура кивнул прокурору и офицерам полиции, поблагодарив их за понимание. Затем повернулся к Дронго.

— Я должен извиниться, — сказал он по-английски. — Кажется, я втянул вас в неприятную историю.

— Ничего, — ответил Дронго, — это я должен извиниться за то, что второй раз заставил вас покинуть больницу.

— Я предчувствовал, что может произойти нечто похожее, — пробормотал Симура, наклоняясь к Дронго, чтобы тот его услышал. — Я за тебя поручился. Но... — Он чуть качнулся, и Тамакити поддержал его. — Но... — продолжал Симура, — найди того, кто стрелял в моего брата и в Такахаси. Ты можешь найти, я в этом уверен. Сегодня тебя отпустят. А Тамакити будет тебе помогать.

— Кажется, я вас подвел, — сказал Дронго.

— Нет. Но ты сделал вторую ошибку. Тебе нужно было держаться со всеми, а не оставаться в комнате, где произошло убийство. У нас подозрительно относятся ко всем иностранцам.

Он снова повернулся к прокурору и властно кивнул. Хасэгава поклонился в ответ. И Симура вышел из комнаты. Прокурор недовольно посмотрел на Фумико.

— Вы тоже можете уйти, — пробормотал он. — Мы сами оформим наше решение.

— Ничего, — сказала Фумико, поднимаясь со стула, — я подожду в коридоре, чтобы отвезти господина Дронго домой к сэнсэю. Сколько нужно, столько и подожду.

Она подмигнула Дронго и вышла из кабинета. Хасэгава тяжело опустился на стул. Один из офицеров полиции услужливо сказал:

— Вы приняли верное решение.

— Оформите его документы, — приказал прокурор, показывая на Дронго. — И прикажите установить за ним наблюдение, — тихо добавил он, чтобы его не услышал Сакагами, хотя адвокат и не собирался переводить эти слова своему бывшему клиенту.

Глава 9

Его выпустили через полчаса. Ему вернули часы и деньги, отобранные при задержании. Он получил свои кредитные карточки, ключи от номера в «Хилтоне», обратный билет, который всегда носил с собой, не оставляя его в отеле. Паспорт прокурор Хасэгава оставил у себя.

Дронго забрал все вещи и направился к выходу, когда увидел наблюдавшего за ним Хироси Цубои. Инспектор полиции был в темных очках и в своем твидовом пиджаке. Он с каменным выражением лица смотрел, как Дронго собирается покинуть здание полицейского управления.

— Ты уходишь, — сказал он, коверкая слова. Он почти не знал английского, и весь его лексикон состоял из нескольких слов.

— Ухожу, — кивнул Дронго, глядя на темные очки.

— Ты вернешься.

Цубои ненавидел этого человека. Ему не нравился резкий запах парфюма, исходивший от него, костюм этого щеголя, его манеры. Цубои не понравилось, что за этого человека приехал ходатайствовать сам Кодзи Симура, которого он прежде уважал. Но Симура приехал просить за иностранца, за человека, причастного к покушению на его брата. И Цубои не мог простить такого поступка настоящему японцу. К тому же иностранец жил в «Хилтоне», в этом рассаднике американской культуры.

Дронго пожал плечами, улыбнулся и прошел дальше. Он понимал чувства инспектора. Не каждый день происходят такие убийства. И на месте инспектора полиции любой другой также в первую очередь заподозрил бы этого непонятного иностранца, оказавшегося в розовом зале в момент убийства.

Все разговоры о том, что преступления бывают изощренными и продуманными, а преступники проявляют необычную смекалку, возникли под влиянием английских детективных романов, где запутанные преступления — норма, а розыски преступника предполагают некоторую интеллектуальную игру. На самом деле любой полицейский инспектор знает, что большинство преступлений носит бытовой характер. И никаких особо продуманных преступлений не бывает. Преступники такие же люди, как и все остальные. Если встречается один гениальный аналитик на тысячу обычных сыщиков, то и среди преступников встречается один невероятный злодей на тысячу обычных людей, которые в силу тех или иных обстоятельств преступили закон.

Во всем мире затюканные своими отчетностями и рапортами, инспекторы и следователи исповедуют «принцип Окаямы», по которому «нельзя умножать сущее». Тысячи сыщиков проверяют первую версию, которая подсказана им их многолетним опытом и обстоятельствами дела. И в девяти случаях из десяти эта версия оказывается наиболее состоятельной. Среди преступников редко попадаются гении, обычно это люди с изломанной судьбой или порочными душами. Именно поэтому Цубои был убежден, что Дронго имеет отношение к случившейся трагедии. В розовом зале, кроме пострадавших, были еще шестеро японцев, но все они принадлежали к высшему руководству банка и, по твердому убеждению инспектора, не могли оказаться преступниками. Он переписал фамилии всех шестерых, но запрошенные биографические данные каждого из них заставляли еще больше поверить в виновность Дронго.

На одной чаше весов были шесть руководителей банка, которые много лет общались с покойным Такахаси и тяжело раненным Симурой. На другой чаше весов была судьба иностранца, который был экспертом по вопросам преступности, имел запутанную биографию, рекомендовался как отличный стрелок. Именно этот подозрительный иностранец появился в Токио за день до совершения преступления. И он единственный из посторонних был в розовом зале в момент преступления. На месте Хироси Цубои девяносто девять следователей из ста начали бы проверять в первую очередь Дронго.

Было и еще одно. После того как все покинули комнату, в которой произошло преступление, в ней остались только Дронго и Фумико Одзаки. Учитывая, что женщина изо всех сил пыталась выгородить этого иностранца, Цубои предположил, что он ей понравился. Для инспектора в этом не было ничего странного. Отец Фумико Сокити Одзаки был в его глазах именно тем человеком, который перетаскивал американские идеи в Страну восходящего солнца. Подконтрольные ему телевизионные каналы показывали американские и европейские фильмы. А его дочь училась в Европе и поэтому могла попасть и под влияние западных идей. Ничего удивительного, что она попала под влияние приехавшего иностранца. Или могла не заметить, как он бросил пистолет в сторону.

Настораживало и то, что на пистолете не было отпечатков пальцев. Цубои успел проверить, сколько секунд прошло с момента, когда погас свет и прозвучали выстрелы, до того момента, когда в комнату вбежали охранники. Всего несколько секунд. За это время надеть перчатки и выстрелить, а затем снять перчатки было невозможно. Стрелять, держа пистолет завернутым в носовой платок, тоже нельзя. Убийца рисковал не попасть в свои жертвы. Единственный вывод, который можно было сделать: кто-то стер отпечатки пальцев на пистолете уже после того, как зажегся свет. Иначе у преступника просто не хватило бы времени на подобную процедуру.

Цубои провожал Дронго долгим взглядом, пока тот не вышел из здания. На улице Дронго увидел стоявший на другой стороне серебристый двухдверный «БМВ», за рулем сидела Фумико. Она помахала ему рукой, и он, перейдя через дорогу, сел в машину рядом с ней.

Фумико тронула машину с места.

— Я хотела вас поблагодарить, — сказала она. — Вчера я не подумала, когда взяла этот пистолет в руки. Если бы вы не стерли мои отпечатки, у меня могли быть серьезные неприятности.

— А мне кажется, что я ошибся, — признался Дронго.

— Почему?

— Света не было несколько секунд. Я потом проанализировал. Мне кажется, убийца заранее знал, что свет погаснет. Если я правильно все просчитал, то убийца должен был успеть достать пистолет, сделать два выстрела и бросить оружие в сторону. Учитывая, что он не мог сидеть в момент преступления, а должен был подняться, на эти действия у него ушли все секунды. Ведь охранники вбежали почти сразу. Тогда выходит, что преступник не мог успеть стереть свои отпечатки пальцев.

— Значит, я все испортила? — тихо спросила Фумико.

— Не знаю. Если инспектор Цубои думает так, а он наверняка должен просчитать время, то понятно, почему он убежден, что стрелял именно я. Никто, кроме меня и вас, оставшихся в комнате, не мог выстрелить в Симуру и Такахаси, а затем стереть свои отпечатки пальцев на оружии. У убийцы не должно было хватить на это времени.

Она молча вела машину, осмысливая его слова. Потом повернула голову:

— Кто мог это сделать?

— Я думал, вы знаете, — ответил Дронго.

Она притормозила перед светофором. Взглянула на него. У нее действительно красивые глаза, подумал Дронго. Странно, что при внешней хрупкости она столь сильная женщина. Наверно, сказываются отцовские гены. Лидером нельзя стать. Им нужно родиться.

— Кто? — спросила Фумико. — Вы кого-то конкретно подозреваете?

— Всех, кто был в этот момент в комнате, — ответил Дронго.

Она взглянула на него, чуть улыбнувшись, затем прибавила скорость. Они покидали центр города, район Мариноути. С левой стороны находилось здание банка Фудзи, а с правой филиал банка «Даиити-Кангё», примыкавший к гостинице «Мариноути».

— Вы подозреваете сидевших в комнате? — спросила Фумико. Он почувствовал в ее словах легкое сомнение.

— Я не подозреваю, — мрачно ответил Дронго. — Я уверен.

Она покачала головой.

— Нет, — сказала она, глядя перед собой, — этого не может быть. Я думаю, вы ошибаетесь. Наверняка в комнату ворвался кто-то из охраны. Или чужой. Сейчас сотрудники полиции проверяют розовый зал. Может, там есть потайные двери.

«Почему людям так нравится верить в чудеса? —

подумал Дронго. — Когда есть простое объяснение, никто не хочет в него поверить».

— Там нет никаких потайных дверей, — вежливо сказал Дронго. — Это не средневековый замок, а обычная современная гостиница, построенная по чертежам, в которой все легко проверяется. Кстати, куда мы едем?

— В «Хилтон», — пояснила она, — чтобы вы забрали свои вещи.

— Спасибо. — Он подумал, что не принял сегодня душ. Хорошо, что успел побриться.

Он обернулся. Странно, что Цубои не пустил за ними наблюдение. Хотя они наверняка понимают, что он поехал именно в «Хилтон», он должен забрать свои вещи и переехать в дом Кодзи Симуры. Поэтому ничего удивительного, если переодетые инспекторы будут ждать их у отеля.

— Я тоже хотел вас поблагодарить, — сказал Дронго. — Не думал, что вы так себя поведете, как вчера. И сегодня приедете в полицию. Вы рисковали своим положением. Пресс-секретарь такого уважаемого банка. Кроме того, вы дочь очень известного человека.

— Не нужно, — она взглянула на него немного печально, — мне это как раз всегда мешало. Все почему-то считают меня дурочкой, которая должна преуспевать в жизни только благодаря миллиардам своего отца. Но это совсем не так.

— Я знаю, — кивнул он. — Извините, что доставил вам столько проблем.

— Из-за меня вы провели ночь в полицейском управлении, — возразила она. — Вчера я не подумала о последствиях, когда нашла этот пистолет. Я так обрадовалась, даже не сообразила, что его нельзя трогать. А если вы стерли отпечатки пальцев настоящего убийцы?

— Очень может быть. — Он подумал, а потом добавил: — А вы напрасно соврали, что разговаривали со мной в момент выстрелов. В этот момент вы как раз отодвинулись. Но выстрелы раздались так внезапно, что я не сумел осознать, кто и откуда стреляет. Вдруг погас свет, и две вспышки в комнате. Ничего не успел заметить.

— Я тоже, — призналась Фумико. — Но мне кажется, что сидевший рядом Кавамура Сато не стрелял. Я слышала, как он скрипел стулом.

— Вы уверены?

— Нет. Сейчас уже нет. Но Кавамура не мог стрелять. Он из очень известного японского рода. Князья Тёсю были его предками.

— Можно подумать, другие из простых семей.

— Нет. Фудзиока и Морияма из очень известных семей. Род Мориямы из княжества Сацума. Триста лет назад во время возвышения Токугавы они были полководцами и самураями. Фамилия Фудзиока известна со времен династии Минамото. Восемь веков его предки служат Японии. Это очень известные фамилии.

— А остальные двое?

— Нет. Инэдзиро Удзава из обычной рабочей семьи. Служил на флоте, потом перешел на работу в службу безопасности. Очень толковый, надежный человек. Его рекомендовал на должность своего заместителя сам Вадати. Он работает у нас почти одиннадцать лет.

— Аяко Намэкава?

— У нее отец японец, а мать китаянка. Но она всегда считала себя японкой. Хотя долго жила в Америке. Она очень умная и красивая женщина, — добавила Фумико. — Неужели вы думаете, что она могла бы выстрелить в Симуру? Она ему стольким обязана. Это невозможно.

Они свернули мимо Акасаки, направляясь в район Синдзюку, где находился отель «Хилтон».

— В вас говорят стереотипы, — вздохнул Дронго. — К сожалению, моя практика свидетельствует об обратном. Преступления иногда совершают люди, которых невозможно заподозрить. Если учесть, что стреляли в президента и первого вице-президента банка, то у всех присутствующих могли быть мотивы для подобного преступления.

— Какие мотивы? Они самые высокооплачиваемые сотрудники нашего банка. И самые известные. Назовите мне все возможные варианты, из-за чего бы они стали стрелять в Симуру. Нет ни одной причины.

— Вы так думаете?

— Я уверена.

— Начнем с Каору Фудзиоки, который сейчас формально возглавил банк. Ведь мы с вами слышали, что именно сказал президент Тацуо Симура. За несколько секунд до выстрелов он сообщил нам о своих планах. Новым первым вице-президентом банка он решил сделать не Фудзиоку, который должен был по должности занять это место. Он собирался поставить на место первого вице-президента Хидэо Морияму. Его, а не Фудзиоку. Учитывая, что последний работает в вашем банке столько лет, можно представить, как его обидело выдвижение младшего по возрасту и стажу вице-президента. Кроме того, Фудзиока несколько раз отказывался от высоких государственных должностей, чтобы остаться в банке. Он мог считать, что его рвение должно быть по справедливости оценено. Но Симура не собирался его выдвигать. Я думаю, мотив для мести у Фудзиоки был. И не забывайте, что после выстрелов он стал исполняющим обязанности президента банка.

Она резко затормозила. Сзади тоже послышался визг тормозов. Очевидно, следующая за ними машина чудом не врезалась в них.

— Фудзиока не мог этого сделать, — сказала она, изумленно слушая Дронго. — Это невероятно.

— И тем не менее он сидел ближе всех к Симуре

и Такахаси. Ему нужно было только подняться, чтобы дважды выстрелить. А ваза была совсем рядом с ним. Дважды выстрелить и бросить пистолет. Вот и все, что ему нужно было сделать, чтобы стать исполняющим обязанности президента банка.

Сзади послышались гудки автомобиля.

— Вы задерживаете движение, — напомнил Дронго, и она, оглянувшись, тронула машину с места.

— Кроме того, личные моменты могли быть у вашего начальника службы безопасности Удзавы, — напомнил Дронго. — Ведь Симура не собирался делать его вице-президентом, хотя место оставалось вакантным. После смерти Вадати прошло уже несколько месяцев, и, возможно, Удзава чувствовал себя уже одним из руководителей банка.

— У нас раньше не было должности вице-президента банка по вопросам безопасности, — ответила Фумико, — но когда начались взломы в компьютерах и через Интернет, мы создали второе управление. Управление собственной безопасности у нас уже было. А в банке было создано еще и управление информационной безопасности, которое контролировало все наши операции, проводимые через компьютеры, и отвечало за защиту наших сайтов. Вот тогда два управления и подчинили новому вице-президенту, которым стал Вадати.

— Я этого не знал. А кто сейчас возглавляет службу информационной защиты?

— Мицуо Мори. Очевидно, Симура не хотел, чтобы оба управления подчинялись одному человеку. Это достаточно сложно. Ведь информационная безопасность — это основа современного банка. И, видимо, это управление Симура хотел подчинить новому первому вице-президенту. Об этом давно ходили слухи.

— Возможно. Но Удзава, несомненно, рассчитывал, что все это останется на уровне слухов. Теперь вспомним Аяко Намэкаву. Она была уверена, что станет вице-президентом. Ваш банк очень известен в мире, и вам обязательно нужно было иметь женщину в руководстве банка. Не только главу вашего американского филиала, а одного из вице-президентов. Я следил за Кавамурой Сато. Он тоже не верил, что его сделают новым вице-президентом. Слишком очевидным казалось, что нужно выдвинуть женщину. А вместо нее выдвигают Кавамуру Сато.

— Симура был странным человеком. У него иногда бывали непредсказуемые поступки, — призналась Фумико.

— Почему был? — сразу спросил Дронго. — Он разве умер?

— Пока нет, — мрачно ответила она, — но врачи полагают, что у него нет шансов. Он в коме, и неизвестно, когда придет в себя. Если вообще придет.

— Значит, у троих были основания для стрельбы, — подвел итоги Дронго, — и это только после речи Симуры. А мы еще не знаем всех обстоятельств дела. И не забывайте, что кто-то убил Вадати и Сэцуко, из-за чего Симура и позвал меня в розовый зал.

Автомобиль подъехал к отелю, и Фумико мягко затормозила. Взглянула на Дронго.

— Сэнсэй Симура сказал, что пришлет за вами Тамакити, который отвезет вас к нему домой. Он приедет в три часа дня. Я хотела еще раз вас поблагодарить. Надеюсь, все выяснится.

— Спасибо.

Он вышел из машины. Потом, обернувшись, посмотрел на молодую женщину.

— Был еще один человек, который мог выстрелить, — сказал Дронго, — а потом нарочно поднять оружие, чтобы оставить на нем свои отпечатки пальцев. И если бы я не успел их стереть, то у вас было бы алиби. Вы подняли пистолет в моем присутствии.

— Мне кажется, у вас развивается мания преследования, — зло ответила Фумико. — Это уже переходит всякие границы. Значит, по-вашему, я стреляла в Симуру и Такахаси. Между прочим, я знаю Тацуо Симуру с самого детства. Он меня держал на руках, когда мне было два года.

— И это освобождает вас от подозрения? — грустно улыбнулся он. — Не обижайтесь. Вы сами просили меня привести все возможные варианты.

— До свидания, — она резко рванула автомобиль с места.

Дронго вошел в отель, прошел к лифту. Когда

створки кабины за ним захлопнулись, портье поднял трубку и тихо доложил:

— Он уже приехал.

Дронго вышел на своем этаже. Достал карточку-ключ, вставил ее в дверь. И услышал шаги за спиной. Обернувшись, он узнал человека, подходившего к нему.

Глава 10

Это был Инэдзиро Удзава, руководитель службы безопасности банка. Он был в темном костюме и в темной водолазке. Молча подойдя к Дронго, он показал на дверь и покачал головой, давая понять, что в номер входить не обязательно. Очевидно, в номере уже были установлены подслушивающие аппараты.

— Мы можем спуститься вниз, — предложил Удзава. — Мне нужно с вами поговорить.

— Вы полагаете, я хочу с вами разговаривать? — спросил Дронго. — Только вчера вечером вы сдали меня полиции, а сегодня пришли ко мне. Вам нужно было приехать в полицейское управление. Я там очень органично смотрелся.

— Не нужно так говорить, — угрюмо попросил Удзава, — я многого не знал. Пойдемте в бар, нам действительно нужно поговорить.

— Лучше, чтобы нас вместе не видели, — сказал Дронго.

Удзава взглянул на него и кивнул в знак согласия.

Они спустились на следующий этаж, где был специальный бар для проживающих в сюитах гостей. Удзава взял себе виски, а Дронго попросил налить ему текилы. Они сели за столик.

— Мне сообщили, что вас отпустили, — тихо сказал Удзава. — Я ждал вас здесь, чтобы поговорить с вами.

— Вы ведь прекрасно знаете, что я не стрелял, — строго заметил Дронго. — Почему вы вчера сказали инспектору, что не уверены в этом?

— Я действительно не был уверен, — признался Удзава, — но я не думал, что вы стреляли. Когда мы вышли, я думал, что вы помогли спрятать пистолет. И пронесли его в розовый зал мимо моей охраны.

— Каким образом? — зло спросил Дронго. — Вы же профессионал и знали, что меня проверяли на металлоискателе. Как я могу спрятать пистолет? И куда?

— Я об этом подумал еще вчера, — сказал Удзава. — Дело в том, что сотрудники банка поднимались прямо из комнаты для приема. А вы единственный, кто ждал в соседней комнате, когда они соберутся в розовом зале.

— Правильно, ждал. Но там в этот момент никого не было.

— Мы не проверяли эту комнату, — Удзава немигающе глядел на него. — Ваш сообщник мог оставить там оружие. Вы вошли в комнату, забрали пис-

5 – 3065

толет, после чего прошли в розовый зал с оружием. И когда погас свет, вы начали стрелять. Или передали оружие другому человеку, который должен был стрелять. Потом убийца вышел, а вы решили обеспечить ему алиби и стерли отпечатки пальцев с пистолета. Такое возможно? Я об этом подумал, как только выяснилось, что в комнате остались вы и Фумико Одзаки.

— Да, — ответил Дронго, — вы хороший специалист, Удзава. И обладаете аналитическим мышлением. Только, во-первых, я не брал оружие в этой комнате. А во-вторых, в ваших рассуждениях есть очевидный изъян. У меня должен быть сообщник. Вы можете сообщить мне его имя?

— Если он был, то вы его знаете. А если его не было, то не стоит и говорить, — загадочно ответил Удзава. — Но я пришел не только из-за этого. Я не такой наивный человек, чтобы поверить в ваше чистосердечное раскаяние, даже если вы и помогли кому-то из наших. Вы бы мне все равно ничего не рассказали. Но я пришел сюда именно потому, что хочу выяснить. Кроме того, я знаю людей, которые сидели в розовом зале. Я знаком с ними много лет. Ни один из них не стал бы с вами договариваться. Вы иностранец. Может быть, Аяко Намэкава. Но она женщина. Чтобы так быстро выстрелить, нужна была мужская реакция.

— Это совсем не обязательно. Хотя я с вами согласен. Ни один из них не стал бы со мной договариваться. Тогда о чем вы пришли со мной говорить?

— О моем предшественнике, — пояснил Удзава. — Вчера наш президент сообщил, что его убили. Это правда?

— А вы этого не знали?

— Нет. — Удзава посмотрел в свой стакан. Он пока не притронулся к виски. — Поверьте мне, я ничего не знал. Мне казалось, что он действительно разбился в автомобильной аварии. В последние месяцы он был мрачным, задумчивым, часто бывал не в себе. Я не знал, почему у него такое настроение. Но если бы я мог предположить, что его убили, то сам бы нашел убийцу и с ним разделался. Вадати был мне как отец, как самый большой друг. Он взял меня на работу, когда я пришел с флота, взял меня рядовым охранником и все эти годы помогал мне. Когда он стал вице-президентом, он сделал меня заместителем начальника службы безопасности. А сам оставался начальником. Но он сказал мне, что я должен занять его место. Стать начальником службы безопасности. И вот так получилось... Кто его убил?

— Не знаю. Я приехал сюда, чтобы это выяснить. Мы договорились, что ваш президент никому об этом не расскажет. Но вчера убили Сэцуко, и он вынужден был рассказать обо всем.

— И Сэцуко тоже, — кивнул Удзава. — Мне кажется, все эти события связаны. Авария Вадати, смерть Сэцуко, вчерашние выстрелы. И я хочу знать, кто за всем этим стоит. Видимо, как начальник службы безопасности я оказался полностью несостоятельным, если в нашем банке, у меня под носом, творились такие преступления, а я ничего не знал.

Вероятно, именно это беспокоило его более всего. Это наносило удар по его профессиональному престижу. Удзава поднял голову и посмотрел Дронго в глаза. В них была твердая решимость реабилитироваться.

— Во всяком случае, вы один из немногих, кто не мог выстрелить в Симуру и Такахаси, — пробормотал Дронго. — Вы сидели рядом со мной, в одном ряду с Такахаси. Чтобы выстрелить в них, вам нужно было подняться, обежать стол или с моей стороны, или с другой. И уже затем начать стрелять. А потом вернуться на свое место. У вас не было бы времени.

— Неужели вы думаете, что я мог сделать такое? — Удзава покачал головой. — Вам будет трудно в Японии. Не нужно было вам сюда приезжать. Вы не знаете нашего менталитета. Здесь живут совсем другие люди. Вы слышали, как Симура решил не назначать меня вице-президентом, а оставить начальником службы безопасности. И как всякий европеец или американец подумали, что я должен обидеться и отомстить Симуре, а заодно и новому будущему президенту Такахаси. Но здесь все по-другому. Дело в том, что в нашем банке два управления безопасности. Одно — мое, собственно отвечающее за безопасность, а второе управление — Мицуо Мори, который отвечает за информационную безопасность. С моими знаниями я бы не смог курировать их управление. Вадати был высокообразованный человек и мог курировать сразу два управления. А я не смогу. И поэтому Тацуо Симура принял верное решение. Он оставил меня начальником моей службы, а управление Мори передал новому первому вице-президенту Морияме, который разбирается в компьютерах гораздо лучше меня. Симура не сказал главного, он распорядился повысить мне зарплату. Но даже если бы он этого не сделал, даже если бы на должность вице-президента вместо меня был выдвинут Мори или кто-нибудь из моих заместителей, то и тогда бы я принял это назначение с пониманием. Япония — это прежде всего «бусидо». Кодекс поведения японских самураев. И хотя сейчас уже двадцать первый век, мы чтим наши традиции. «Бусидо» означает в переводе с японского — «путь воина». Для нас страшнее смерти потерять лицо. Никто из сотрудников банка не стал бы стрелять в президента только из-за того, что его не назначили на другую должность или не прибавили зарплату. Это не в наших традициях. Постарайтесь это понять, господин Дронго.

— В таком случае инспектор Цубои прав, — вздохнул Дронго. — Вы все такие самураи, такие выдержанные и правильные. А единственный иностранец среди вас я. И полиция поступила правильно, арестовав именно меня. Ведь никто другой не мог стрелять в Симуру и Такахаси. Значит, это я. Человек, который не соблюдает кодекс «бусидо».

— Вы тоже не стреляли, — возразил Удзава. — Вы могли помочь стрелявшему, но сами не стреляли. Вы правильно сказали насчет выстрелов. Я тоже обратил внимание на то, как вошли пули. Убийца должен был стоять, когда он стрелял в Такахаси. Пуля вошла в сердце сверху вниз. Я удивляюсь, что убийца успел так быстро вытащить пистолет и выстрелить. А в Симуру убийца стрелял уже с более близкого расстояния. Видимо, убийца был на другой стороне стола. Мы с Такахаси сидели на одной стороне. Во главе стола сидел Симура. На противоположном конце были вы. А напротив нас сидели пять человек. Фудзиока, Морияма, Намэкава, Сато и Фумико Одзаки. Тогда выходит, что стрелял кто-то из этих пятерых. Когда вы говорили насчет меня, то это относилось и к вам. Пуля вошла в Такахаси под таким углом, что убийца стоял против него, а никак не сбоку. Вам нужно было встать и пройти мимо меня, а потом развернуть Такахаси и выстрелить в него. Или пройти на другую сторону. Поэтому я не думаю, что стреляли вы. Кроме того, я вчера еще не знал, что вас пригласил в Токио брат нашего президента банка, сэнсэй Кодзи Симура. Он был наставником Вадати. А для меня учитель Вадати — это человек, перед которым я преклоняюсь.

— Тогда выходит, что вы ошибаетесь. И ваш «бусидо» в данном случае не сработал. Кто-то из сотрудников банка выстрелил сначала в Такахаси, потом в Симуру. Или наоборот. Но в любом случае убийца сидел рядом с нами. Что говорит ваша охрана?

— То же самое, — мрачно признался Удзава. — Когда погас свет, они вскочили и встали у дверей. Потом с зажигалками ворвались в розовый зал. Никто не мог пройти мимо них, ни войти, ни выйти. Окна были закрыты, других дверей в розовый зал нет.

— Значит, кто-то из ваших, — сказал Дронго.

Удзава снова посмотрел на свой стакан с виски. Затем наконец поднял его и сделал несколько глотков. Поставил стакан на столик.

— Мне нужно получить всю информацию, которую вы имеете, — твердо сказал Удзава.

— Вам лучше поговорить с Тамакити, помощником сэнсэя Симуры. Это он нашел неисправности в электрической системе автомобиля. Тамакити считает, что автомобиль намеренно испортили перед выездом. Нужно выяснить, где Вадати в последний раз проверял свой автомобиль.

— Выясним, — пообещал Удзава. — Вы мне больше ничего не хотите сказать?

— Могу только пожелать вам успеха. Я тоже прилетел сюда, чтобы найти убийцу Вадати. Но все произошло так трагически непредсказуемо, что теперь мне нужно искать человека, отдавшего приказ убить Сэцуко и выстрелившего в руководителей банка.

— Я найду убийцу, — жестко сказал Удзава, — а вам лучше ничего не искать. Вас отпустили временно. Чтобы вы переехали и жили в доме сэнсэя Симуры. Так будет лучше для всех нас. Переезжайте и живите. Никуда не выходите. Если убийца сидел среди нас, то он уже знает, зачем вы сюда прилетели. И тогда следующей жертвой можете оказаться вы.

— В отличие от Сэцуко у меня нет волос, которые я должен сушить феном, — невесело пошутил Дронго. — Поэтому в ванной меня убивать не станут.

— Будьте осторожны. — Удзава поднялся. — Я все равно найду того, кто стрелял. И если это были все-таки вы... Тогда вас не защитит и дом сэнсэя. До свидания. — Он традиционно поклонился и, повернувшись, пошел к кабине лифта. Дронго пожал плечами, пододвигая к себе лимон.

«Поразительные люди, — подумал, он выпив текилу и жуя лимон. — Сначала он рассказывает мне, как уважает Симуру, Вадати и меня. Потом обещает найти убийцу. И под конец разговора грозит убить меня, если выяснится, что я имею отношение к этим преступлениям. Может, он прав. Этот дух «бусидо» не для меня. Здесь слишком запутанные отношения и своя специфика, которую иностранцу трудно понять. На Востоке всему придается смысл.

Здесь развита интуиция, а не логика, тут нельзя следовать законам рациональности».

Он поднялся к себе на этаж. Здесь было тихо. Войдя в комнату, он разделся, намереваясь принять душ. Стоя под горячими струями воды, Дронго продолжил свои размышления.

«Здесь не верят в логику», — думал он. Наверно, отчасти это связано и с религией. Логически выверенный детектив мог возникнуть только на Западе, где сыщик, не доверяя никому, проводит собственное расследование и силой своего разума изобличает виноватого. На Востоке чаще верят в чудеса. В иррациональность происходяшего. В интуицию. Может, поэтому здесь чтут традиции. С другой стороны, Япония — это страна, наиболее близкая к западному образу жизни. Даже несмотря на свой «путь воина». В основе преступления все равно лежат конкретные причины, конкретные мотивы. Невозможно поверить, что среди руководителей банка внезапно появился шизофреник, который сначала убил Вадати, а потом устроил смерть Сэцуко и решил перебить все руководство банка. Здесь видна холодная логика негодяя. Как спланировано убийство Сэцуко! Как точно проведено убийство Вадати!

Похоже, сначала убрали Вадати, который мог оказаться препятствием. Кажется, Симура говорил, что Вадати часто приезжал к нему и рассказывал о трудностях. Интересно, о каких именно трудностях в банке он говорил? Потом Сэцуко. У нее были два поручения. Узнать, почему Удзава ушел с флота. И почему Такахаси покинул свой банк, перейдя к конкурентам. Второй вопрос потерял актуальность. Во всяком случае, ясно, что Такахаси не мог выстрелить в Симуру, а потом застрелиться. Иначе на его одежде были бы пороховые следы от ожога. Тогда выходит, что Такахаси не имел отношения к убийству Сэцуко. Сам Симура тоже не виноват в ее смерти. Иначе получилась бы нелогичная картина. Весь Симура единственный, кто знал о встрече Сэцуко с Дронго. Получается, он сначала разрешил встречу, а после того, как они поговорили и поужинали в ресторане, решил ее убрать. Это нелепо. Но кому тогда была выгодна смерть Сэцуко?

Стоп. О встрече знала и Фумико. Она знала, что ее заместитель встретится с Дронго. Вчера вечером она была несколько взволнована. В розовый зал она вошла с небольшой сумочкой. Дронго помнил и сумочку, и бельгийский пистолет, с которого он стирал следы. Пистолет вполне мог поместиться в сумочке. У Намэкавы тоже была сумочка, даже побольше той, с которой вошла Фумико. И все-таки почему Фумико подняла оружие? Она ведь должна была понять, что этого нельзя делать. Она умная и сообразительная молодая женщина, училась в Англии. В таких случаях обычно срабатывает стереотип поведения. Свидетель не должен дотрагиваться до оружия. Она точно знала, что именно из этого пистолета стреляли в руководителей банка. Она видела кровь на их одежде. И тем не менее не побоялась взять оружие в руки. Может, потому, что была уверена в отсутствии на пистолете следов крови. Или ей нужно было оставить на оружии собственные отпечатки пальцев, чтобы получить абсолютное алиби. Если бы Дронго не успел стереть их, то тогда она могла бы предъявить его как свидетеля, который видел, когда и как она дотронулась до пистолета.

В таком случае Фумико разработала идеальный план убийства. Что бы ни сделал Дронго, он становился ее главным свидетелем. С другой стороны, он все время укорял себя за свое поспешное и не совсем продуманное решение. Ведь на пистолете могли сохраниться отпечатки пальцев не только Фумико, но и возможного убийцы, если таковой, конечно, был. И тогда получалось, что Удзава прав. Именно Дронго невольно оказался сообщником убийцы, вытерев его следы на оружии. Но это только в том случае, если убийцей не была Фумико.

Он вспомнил молодую женщину. Неужели она могла решиться на подобное преступление? Хотя ведь она выделялась среди остальных. Даже Аяко Намэкава, прожившая столько лет в Америке, старалась больше соблюдать японские традиции, чем Фумико Одзаки. Дочь крупного телемагната, исповедовавшего космополитические взгляды, она отличалась от других. Даже своим автомобилем. Руководитель пресс-службы столь известного банка не должна ездить на немецком «БМВ», даже с правым рулем. Она обязана была выбрать японскую машину.

Тогда понятны и ее вчерашние заявления, и сегодняшний визит в полицию. Это могла быть игра, чтобы заставить его поверить в ее невиновность. Конечно, он вчера сорвался. Нужно было положить пистолет на стол и объяснить, почему на нем отпечатки пальцев Фумико. Но на него подействовали и вся эта обстановка, и неожиданные выстрелы, и шум в коридоре. Нет, нет. Он достаточно опытный человек, и на него не могли подействовать неожиданные выстрелы. Или жертвы. Нет. На него подействовала смерть Сэцуко. Убийство молодой женщины его потрясло. И он подсознательно принял решение спасти другую молодую женщину. Когда он увидел, как она держит в руках пистолет, он понял, что обвинения могут быть направлены против Фумико. Он принял машинальное решение, которое диктовалось ситуацией. Он забыл, что находится не в Европе. В любой европейской стране или в Америке Фумико стала бы главной подозреваемой в убийстве при обнаружении пистолета с ее отпечатками. Даже несмотря на все могущество ее отца. В Японии такого не могло произойти. Здесь бы приняли во внимание дружбу обеих семей, их отношения. Не говоря о том, что здесь поверили бы словам Фумико, что она случайно нашла оружие. К тому же они были бы подтверждены свидетельскими показаниями самого Дронго. Кажется, он действительно ошибся. Удзава прав. Здесь Япония, и нужно всегда помнить о специфике этой страны.

Дронго вытерся большим полотенцем с инициалами «Хилтона», повесил его, надел белый халат и вышел из ванной. Прошел к мини-бару, достал бутылку минеральной воды. Он еще не успел налить себе воды, когда в дверь постучали. Взглянув на часы, Дронго удивился. Тамакити должен появиться только в три часа дня. А сейчас еще половина первого. Оставив бокал на столике, он подошел к двери и посмотрел в глазок.

Глава 11

За дверью стояла Фумико. Очевидно, она решила вернуться, и он открыл дверь, не понимая, что произошло. Она шагнула в комнату.

— Вас невозможно оставлять одного, — без гнева сказала Фумико. — Почему вы не брали трубку, я вам столько раз звонила.

— Я был в ванной, — удивился Дронго, — принимал душ.

— Не лгите, — возразила она. — В «Хилтоне» телефоны бывают и в ванных комнатах. Вы должны были услышать мой звонок.

Он обернулся на свою ванную комнату.

— Действительно должен был, — согласился Дронго. — Когда вы звонили?

— Сразу, как только мы расстались. Хотела сказать вам, что ваши варианты мне совсем не понравились. Но ваш телефон не отвечал. Я звонила еще несколько раз. И потом подумала, что нужно сюда приехать... Портье сообщил мне, что ваш номер не отвечает.

— Ясно, — пробормотал Дронго. Его тронула тревога молодой женщины. И ее бесстрашие. Если телефон не отвечал, то в номере могли быть чужие. После вчерашнего убийства она должна была хотя бы немного остерегаться. Видимо, подобная предосторожность была не в ее правилах.

— Проходите, — предложил он своей гостье. — Извините, что принимаю вас в таком виде. Я переоденусь.

— Я сейчас уйду, — улыбнулась она. — Мне померещилась всякая ерунда. Извините меня, я сейчас уйду.

Она повернулась, намереваясь выйти из номера.

— Фумико, — тихо позвал он, — спасибо за то, что вы приехали. Но это было опасно. Никогда больше так не делайте. Если мой телефон не отвечает, значит, нужно позвонить портье и проверить, кто есть в номере. Это гораздо удобнее, чем самой возвращаться в отель.

— В следующий раз я так и сделаю. — Она стояла в своем светлом плаще, воротник которого был поднят.

— Я скоро отсюда перееду, — сказал он.

Ему не хотелось, чтобы она уходила, но он чувствовал себя неловко в этом белом халате, который был ему мал. Очевидно, халаты в этом отеле были рассчитаны на постояльцев-японцев. Но и в Европе тоже не все халаты годились для его мощной фигуры. Лишь в Америке иногда вспоминали, что постояльцы могут быть очень высокого роста.

— Вам не говорили, что вы похожи на Шона Коннери? — вдруг спросила она. — Когда я училась в Англии, это был мой любимый герой.

— Вы имеете в виду, что я такой же лысый и старый? — улыбнулся Дронго.

— Нет. Я имела в виду, что вы такой же высокий и ироничный.

Она неожиданно шагнула к нему. Увернуться не было никакой возможности, да ему и не хотелось уворачиваться. Если с Сэцуко было приятно разговаривать, то рядом с этой женщиной он постоянно чувствовал некую энергетическую волну, бьющую по нервам. Энергетика Сэцуко была заряжена покоем и умиротворением. Энергетикой Фумико была страсть и смелость. Она не просто поцеловала его. Ее рука скользнула по халату, узел легко развязался, и этот чертов халат распахнулся. Он замычал, немного отстраняясь от нее. Она с улыбкой смотрела на него.

— Нет, — сказала она, — Шон Коннери так не поступил бы никогда.

Он запахнул халат.

— Шон Коннери любит свою жену и игру в гольф, — пробормотал Дронго.

Она сбросила с себя плащ, глядя ему в глаза. И ногой закрыла дверь.

«Кажется, она слишком много времени провела в Европе, — подумал Дронго, — или это влияние телевизионных каналов ее папаши. Нужно следить за воспитанием дочери, чтобы она не ходила в номера к чужим мужчинам».

— Подожди, — тихо попросил он, — не торопись.

Он схватил ее за руку и вывел в коридор. Плащ остался лежать на полу. Она удивленно смотрела на него.

— Что происходит? — спросила Фумико.

— Нельзя, — возразил он, — мой номер прослушивается полицией.

— Откуда ты это знаешь?

— Знаю, — кивнул он. — Я не могу... не хочу этим заниматься под хохот полицейских техников.

— Ничего, — неожиданно улыбнулась она, — подожди одну минуту. Где мой плащ?

Она вошла в номер, взяла плащ и сказала ему:

— Подожди меня.

И с этими словами она прошла к кабине лифта. Он не совсем понял, куда она ушла. Но ему стало легче. Может, она уехала. Черт возьми. Он по-прежнему в этом халате, надетом на голое тело. Нужно хотя бы надеть трусы. Он вернулся в номер и достал из чемодана белье. Много лет назад ему понравилось мужское белье от Кельвина Кляйна. Это было очень удобное и в то же время неплохо выглядевшее белье. С тех пор он не изменял своему выбору. Достав свежую рубашку, он собирался ее надеть, когда раздался телефонный звонок. Он поднял трубку, полагая, что это звонит Фумико. Но услышал голос Тамакити.

— Вы уже в номере, — удовлетворенно констатировал Тамакити. — Я заеду за вами в три часа дня, чтобы отвезти вас в дом сэнсэя. Вы успеете собрать вещи?

— Успею, — ответил Дронго. У него было много вопросов к Тамакити, но задавать их по телефону не имело смысла. Нужно было дождаться его приезда. — Где сэнсэй? — спросил Дронго. — Как он себя чувствует?

Это было единственное, что он мог спросить.

— Я отвез его опять в больницу, — печально ответил Тамакити. — Он совсем плохо себя чувствует. И волнуется за жизнь своего брата. Врачи говорят, он еще не пришел в сознание.

Дронго попрощался и положил трубку. Может, Кодзи Симура предполагал нечто подобное, опасался за жизнь брата. И поэтому вызвал Дронго. А тот позволил кому-то в своем присутствии убить Такахаси и тяжело ранить Тацуо Симуру. Наверно, его младший брат не предвидел такого печального исхода. Получается, Дронго не оправдал его надежд.

И тем не менее Кодзи Симура поднялся и приехал из больницы, чтобы ему помочь. Получилось наоборот: не приехавший Дронго помогал Симуре, а старик помогал ему.

Он тяжело вздохнул и взял рубашку, собираясь ее надеть, когда в дверь опять позвонили. Отложив рубашку, он снова надел халат и подошел к двери. Это опять была Фумико, она держала в руках свой плащ. Он открыл дверь.

— Куда ты ходила? — спросил Дронго.

— Иди сюда, — таинственно улыбнувшись, поманила она его к себе. Он оглянулся, сделал шаг по направлению к ней.

— Возьми ключ, — напомнила она.

— Куда мы пойдем? — удивился Дронго. — Я в халате.

— Возьми ключ, — повторила она.

Он прошел обратно, забрал карточку-ключ и подошел к ней.

— Может, я все-таки переоденусь? — спросил он. — Тебе не кажется, что я выгляжу не совсем пристойно?

Она потянула его за халат. И приблизилась, чтобы поцеловать. Он не возражал, но она сделала несколько шагов назад, и он был вынужден следовать за ней, слившись в поцелуе. Наконец она оторвалась, затем обернулась и, достав другую карточку-ключ, вставила в замок номера, находившегося напротив апартаментов Дронго. И первая вошла в номер, бросила плащ на пол. Он последовал за ней, и она снова ногой закрыла за ними дверь.

— Подожди, — спросил ошеломленный Дронго, — чей это номер?

— Теперь наш, — победно улыбнулась она. — Я думаю, инспектор Цубои не мог получить разрешение на установку своих подслушивающих аппаратов по всему отелю. Я просто сняла номер.

На этот раз их поцелуй был особенно долгим. Затем она отступила в глубь комнаты. Глядя ему в глаза, расстегнула свой пиджак, медленно сняла его. Потом начала стаскивать блузку.

Неожиданно он шагнул к ней, задержал ее руку, когда она попыталась снять с себя брюки. Она удивленно взглянула на него. У нее действительно были невероятно красивые глаза.

— Мне немного неловко, — пробормотал он. — Может быть, я что-то не так сделал?

— Пока ты не делаешь ничего, — улыбнулась Фумико. — Тебе не кажется, что ты ведешь себя немного странно?

— Да, — согласился он, — просто я редко бываю в подобных ситуациях.

— Если ты еще скажешь, что мы знакомы только один день, то я пойму, что должна уходить.

— Нет, — улыбнулся он, — ты мне ужасно понравилась.

— Ты думаешь, нас подслушивают и здесь? — спросила она, глядя на него. От ее тела исходил мягкий аромат неизвестного Дронго парфюма. «Наверно, она применяет специальные японские парфюмы, ароматов которых я не знаю», — подумал он.

Он еще раз посмотрел на полураздетую женщину. Она не могла не нравиться. Но он почему-то медлил. Почему-то сомневался. И пытался разобраться в своих чувствах. Разница в возрасте? Но это глупо. Ему чуть больше сорока, а ей под тридцать. Недостаточный срок знакомства? Западную женщину, какой в душе была Фумико, это не могло остановить. Тогда почему он колебался? Что его сдерживало? Джил? Нет, он не принадлежал к числу мужчин, умеющих сохранять абсолютную верность. Тогда в чем дело? Ведь эта молодая женщина, стоявшая полураздетой перед ним, ему не просто нравилась. Она ему очень нравилась.

«В чем дело? — думал он. Он умел анализировать свои чувства. — Дело в том, что я боюсь. Боюсь, что она окажется причастной к происшедшему вчера событию, и тогда наша встреча будет не только роковой ошибкой, но и выльется в трагическую мелодраму для обоих».

Мужчина может быть хорошим аналитиком, но женщины обладают особой чувствительностью. Может быть, лучше развитой интуицией.

— Ты думаешь, это я стреляла? — Она вскинула голову. В глазах мелькнуло бешенство. Она наклонилась и подняла свою блузку, пиджак, плащ. Если она сейчас уйдет, он не простит себе никогда...

Он бросился к ней, она вырывалась, пытаясь выйти из номера. Ему с трудом удавалось ее удерживать.

— Хватит, — попросил он, — хватит. Не нужно так нервничать. Мне просто трудно свыкнуться с мыслью, что я могу понравиться такой красивой женщине.

— Ты даже не умеешь врать, — чуть успокоилась она. — Между прочим, у тебя опять раскрылся халат.

— Черт с ним, — он сбросил халат на пол. Она отпустила свои вещи.

— Когда ты успел одеться? — спросила она, заметив, что он уже не голый. И протянула к нему руки.

Следующий час был особенным в их жизни. Ее нельзя было назвать очень опытной женщиной, на каком-то глубинном уровне она была японкой, не позволяющей себе лишних движений или рискованных экспериментов. Он почувствовал ее внутреннее сопротивление и постарался быть особенно деликатным.

Они лежали на широкой постели. Она осторожно водила пальцем по его груди.

— Что это? — спросила она, дотрагиваясь до уже зарастающего шрама. Раньше шрам был безобразный, оставшийся после ранения. После косметической операции, на которую он решился в Париже, на груди остался лишь небольшой рубец, уже заживающий и зарастающий волосами.

— Ударился в детстве, — усмехнулся он, — не обращай внимания.

— Это не от удара, — возразила она. Даже в постели она не могла оставаться голой и прикрывала одеялом грудь и нижнюю часть тела.

— Значит, я забыл, — он не любил вспоминать об этом ранении.

Разве можно рассказать ей всю свою жизнь? Рассказать, какие планы и мечты у него были в середине восьмидесятых. Рассказать, как он впервые работал с Интерполом, как входил в группу Адама Купцевича, как погибали его друзья. Разве можно рассказать этой красивой молодой женщине о трагической гибели Натали, о самоубийстве Марии, о всех его потерях и обретениях? Разве он мог рассказать о Лоне и Джил? Рассказать о том, как он дважды был ранен, потерял свою страну, в которой жил и в которую верил. Разве он мог обо всем рассказать? И разве ей нужны его проблемы? Дочь одного из самых богатых людей страны, не знавшая с детства отказа ни в чем, она не сможет понять его. Может, поэтому она инстинктивно потянулась к нему. Вчерашние выстрелы были шоком и для мужчин. А в ее жизнь неожиданно ворвалась такая трагедия. И он еще подозревал эту красивую женщину в дурных намерениях. Конечно, она была в шоке, он ведь видел, как дрожали ее губы. Она не могла в этот момент сообразить, как ей себя вести. Может быть, впервые в жизни она увидела так близко смерть и трагедию. Немудрено, что она испугалась. Она подняла пистолет, не думая об отпечатках пальцев. Просто японцы — замкнутые люди. Они не позволяют своим эмоциям выплескиваться наружу. Он обязан был об этом помнить.

— Ты о чем-то задумался? — спросила она.

— Об этих убийствах, — признался Дронго. — Ты хорошо знала погибшего Вадати?

— Конечно, знала. Он был очень дисциплинированный человек. Пунктуальный даже для японца. Говорят, он был одним из лучших специалистов в своей области. Поэтому все были очень удивлены, когда он попал в автомобильную катастрофу. Он обычно сам вел свою машину и никогда не нарушал правил. А тут неожиданно выехал на встречную полосу. Она не была отделена бетонными ограждениями, и большой трейлер сразу в него врезался. Говорят, Вадати погиб мгновенно.

— И никто не заподозрил неладного?

— Нет. Полиция провела расследование. Выяснилось, что Вадати не справился с управлением. Его машину проверяли и ничего не нашли. Я очень удивилась, когда узнала об убийстве, ведь полиция уже проверяла его машину.

— Видимо, Тамакити проверял ее лучше, — предположил Дронго. — И еще я хотел спросить тебя о Сэцуко. Она была твоим заместителем?

— Она была хорошим человеком, — задумчиво произнесла Фумико. — Мы все ее любили. Полиция не разрешила нам забрать ее тело, чтобы похоронить. Они говорят, что должны все проверить.

— Ты знала, что она со мной встретится?

— Она мне рассказала, — призналась Фумико. — Все знали, что ее взял на работу сам Вадати. А Вадати был учеником Кодзи Симуры, брата нашего президента. Но она никогда не давала понять, что знакома с Вадати или Симурой. Вела себя очень скромно, выполняла все мои поручения, была очень хорошим журналистом. Но мы все знали, что Вадати старался ее опекать. Мы с ней дружили, и она от меня ничего не скрывала. Как и я от нее. Два дня назад она сообщила мне о твоем приезде. Было нетрудно посмотреть в Интернете все, что про тебя написано. Мне было ужасно интересно, кто именно придет на наш прием. А когда увидела тебя, поняла, что не ошиблась. Ты был примерно таким, каким я тебя представляла. Почему в Интернете нет твоей фотографии?

— А ты считаешь, что нужно дать мою фотографию? — усмехнулся Дронго. — Чтобы преступники всего мира знали меня в лицо?

— Я об этом не подумала, — смутилась она. — Но Сэцуко была очень добрым человеком. Я не понимаю, кому понадобилась ее смерть.

— Если бы мы знали ответ на этот вопрос, мы бы точно знали, кто стрелял в Симуру и Такахаси. Мне понадобится твоя помощь. Я должен просмотреть личные дела всех, кто был в розовом зале в момент убийства. Всех без исключения. У тебя должны быть данные на каждого из них.

— У нас только биографические данные и рекламные ролики, — возразила она. — Вся остальная информация проходит через управление информационной защиты. Это ведомство Мицуо Мори. Чтобы посмотреть нужные сайты, нужно преодолеть его защиту, а Мори считается одним из лучших специалистов. Без согласия руководства банка он не разрешит смотреть закрытую информацию. Только если даст согласие Фудзиока. Он сейчас исполняет обязанности президента банка.

— А если Фудзиока не разрешит? И потом, как мне объяснить это полиции? Они и так считают, что я замешан в этой истории. А если я захочу проникнуть в вашу информационную систему, меня сразу посадят в тюрьму. И на этот раз не выпустят, даже если попросит сам Кодзи Симура.

— Да, — согласилась она. — Ты хочешь, чтобы я тебе помогла?

— Мне нужен доступ. Ты можешь поговорить с Мори?

— Он не согласится. Закрытая банковская информация. Тебе не дадут доступа, а сам ты не сможешь сломать защиту, даже если ты гений.

— Нет. Я не настолько хорошо разбираюсь в компьютерах, чтобы сломать защиту одного из лучших банков мира. А Фудзиока? Если я поговорю с ним, он согласится?

— Он тоже не согласится, — сказала Фумико. — И никто не согласится.

— Может, мне действительно лучше уехать? — приподнял он голову. — Раз я ничего не могу сделать. В этой стране мне не разрешают ни с кем разговаривать, меня подозревают в убийстве, меня арестовывают, мне не верят. А единственная женщина, с которой я поужинал два дня назад, оказалась убитой на другой день. Кажется, в следующий раз я побоюсь лететь в вашу страну.

Она улыбнулась и вдруг произнесла слова на японском языке. Дронго прислушался. Это было японское пятистишие — танка.

— Что ты сказала? — спросил Дронго.

— Стихи, — улыбнулась Фумико. — Это пятистишие нашего поэта, жившего в восьмом веке. Яманоэ Окура.

Итак, друзья, скорей в страну Ямато,
Туда, где сосны ждут на берегу!
В заливе Мицу,
Где я жил когда-то,
О нас, наверно, память берегут!

Дронго выслушал перевод и улыбнулся.

— Красиво, — сказал он, — очень красиво. Беру свои слова назад. Буду прилетать сюда только для того, чтобы увидеть тебя.

— Даже если я не смогу тебе помочь?

— Даже в этом случае, — ответил Дронго. —

А убийцу я все равно найду. Он не мог войти или выйти из комнаты. Человек, стрелявший в Симуру и Такахаси, был одним из тех, кто сидел рядом с нами. Значит, это не так трудно. Если исключить тебя и меня, остается только пять человек. Я почему-то считаю, что можно исключить и Удзаву. Тогда остается только четыре подозреваемых. И один из них убийца.

Он не успел договорить, в дверь постучали. Не позвонили, а именно постучали. А потом дверь распахнулась. Очевидно, кто-то имел запасные ключи, а Дронго не закрыл дверь на цепочку. Фумико вскрикнула. Дронго прикрыл ее своим телом, жалея, что у него нет оружия. И в комнату вошли сразу несколько человек.

Глава 12

Во главе вошедших был старший инспектор Хироси Цубои. Он был в своих черных очках и в неизменном пиджаке, в котором они видели его несколько часов назад. Рядом с кроватью столпились несколько полицейских.

«Только этого не хватало, — с огорчением подумал Дронго. — Сукин сын. Он наверняка установил наблюдение в отеле и рассчитал время, когда ворваться, чтобы застать нас в постели».

— Что вам нужно? — спросил он у инспектора. Тот что-то приказал одному из полицейских. Сержант подошел к одежде, лежавшей на стуле и на полу, собрал ее и бросил в сторону Дронго и Фумико.

— Выйдите, — громко сказал Дронго, — выйдите или отвернитесь, чтобы женщина могла одеться.

Один из полицейских, очевидно, его понял и перевел слова инспектору. Тот смотрел на Дронго. В этот момент выглянула Фумико. Сказывался западный опыт.

— Отвернитесь, — гневно приказала она инспектору, — неужели вы не видите, что мы должны одеться?

Только тогда инспектор наконец отвернулся, отзывая своих полицейских. Недовольно ворча, они вышли из номера. Дронго было легче одеться. Он просто надел халат, чувствуя себя очень неуютно. Фумико забрала вещи и прошла в ванную комнату. Когда она вышла, Цубои повернулся и спросил на ломаном английском:

— Ты встречаться Сэцуко Нумата?

— Да, — ответил Дронго, — я встречался с ней два дня назад.

Он понимал, что инспектор может легко проверить эти сведения, и не собирался врать.

— Ее убить, — сообщил Цубои, — наша экспертиза доказать, ее убить.

— Это я знал и без вашей экспертизы, — ответил Дронго.

— Ты ее убить, — он не спрашивал, он утверждал.

— Господи. Если есть один идиот в японской полиции, то он должен был достаться именно мне, — пробормотал Дронго. — Нет, я его не убивать, — передразнил он Цубои.

— Ты убивать Сэцуко, ты убивать всех остальных, — зло сказал инспектор, тыча в него пальцем. Очевидно, этим исчерпывался весь его словарный запас.

Из ванной вышла Фумико. Она чуть не испепелила Цубои взглядом. И затем громко по-японски сказала ему все, что она о нем думала. Демократия подразумевает терпимость. В том числе и терпимость полицейских. Демократия действенна даже в Японии. Старший инспектор Хироси Цубои терпеливо выслушал все, что ему сказала женщина. И ни разу ее не прервал. Она имела право возмущаться тем, что он не постучал. К тому же она была дочерью известного магната и пресс-секретарем крупнейшего банка страны. И Цубои не собирался портить отношения ни с ее отцом, ни с ее банком.

— Он должен поехать со мной, — сообщил Цубои, показывая на Дронго.

— Вы его только что отпустили, — гневно напомнила Фумико, — а теперь снова забираете?

— Мне нужно с ним поговорить, — ответил Цубои, — а у меня нет с собой переводчика.

— Я буду переводить. Задавайте ваши вопросы.

Цубои взглянул на Дронго, потом посмотрел на Фумико. В конце концов, ему нужно получить информацию. А эта молодая женщина, готовая отдаться иностранцу, будет исправно переводить все его слова. Он достал из кармана диктофон.

— Вы встречались с представителем банка Сэцуко Нуматой? — задал инспектор свой первый вопрос. Фумико переводила.

— Да, встречался. — Дронго сел на диван, чувствуя себя очень неловко в своем коротком халате. Фумико взяла стул и села рядом с диваном. Она все-таки не позволила себе сесть рядом с ним на диване.

— О чем вы с ней говорили? — уточнил Цубои.

— Она рассказала мне о ситуации в банке. Я прилетел в Токио по просьбе Кодзи Симуры, которого волновала ситуация в банке.

— Почему она его волновала? — задал следующий вопрос Цубои.

— Из-за убийства Ёситаки Вадати, — ответил Дронго. — У сэнсэя Симуры появились подозрения, что вице-президент банка был убит, а не попал в случайную аварию.

— Это мы уже знаем, — строго заметил Цубои. — Прокурор успел поговорить с господином Фудзиокой и господином Мориямой.

Фумико перевела слова Цубои, но Дронго взглянул на нее и уточнил:

— Как он сказал? «Поговорить с ними» или «допросить их»?

— Конечно, поговорить, — перевела Фумико. — Разве он позволил бы себе вызывать на допрос таких людей?

— С кем еше из сотрудников банка вы встречались до приема?

— Больше ни с кем. Я никого больше не знал.

— Вы встречались раньше с Ёситаки Вадати?

— Никогда не встречался. Даже не слышал его имени.

— А с остальными?

— Тоже никогда не встречался. Даже не слышал о таком банке.

Фумико улыбнулась и перевела его слова. Инспектор взглянул на нее и, решив сменить тактику, задал следующий вопрос:

— Ночь вы провели в обществе Сэцуко Нуматы?

Фумико чуть запнулась, но перевела и этот вопрос.

«Сукин сын, — подумал Дронго, с ненавистью глядя на инспектора. — Ему важно выставить меня бабником в глазах Фумико и показать, с кем она встречается».

— Я не проводил с ней ночь, — напряженным голосом сообщил Дронго. — Мы встретились вечером и поговорили.

— А затем отправились вместе на ужин в район Гиндзы? — уточнил инспектор. Фумико перевела, и голос ее начал неприятно вибрировать. Для женщины не может быть большего унижения, чем узнать, что ее мужчина спал и с ее подругой. Даже если она уже убита.

— Подожди, Фумико, — разозлился Дронго, —

не нужно так нервничать. Мы действительно поехали в ресторан на ужин. Но только потому, что я хотел попробовать японскую кухню.

— Больше ты ничего не хотел попробовать? — спросила она.

— Между нами ничего не было, — он встал с дивана, в этом коротком халате чувствуя себя почти паяцем, — клянусь тебе, ничего не было.

— Ее тетя сказала нам, что вы вместе ужинали, — продолжал безжалостный Цубои. Фумико переводила, уже едва сдерживая себя. Получалось, он не просто лгун, он еще и пользуется слабостями женщин, затаскивая их в постель.

— Мы только поужинали, и я уехал домой. Вернее, в отель. — Он подумал, что начинает путаться. Его нервировали и необычная обстановка, и незнание японского языка, и присутствие Фумико, которая задавала такие вопросы и переводила его ответы, и необходимость оправдываться, и этот короткий халат, надетый на голое тело.

— Вы поехали к ней домой? — задал следующий вопрос инспектор.

Фумико перевела и вдруг, не дожидаясь ответа, вскочила с места. И, уже не глядя на него, схватила свой плащ и выбежала из номера, громко хлопнув дверью. Дронго перевел взгляд на старшего инспектора. Тот снял очки и протирал глаза, видимо, довольный импровизированным допросом и своим вкладом в их испорченные отношения. Цубои считал, что таким образом поквитался с Дронго за утреннее унижение, когда ему пришлось отпустить подозреваемого после приезда Кодзи Симуры.

— Ну и сволочь ты, инспектор, — по-русски сказал Дронго. — Откуда только такие берутся.

Цубои усмехнулся, поняв, что он ругается. Надел свои темные очки и вышел из комнаты, оставив Дронго одного. Дронго вышел следом за ним и долго открывал дверь, не попадая в замок своей карточкой-ключом. Наконец открыл дверь, вошел в номер и, стащив с себя халат, бросил его на пол. Потом вспомнил Цубои и неожиданно рассмеялся.

«Какой проницательный этот инспектор, — подумал Дронго даже с некоторым удовлетворением, — как ловко он поссорил нас в конце беседы. Ведь он знал, что я не ночевал в доме Сэцуко. А его вопросы были лишь провокацией для Фумико. Он правильно рассудил, что она обидится. Теперь, если она знает обо мне какие-нибудь факты, она, по логике этого Цубои, с удовольствием сообщит их полиции и не станет меня выгораживать. Какой молодец. Типично полицейский прием. Поссорить двух свидетелей, чтобы один дал показания против другого».

Часы показывали уже без пятнадцати три, когда Дронго отправился в ванную, чтобы успеть принять душ и переодеться. На этот раз он успел одеться, когда в дверь позвонили. Это был Тамакити. Дронго быстро собрал свой чемодан.

6 – 3065

— Мы можем идти, — сказал Дронго, забирая свой ноутбук. Чемодан покатил Тамакити.

— Внизу много сотрудников полиции, — сообщил Тамакити. — Я видел и Хироси Цубои. Он как раз отъезжал от отеля. Они снова приезжали к вам?

— Он соскучился, — зло ответил Дронго. — Скажи мне, как у вас принято обращаться к людям? По фамилии или по имени?

— К старым людям можно обращаться «сэнсэй». К женщинам прибавлять приставку «сан». К другим — по фамилиям. А к близким людям можно и по именам, — рассудительно ответил Тамакити.

— В таком случае можно я буду обращаться к тебе по имени?

— Конечно.

Они вышли из отеля и прошли к голубой «Тойоте», стоявшей на аллее. Тамакити положил чемодан в багажник. Сел за руль. Рядом уселся Дронго.

— Куда мы едем? — спросил он.

— В другой конец Токио, — пояснил Тамакити. — Дом сэнсэя находится в районе Мукодзима. Это на северо-востоке, прямо за рекой, у парка Сумида-коэн. Мы поедем по окружной дороге. Это минут тридцать.

Когда они выехали и машина набрала скорость, Тамакити взглянул в зеркало заднего обзора и коротко доложил:

— За нами следят.

— Ничего удивительного, — ответил Дронго, —

было бы странно, если бы они не послали за нами наблюдателей. Вдруг я действительно захочу сбежать. Правда, неизвестно каким образом я могу затеряться среди японцев, но на всякий случай за мной нужно понаблюдать.

Окружная дорога шла из Синдзюку в Тосима-ку и дальше на восток. Здесь был плотный поток машин.

— У меня есть несколько вопросов к тебе, — обратился Дронго к своему напарнику.

Тот кивнул головой, готовый слушать.

— Скажи мне, Сиро, ты лично проверял электрооборудование на машине погибшего Вадати?

— Да, — кивнул Тамакити.

— А почему полицейские не нашли ничего, а ты нашел? Ведь был сильный удар. Машина, наверно, очень пострадала?

— Очень, — ответил Тамакити, — она была полностью разбита.

— Тогда с чего ты взял, что его машину намеренно испортили?

— Мы знали, — загадочно ответил Сиро Тамакити.

Он полез в карман и вытащил небольшое устройство, напоминавшее электрическую коробочку размером с крупную пуговицу.

— Такая коробка должна была стоять на машине Вадати, — сказал Тамакити. — Это электронное устройство как трансформатор. Оно не позволяет никому отключать ваш компьютер и электрическую систему во время поездки. Она должна быть прямо под рулем.

— Ну и что? — не понял Дронго.

— Это новые системы, — пояснил Тамакити, — разработки наших военных. Любую машину, в которой есть электроника, можно заблокировать или внешне отключить с помощью специального пульта. А на машине Вадати была такая система. И на моей машине есть. Она от удара соскочить не может, вставлена таким образом, что может сгореть или повредиться, но не упасть.

— И ее там не было, — понял Дронго. — Поэтому полиция ничего не нашла. Тогда все ясно. Они и не найдут. А откуда у вас это устройство?

— Разработки Мицуо Мори, его управления информационной безопасности. Еще в начале девяностых американцы стали разрабатывать системы, блокирующие в нужный момент компьютеры и электронику в машинах. Говорят, так даже планировали устранить Милошевича. Впервые такое оружие применили в Кувейте против Саддама Хусейна. Ударили лучами со спутников и вывели из строя всю электронную начинку иракских войск. Говорят, английская разведка использовала такое отключение в машине, где находилась принцесса Диана. У нас в Японии все знают, что ее убили по приказу английского правительства, чтобы не допустить ее брака с сыном египетского миллиардера.

— Поэтому вы страховали свои машины, — кивнул Дронго, — разработали устройство, не позволяющее влиять на электронику автомобилей в момент повышения скорости.

— Да. В Японии такие устройства уже стоят на многих машинах. Сейчас обсуждается вопрос, как поставить их и на самолеты. Они как предохранители. У Ёситаки Вадати был такой «предохранитель». А когда он погиб и я по приказу сэнсэя осмотрел его машину, там уже не было этого аппарата. И мы поняли, что Вадати кто-то убил. Он был очень осторожный водитель и не мог превысить скорость так, чтобы выехать на встречную полосу и не справиться с управлением. Только в том случае, если сняли «предохранитель» и отключили ему тормоза и компьютер, контролирующий движение и скорость.

— Почему Симура попросил тебя осмотреть машину погибшего? Он чем-то объяснил свою подозрительность?

— Ничем, — ответил Тамакити, — у нас не принято обращаться с такими вопросами к старшим. Он приказал мне, и я осмотрел. А потом все рассказал ему.

— И вы поняли, что ваши подозрения оправдались?

— Да. — Он снова посмотрел назад. — Эта машина не одна. За нами следуют два автомобиля.

— Они могли послать и три, — пошутил Дронго. — У меня к тебе большая просьба...

— Сэнсэй приказал помогать вам...

— Спасибо. Мне нужно получить доступ в информационную систему банка. Пройти сквозь их защиту, чтобы получить доступ к закрытой информации об их сотрудниках.

— Это невозможно, — сразу ответил Тамакити. — Там есть управление Мицуо Мори. Они все проверяют. Это лучшая защита в мире. Ни один хакер до сих пор не мог пройти сквозь их защиту.

— Никак нельзя пробиться?

— Нет. — Тамакити чуть подумал и добавил: — У этого банка миллионы вкладчиков и миллиарды долларов на счетах. Если у них будет слабая защита, они не смогут нормально работать. Информационная защита в наших банках одна из самых надежных в мире.

— Это я понимаю, — помрачнел Дронго. — Скоро моя профессия будет не нужна. Компьютеры работают гораздо лучше человека. И гораздо лучше анализируют. С той лишь разницей, что пока они не могут решать этические задачи. Но информационную защиту ставят по всему миру. И я боюсь, что у меня не хватит образования и умения пробить защиту банка, даже если я буду брать уроки у хакеров. Может, мне поговорить с Мори?

— Нет, — сказал Тамакити, — не нужно с ним разговаривать. Он никогда не позволит чужому человеку ознакомиться с секретной информацией банка. Все знают Мори, он фанатик своего дела.

— Ты меня «успокоил», — кивнул Дронго. — Эти наблюдатели все еще следят за нами?

— Да, — ответил Тамакити, — они сменяют друг друга и ведут совместное наблюдение.

— А если получить согласие Каору Фудзиоки? Он ведь сейчас исполняет обязанности президента банка. Если он даст согласие, может быть, Мори разрешит мне доступ?

— Фудзиока не даст согласия. Да и Мори его не послушал бы. Он знает, что Фудзиока только временный руководитель. Нужно личное согласие Симуры, если, конечно, он выживет.

— А если нет? Сидеть и ждать, а преступник на свободе? Меня в любой день могут выдворить из страны, и тогда получится, что я уеду, оставив сэнсэя Симуру в больнице, а его брата при смерти. Это не в моих правилах, Сиро.

Тамакити молчал, понимая справедливость слов сидевшего рядом человека. Наконец сказал:

— У вас ничего не выйдет, господин Дронго. Я думал, что могу вам помочь, но теперь понимаю, что у вас ничего не выйдет. Вы не сможете вести расследование, сидя в доме сэнсэя. А выходить и искать вам не разрешит полиция. Я не знаю, чем могу вам помочь, — почти виновато закончил Тамакити.

— Надеюсь, эта проблема не столь трудная, как тебе кажется. Во-первых, у меня будет такой умный помощник, как ты, Сиро. Во-вторых, даже сидя дома, можно многое понять и решить. И в-третьих, у нас не столь уж сложная задача. Мы должны вычислить неизвестного среди нескольких известных нам людей. В розовом зале в момент выстрелов, кроме меня, Симуры и Такахаси, были еще шесть человек. Только шесть человек, Тамакити. Две женщины и четверо мужчин. Один из них и должен быть убийцей. Я абсолютно убежден, что преступник не мог успеть вбежать из коридора и выбежать обратно. Я был в комнате в момент преступления и могу тебе точно сказать, что выстрелы прозвучали сразу после того, как погас свет. Поэтому я уверен, что стрелял находившийся в комнате.

— Простите меня, — вежливо сказал Тамакити, — но это невозможно. Там сидели такие известные люди. Никто не посмел бы выстрелить...

— Удивительные стереотипы мышления, — пробормотал Дронго. — Точно так же полагают и сотрудники полиции, и сам прокурор. Именно поэтому меня арестовали. Ты хотя бы слышишь, что ты говоришь? Если они не могли стрелять, значит, стрелял я, других людей в комнате не было. Никого не было.

— Я не знаю, кто там был, но они не могли стрелять, — упрямо ответил Тамакити. — В нашей стране такое невозможно.

— Симура умирает в больнице, а Такахаси уже

убит! Это тоже невозможно? Может, я придумал это преступление?

Дронго почувствовал, как начинает заводиться. В этой стране все было не так, как в других странах.

— Нужно найти преступника, — примирительным тоном сказал он. — Я хочу знать, почему стреляли в руководителей банка. Если Симура умрет, новым президентом банка будет Фудзиока. Верно? Или совет директоров примет во внимание последние слова Симуры и назначит новым президентом банка Хидэо Морияму?

— Не назначит, — ответил Тамакити. — Он слишком молодой.

— А Симура предлагал его на должность первого вице-президента. Хотя, действительно, какая разница? Главное — найти преступника. Давай сделаем так. Мне понадобится твоя помощь. Сначала ты должен поехать в телефонную компанию и проверить все телефонные звонки, которые сделала Сэцуко из своей квартиры. Если у нее был мобильный телефон, проверь и его. Мне важно знать, с кем она могла говорить в день своей смерти. С полуночи до утра. В полночь мы с ней расстались, и она обязательно куда-то звонила, если к ней приехали убийцы. Я поручил ей уточнить два вопроса. Может быть, ее убийство связано с этим. Но мне нужно знать, кому именно она звонила.

— Это я проверю, — кивнул Тамакити.

— Потом ты едешь в отель «Империал» и осторожно пытаешься выяснить — почему так внезапно потух свет? У тебя есть лицензия на частную сыскную деятельность?

— Есть.

— Значит, есть право и на оружие?

— Да.

— Тогда возьмешь с собой оружие. Уточни эти вопросы и возвращайся домой к Симуре. Кстати, в доме кто-нибудь есть? Или я буду один?

— Там садовник и старая кухарка. Они живут с Симурой уже много лет. Муж и жена. Больше никого нет. Иногда приходит женщина, которая помогает убирать его дом. Но один раз в неделю. Сэнсэй не хотел, чтобы вам помешали.

— Мне и так не помешают. И последнее. Мне понадобится телефон Мицуо Мори.

Тамакити немного сбавил скорость и ошеломленно взглянул на Дронго:

— Вы думаете, у вас все-таки получится?

— Я отвечу тебе одной известной фразой. Чем жалеть, что не попробовал, лучше один раз попробовать и потом сожалеть.

— У нас в Японии говорят по-другому. Чем сожалеть всю жизнь из-за одной попытки, лучше отказаться от ста попыток и никогда не сожалеть.

— Поэтому мы немного отличаемся друг от друга. Мне нужен его телефон, Сиро. И не говори, что не можешь его узнать. Я тебе все равно не поверю.

Глава 13

Район Мукодзима привлекателен большим лесным массивом, называемым парком Сумида-коэн, где есть даже два небольших озера. И храм Мукодзима, находящийся в центре парка. Дом Кодзи Симуры выходил окнами на парк. Это был большой двухэтажный дом, в котором чувствовались вкусы хозяина. В доме были три спальные комнаты на втором этаже и небольшой кабинет, где уединялся Симура. Спальни были предназначены для самого хозяина дома и его дочери, иногда приезжающей из Иокогамы в Токио, чтобы погостить у отца. На первом этаже были библиотека, насчитывающая более двадцати тысяч книг, гостиная и небольшая комната с камином, где Симура принимал своих друзей и помощников. К ней примыкала просторная кухня, где хозяйничала жена садовника.

Дом был окружен высоким забором, и в небольшом домике, находившемся у ворот, жили садовник и его жена, работавшая кухаркой у Симуры и помогавшая ему по дому. Двое их сыновей давно выросли и переехали в другие города.

Настоящим сокровищем был сад, окружавший дом Симуры. Чего только здесь не росло. Кроме известных Дронго растений, тут были и нежная сакура, цветение которой приходилось как раз на весну, и японские глицинии, или, как их называли в стране, «цветы фудзи», которые цвели ранним летом сиреневыми и белыми цветами, спускавшимися длинными переплетенными гирляндами с ветвей. Японские поэты часто сравнивали «цветы фудзи» с красивым водопадом.

По всему саду росли так называемые «лунные травы цукигуса» — цветы, способные менять свой цвет и придающие саду определенную прелесть именно своими меняющимися красками. Здесь было небольшое озеро, весело журчал рукотворный ручеек, над которым был перекинут мостик. Повсюду были камни и скамейки для отдыха. Это был типичный образец японского сада, в котором живая природа растет так, как она должна расти в естественных условиях, без помощи садовника. Если английский сад требует неустанной работы садовника над растениями и травой, которую следует подстригать, обрабатывать и поливать в течение многих лет, добиваясь абсолютного совершенства паркового ансамбля, то японский сад — это нечто другое. Садовник в этом саду должен был стремиться придать как можно большую естественность растущим цветам и деревьям, не трогая камни, оставленные здесь в волнующем беспорядке.

Дронго встретили с должным почтением и трогательным вниманием. Ему отвели спальню на втором этаже, показали весь дом и сад. Отказавшись от обеда, он долго ходил по саду, наслаждаясь незнакомыми цветами и восторгаясь искусством японского садовода. Присев на одну из скамеек, он заметил, что скамья чуть наклонена из-за камня, оказавшегося под правой стороной. Камень не стали убирать, только чуть подправили скамью, срезав правые ножки. Дронго улыбнулся. В этом чувствовался японский менталитет. Если европейский садовник убрал бы камень, то японский решил подправить скамейку. Интересно, как отличаются критерии красоты, подумал Дронго.

Вернувшись в дом, он прошел в библиотеку. Здесь были книги не только на английском языке. Было много фолиантов на японском и китайском языках. Дронго дотрагивался до книг, ощущал их запах, листал старые страницы. Было несколько уникальных книг, изготовленных из шелка. Были бумажные свитки, переписанные от руки. И, наконец, были средневековые книги на латинском языке, попавшие сюда неведомо как. Наверно, Симура читает и на латинском, подумал Дронго, осторожно вынимая книги. Латинский был понятен.

Знание каждого языка означает открытие нового мира. Иногда он жалел, что не посвятил свою жизнь изучению языков. Хотя в современном мире достаточно владеть английским, чтобы нормально путешествовать, а знание еще нескольких языков обеспечивает вам спокойную жизнь в большей части цивилизованного мира. Но японский, китайский — языки, на которых говорит четверть человечества. Древнейшие языки на земле. На их изучение пришлось бы потратить несколько лет.

Он так увлекся, что не заметил, как за окнами стало темно. Особенно ему понравились европейские средневековые книги, переписанные от руки.

Он подумал, какой немыслимо долгий путь проделали эти книги от писарей европейского Средневековья до дома японского аналитика. Триста лет сегуната Токугавы японцы стремились отделиться от человечества. И без того отделенная от остального мира Япония попыталась жить по собственным законам, противопоставив себя остальному человечеству. И из этого ничего не вышло. Потом они долго культивировали свой дух «бусидо», уверенные в своем праве на собственный мир. И все это кончилось осенью сорок пятого крахом, двумя атомными бомбами и поражением в войне.

В коридоре послышались шаги. Дронго положил книгу на место как раз в тот момент, когда в бибилиотеку вошел Тамакити. Увидев Дронго, он традиционно поклонился ему. Дронго, уже приученный к подобным знакам вежливости, поклонился в ответ.

— Что-нибудь нашли? — спросил он.

— Да, — кивнул Тамакити.

— Давайте погуляем в саду, — предложил Дронго. — Между прочим, я видел перед домом машину с двумя сотрудниками полиции. Они уже уехали или собираются здесь ночевать?

— Их сменила другая пара, — объяснил Тамакити. — Все наши газеты пишут о трагедии в отеле «Империал». Сегодня один из врачей сообщил, что Тацуо Симура не доживет до утра. На послезавтра назначено срочное собрание директоров банка. Они будут обсуждать кандидатуры новых руководителей банка. Все телевизионные каналы говорят об этом событии, даже в Си-эн-эн прошел репортаж. Многие журналисты сообщили, что в розовом зале присутствовал иностранец, которого уже арестовали. Вас несколько раз показали по телевизору. Но пока никто не знает, что вас освободили, иначе здесь были бы журналисты.

— Надеюсь, не узнают, — сказал Дронго, выходя из дома. Тамакити последовал за ним. Они прошли в сад и сели на скамью.

— Что удалось узнать? — спросил Дронго.

— Я был в телефонной компании, — кивнул Тамакити. — Мне пришлось обратиться к вице-президенту компании, который хорошо знает сэнсэя. Он разрешил выдать мне номера телефонов, по которым звонила Сэцуко. С полуночи до восьми утра она сделала три звонка. Только три звонка. И ни разу не включила свой мобильный телефон.

— Ты выписал телефоны?

— Да. — Тамакити протянул бумажку с номерами телефонов. Два семизначных номера и один восьмизначный. Перед первыми стояла цифра кода.

— Чьи это телефоны? — спросил Дронго. — Два телефона, очевидно, иногородние. Перед ними стоит шестерка. А один токийский. Что значит шестерка в Японии, чей это код?

— Осака, — пояснил Тамакити, — она звонила поздно вечером в Осаку. Но мне удалось выяснить, чей это телефон. Она звонила в офис банка в Осаке.

— Господин Кавамура Сато, — вспомнил Дронго. — Странно, что он ничего не сказал.

— Он не мог знать о звонке, — возразил Тамакити. — Вчера утром он поехал в аэропорт, чтобы прилететь в Токио на прием.

— Значит, она два раза звонила кому-то другому?

— Да. Но мне не удалось установить, кому она звонила. Я перезвонил по этому телефону, и мне отвечала секретарь филиала банка.

— А другой телефон?

— Она позвонила своей тетке ночью, когда приехала домой. Это ресторан в Гиндзе.

«Японская тактичность», — подумал Дронго.

Она еще раз поблагодарила родственников за прекрасный ужин. С этим все ясно. Но зачем она позвонила в Осаку?

— Я поручил ей выяснить про Удзаву и Такахаси, — вспомнил Дронго. — Но почему она позвонила в ваш офис в Осаке? У них в Осаке есть сотрудники управления Мори?

— Не знаю, — ответил Тамакити. — Но думаю, в каждом крупном банке должны быть свои операторы. Компьютеры стали неотъемлемой частью банковской системы.

— Похоже, ты прав. Теперь мне тем более нужно встретиться с этим загадочным Мори. Кстати, почему он не был на приеме? Разве он не обязан бывать на подобных приемах?

— Наверно, обязан. Но я его там не видел. Все знают, что он замкнутый человек. Живет в своем мире компьютеров. Его больше ничего не интересует.

— Это ничего не значит. Он руководитель одного из самых важных управлений банка. И он не приходит на такой прием? Ему неинтересно, что скажет Симура? Кто будет преемником Симуры?

— Он и так это знал, — объяснил Тамакити, — вся страна знала, что Симуру должен сменить Такахаси. Совет директоров банка готов был его утвердить.

— И ему даже неинтересно, что вице-президентом по вопросам безопасности может стать Удзава?

— Не знаю, — ответил Тамакити. — Может, он заранее знал, что Удзаву не назначат?

— Подожди, подожди. Откуда у тебя подобные сведения? — сразу спросил Дронго.

— В одной из газет опубликовали последнюю речь Симуры. Кто-то из присутствующих там руководителей рассказал о планах Тацуо Симуры. И там указано, что Симура хотел назначить первым вице-президентом Морияму, оставить Фудзиоку на своем месте, а вместо Мориямы выдвинуть Кавамуру Сато. И ликвидировать должность Вадати.

— Об этом написали в газетах? — уточнил Дронго. — Очень интересно. Такая информация не могла пройти просто так. Получается, она была кому-то выгодна. Кто-то специально рассказал об этом журналистам. Может быть, сам Морияма? Ведь ему выгодно появление такой информации. Чтобы отодвинуть Фудзиоку, он может разрешить подобную утечку информации. Или Кавамура Сато? Может, он хочет подтолкнуть совет директоров к решению, уже принятому президентом банка. Понятно, что обнародование такой информации очень невыгодно самому Фудзиоке. И тем более Удзаве, который должен окончательно распрощаться с надеждами стать новым вице-президентом. Очень интересная ситуация. Ты принес мне телефон Мицуо Мори? Мне еще больше хочется встретиться с этим загадочным человеком.

— Вот его телефоны, — протянул еще одну бумажку Тамакити, — его домашний телефон и мобильный.

— У него есть семья?

— Он разведен. Для японца это немного необычно. И тем более для руководителя такого уровня. Но он разведен.

Дронго взял бумажку и, запомнив номера, вернул ее Тамакити. Тот не стал ничего уточнять, полагая, что сидящий рядом с ним человек способен запомнить два восьмизначных номера и спрашивать об этом крайне невежливо.

— Теперь мне нужно отсюда уйти. Где живет Мицуо Мори?

— На другом конце города. В районе станции Мэгуро-ку. Это очень далеко отсюда. На метро около часа езды. На такси тоже далеко, — сказал Тамакити. — И вам нельзя отсюда выходить. Не забывайте, что вы под подозрением. Прокурор Хасэгава сегодня лично беседовал с господином Фудзиокой и господином Мориямой. Вам нельзя отсюда выходить. У вас нет паспорта.

— Надеюсь, я не обязан сидеть здесь под домашним арестом, — мрачно пробормотал Дронго. — Мы можем сделать по-другому. Сейчас ты демонстративно сядешь в машину и уедешь. И я провожу тебя до машины, чтобы они меня видели. Потом вернусь в дом. Свет будет гореть до утра, я обычно работаю. Но ты будешь ждать меня на соседней улице. Я уйду с другой стороны дома.

— Там нет выхода, — улыбнулся Тамакити, — там крыша соседнего здания.

— Значит, уйду по крыше, — сказал Дронго, — вспомню молодость. Ничего страшного. Мне иногда нужны такие кульбиты. Но без твоей помощи я не смогу найти дом Мицуо Мори. Если он работает с компьютерами, значит, говорит по-английски?

— И очень хорошо.

— Тогда все в порядке. А как с отелем?

— Пока не узнал. Там полно полицейских, они все проверяют. Я решил пока туда лучше не соваться.

— Правильно сделал. Проверишь завтра, когда все будут знать, отчего погас свет. Пойдем, я тебя провожу. И два последних вопроса. Как себя чувствует сэнсэй?

— Не очень хорошо, — признался Тамакити. — Ему нельзя было сегодня вставать, но он не стал слушать врачей.

— Он встал из-за меня, — мрачно констатировал Дронго. — Ты говорил, все журналы и газеты написали о вчерашнем событии. Ты не читал? Может быть, опубликовали сообщение самого банка. Ведь Фумико сегодня была немного занята, приезжала в полицейское управление.

Он не стал уточнять, что она был занята и потом, приехав к нему в «Хилтон». Ему до сих пор было стыдно, что все так произошло. Цубои сознательно их поссорил, а он не должен был поддаваться на уловки инспектора. Но он стал оправдываться, начал путаться и вывел Фумико из равновесия. В таких случаях нужно быть более убедительным. Но он впервые попал в такую ситуацию и немного растерялся. Невозможно было оправдаться еще и потому, что Фумико отлично понимала, что не может претендовать на роль единственной женщины в его жизни. И любое сравнение с подругой, пусть даже погибшей, больно било по ее самолюбию.

— Она собрала вечером журналистов и дала пресс-конференцию, — сообщил Тамакити. — Вы даже не представляете, как она ругала сотрудников прокуратуры и полиции. Она обвинила их в фобии к иностранцам, сказала, что сидела рядом с вами в момент выстрелов и переводила вам слова президента. Она выразила недоверие прокурору Хасэгаве и старшему инспектору Цубои, заявив, что они не смогут раскрыть этого дела, так как страдают однобоким взглядом на проблему.

— Молодец, — усмехнулся Дронго, — я в ней не сомневался. Поехали к Мори. Только будем действовать, как договорились. Сначала я тебя провожу.

— Вы не ужинали, — напомнил Тамакити. — Мне сказали, что вы сегодня не обедали. Может, вам сначала поужинать?

— Мне полезно немного поголодать. А в полицейском управлении меня накормили на весь день. Пойдем быстрее, я не хочу терять время.

Все получилось так, как и планировал Дронго. Он попросил Тамакити рассказать о его плане садовнику, и тот согласился время от времени включать и выключать свет в доме, в разных комнатах. Садовник работал у Кодзи Симуры уже много лет и знал, какие необычные гости бывают в этом доме. Однажды сюда приезжал один из премьер-министров страны, и много раз садовник видел здесь известных банкиров, актеров, политиков. Дронго проводил Тамакити до машины, демонстративно пожал ему руку и махнул сотрудникам полиции, сидевшим в машине. Тамакити отъехал в сторону, и Дронго пошел переодеваться. Он надел темную куртку и темную вязаную шапочку. После чего прошел к ограде сада, выходившей на крышу соседнего дома. Легко подтянувшись, он влез наверх. Самое главное, чтобы соседи не услышали шума. Садовник пояснил, в какую сторону ему нужно уходить. Стараясь ступать мягко, Дронго перебежал по крыше и спрыгнул на приземистое здание, пристроенное к основному. Очевидно, здесь была японская баня — «фуро». Такое же здание было построено и в глубине сада Симуры, рядом с подсобными помещениями.

К счастью, баня в это время пустовала. Он прошел по крыше, влез на следующую ограду и спрыгнул вниз. Тут никого не было. Он поспешил выйти из переулка, прошел к соседней улице. И едва не столкнулся с пожилой женщиной, которая улыбнулась ему, чуть поклонившись и извинившись. Он пробормотал в ответ похожие слова и тоже поклонился. На другой стороне улицы стояла машина Тамакити. Вокруг было много народу.

«Почему он остановился в таком людном месте? — недовольно подумал Дронго. — Не хватало, чтобы меня увидели. Хотя в переулок заезжать ему не следовало».

Он посмотрел по сторонам, быстро перебежал улицу на желтый свет, вызывая недовольство уже готовых ринуться вперед автомобилистов. И прыгнул на заднее сиденье в машину Тамакити.

— Поехали, — отрывисто сказал Дронго. — Давай быстрее, пока нас не заметили.

Глава 14

После того как они выехали на трассу, Дронго предупредил Тамакити, чтобы тот свернул в сторону через несколько минут.

— Зачем? — не понял Тамакити. — Вы хотите, чтобы вас увидели в городе? Ваши портреты есть в стольких газетах. Если кто-нибудь вас узнает, у нас будут крупные неприятности. Прокурор опять решит, что вам лучше проводить ночи в другом месте. Ему нужно будет объяснить, почему он отпустил на свободу главного подозреваемого.

— Если бы он немного понимал в своем деле, он бы сразу сообразил, что я всего лишь один из подозреваемых, а не самый главный, — в сердцах сказал Дронго. — Но нам все равно нужно будет где-нибудь свернуть или остановиться, чтобы я мог позвонить из телефона-автомата.

— У меня есть мобильный телефон, — удивился Тамакити.

— У меня он тоже есть, — кивнул Дронго. — Но в данном случае лучше звонить из обычного автомата.

Тамакити понимающе кивнул и свернул на левую дорогу, через некоторое время затормозил у телефона-автомата и протянул Дронго карточку для звонков. Дронго вышел из автомобиля, посмотрел по сторонам и, подойдя к автомату, набрал номер домашнего телефона Мори. Он довольно долго прождал, но тот не отвечал. Тогда он набрал номер мобильного телефона. Дронго хорошо знал, как легко прослушать мобильный телефон, но сейчас у него не было другого выхода. Кто-то ответил по-японски, и Дронго быстро сунул трубку Тамакити. Важно было, чтобы никто не слышал его голоса.

— Господин Мори? — спросил Тамакити. — Мне нужно с вами увидеться.

— Кто это говорит?

— Сиро Тамакити...

— Я вас не знаю. И я не встречаюсь с незнакомыми людьми. Если вы журналист, обратитесь в нашу пресс-службу.

Он сразу отключился. Тамакити озадаченно взглянул на Дронго и снова набрал номер.

— Извините меня, господин Мори, — быстро сказал он, — прошу вас, не отключайтесь. Я помощник Кодзи Симуры. И я хочу с вами встретиться и поговорить.

На другом конце наступило молчание. Мори наверняка знал брата президента банка. И он должен знать, что младший брат тоже находится в больнице.

— Вы действительно его помощник? — спросил Мори.

— Да, — ответил Тамакити, — и мне нужно срочно с вами увидеться.

— Встретимся в отеле «Такара», — предложил Мори. — Я буду ждать вас в баре.

Он снова отключился. Тамакити покачал головой и взглянул на Дронго.

— Ничего не вышло, — сказал он. — Я думал, мы встретимся где-нибудь около его дома. Хотя японцы никогда не приглашают к себе домой незнакомых людей. И знакомых тоже не приглашают. Мы обычно встречаемся в барах или в ресторанах. Но я думал, что он будет в своем районе.

— Где он назначил свидание?

— В баре отеля «Такара» — это в районе Уэно.

Очень людное место. И совсем недалеко от дома, где вы сейчас живете. Вам нельзя туда ехать, — сказал Тамакити, усаживаясь в машину. — Это очень опасно. Там всегда много журналистов. Вас могут узнать.

— В этой шапочке не узнают, — сказал Дронго. — Мне обязательно нужно с ним поговорить.

— Как хотите, — пожал плечами Тамакити, — но это очень рискованно. Нам нужно будет возвращаться.

Он развернул автомобиль и поехал в обратную сторону. В район Уэно они приехали по первой автостраде. Свернули налево. Напротив банка «Тайио кобэ» находился отель «Такара». На улице перед отелем было много людей. Протиснувшись сквозь толпу, они вошли в отель. Тамакити показал в сторону бара, и они двинулись туда. Дронго задел плечом кого-то из молодых парней. Тот пробормотал извинение, Дронго чуть поклонился и буркнул что-то нечленораздельное.

Они вошли в бар. Здесь было много народу. В клубах дыма никого нельзя было разглядеть. Тамакити шел впереди, всматриваясь в сидевших. Мори нигде не было. Дронго, морщась, шел за ним. Ему не нравились подобные бары, где шум музыки заглушал все звуки, а сквозь сигаретный дым невозможно было ничего увидеть. Наконец Тамакити кивнул. В глубине зала за столиком сидел мужчина лет сорока. Он мрачно посмотрел на подошедших.

У него были редкие волосы, большие очки, крупные черты лица. Дронго обратил внимание на его большие руки, лежавшие на столе, и удивительно длинные пальцы, какие бывают у пианистов.

«Сейчас нужно говорить — у компьютерных операторов», — подумал Дронго. Им приходится работать еще больше, чем пианистам.

Мори ничего не сказал, когда они сели напротив него. Его даже не удивило, что они пришли вдвоем.

— Добрый вечер, — вежливо поздоровался Тамакити. — Я Сиро Тамакити, помощник сэнсэя Симуры.

— А это, видимо, сам сэнсэй Симура, — пошутил Мори, показывая на Дронго.

— Нет, — сказал Тамакити, — это наш друг. Господин Дронго. Может быть, вы слышали.

Мори даже не шевельнулся. Он не удивился. Только посмотрел на Дронго и усмехнулся. А потом начал говорить по-английски, причем говорил абсолютно свободно, без акцента.

— Значит, это вы. А я думал, вы все еще сидите в полицейском управлении. Решили сделать из вас виноватого. Вы не обижайтесь на нашу полицию. У нас на подозрении все иностранцы. Если бы можно было запретить Интернет, наша полиция с удовольствием запретила бы и эту игрушку. Они хотят даже Интернет перевести на японский язык, чтобы мы не общались друг с другом на английском. И все иностранцы — подозрительные типы, которым не место в нашей лучезарной стране.

«Очевидно, он меланхолик», — подумал Дронго. Мори посмотрел на стоявшую перед ним бутылку пива. И спросил у Дронго:

— Зачем вы приехали? Что вам от меня нужно? Я ведь сразу понял, что нужен не Тамакити, а вам. Говорят, что вы вчера на приеме были вместе. И вы были в розовом зале в тот момент, когда там стреляли в нашего президента и в Такахаси. Интересно было бы посмотреть, как это происходило. Бедняга Вадати не дожил до этого дня, иначе очень бы удивился. Кто-то из сотрудников банка достает пистолет и стреляет в Симуру. Вот это номер.

— Я приехал с вами поговорить, — подтвердил Дронго. — Мне нужен доступ в вашу закрытую сеть...

— И только? — еще раз усмехнулся Мори. — Больше вы ничего не хотите?

— Мне нужен доступ, — повторил Дронго. — Мне не нужна ваша закрытая информация по финансовому положению банка или клиентов. Мне нужны данные на людей, которые были со мной в розовом зале.

— Это и есть самая закрытая информация, какая может быть в нашем банке, — возразил Мори. — Неужели вы думаете, что вам разрешат с ней ознакомиться?

— Не думаю, — признался Дронго. — Мне говорили, что вы очень умный человек. Поэтому я хотел с вами встретиться. Без вашей помощи мне все равно не удастся проникнуть в вашу систему. Я не смогу сломать вашу защиту. И никто не сможет, в этом я не сомневаюсь. Но я пришел, чтобы поговорить с вами как с разумным человеком. Вы должны понять, что я приехал в Токио не на прогулку. Я приехал по приглашению Кодзи Симуры. Он был наставником убитого Вадати, вашего руководителя. И он знал, что в банке творятся какие-то дела, которые могут быть опасны для его брата и для самого банка. Именно поэтому он вызвал меня сюда. Кто-то убил Вадати, выведя из строя его автомобиль. Кто-то подстроил смерть Сэцуко Нуматы. Кто-то стрелял в Симуру и Такахаси. Если я не узнаю, кто это сделал, боюсь, ваша полиция этого тоже никогда не узнает. Или не захочет узнавать. Здесь замешаны слишком известные люди.

Мори смотрел на него не мигая.

— Если вы мне не поможете, я уеду, — продолжал Дронго. — Но в таком случае мы не найдем того, кто организовал все эти преступления. Я могу обратиться только к вашему разуму, вы должны меня понять. Иначе Кодзи Симура не стал бы меня вызывать.

Мори снял очки, протер стекла, надел очки. Потом спросил:

— Почему вы уверены, что я вам помогу?

— Я не уверен. Но мне говорили, что вы очень толковый человек. Только исключительно грамотный и образованный человек мог стать начальником такого управления в крупнейшем банке мира. Если бы я в вас сомневался, я бы к вам не пришел. В отличие от других японцев, вы не можете испытывать настороженность к иностранцам. Человек, который ежедневно общается с миллионами людей во всем мире, должен быть как минимум космополитом. И неглупым человеком.

— Ловко вы мне польстили, — пробормотал Мори. — Думаете меня убедить?

— Да. Я хочу, чтобы вы мне поверили. Мне нужно посмотреть все данные по людям, с которыми я был в розовом зале. По всем. Иначе я не смогу сделать нужные выводы. Вы можете быть уверены, что ваша информация никуда не пойдет. Меня не интересует финансовое положение вашего банка. Меня волнует только моя конкретная проблема поиска преступника, которую я должен решить.

— Понятно. — Мори откинулся на спинку кресла. Он был в темной рубашке и в темном костюме без галстука. Его черный плащ лежал на сиденье рядом с ним.

Дронго терпеливо ждал. Он понимал, какую услугу просил этого экстравагантного человека оказать ему. Но никто другой не мог ему помочь. Сейчас он нуждался именно в Мицуо Мори.

— Хорошо, — сказал наконец Мори, — поедем в банк. Посмотрим, что вы сможете там найти. Хотя я не уверен, что у нас окажутся какие-нибудь особые секреты. Но учтите, мне нужно будет заказать для вас пропуск, иначе в банк вы не попадете.

— Может, нам не нужно ехать в банк? — вдруг спросил Дронго. — Чтобы войти в сеть, достаточно любого компьютера. Вы ведь наверняка знаете пароль. Можно войти в вашу сеть из любого Интернет-кафе.

— Вы разбираетесь в компьютерах? — спросил Мори.

— Немного. Я знаю, что вы можете войти в вашу сеть с любого компьютера. Вы ведь не отключаете свои системы по ночам. В других частях света сейчас день. И в Америке, и в Европе. Поэтому ваши системы работают круглосуточно, и вы, зная пароль, можете входить с других компьютеров в вашу сеть.

— Для сыщика вы хорошо осведомлены, — кивнул Мори. — Ладно, тогда поднимемся наверх в отель и попросим принести нам в номер ноутбук. Я подключу его к Интернету, и мы постараемся войти в сеть. Хотя нет. Здесь не будет ноутбука. Лучше поедем в другой отель. В трех кварталах отсюда отель «Парк-сайд». Там есть компьютер, подключенный к Интернету. Я думаю, там нам будет удобнее.

Он поднялся и, подозвав официантку, расплатился с ней. Они втроем вышли из бара, прошли к автомобилю Тамакити.

— Я поеду с вами, — предложил Мори, — чтобы

не брать свою машину. Потом вернусь сюда и пересяду на свою. Поехали.

Они отъехали от отеля и через минуту свернули на широкий проспект Касуга-дори. Проехав три квартала, повернули направо и вскоре остановились у отеля «Парк-сайд». Первым вошел Мори. Подойдя к портье, он сказал ему несколько слов по-японски, предъявив свою кредитную карточку. Портье снял копию и, вернув карточку, любезно показал в сторону бизнес-центра, работавшего до полуночи. Мори кивнул остальным, и они прошли к бизнес-центру, где дежурили двое. Девушка и парень.

— Я могу вам помочь? — спросила девушка, привстав и поклонившись.

— Нет, — ответил Мори, — я буду сам работать на компьютере. Если можно, уступите мне свое место.

— Вы хотите сами войти в сеть? — поняла девушка.

Парень неожиданно начал делать ей какие-то знаки, и она, поднявшись, подошла к нему. Дронго услышал, как парень восторженно шепчет, глядя на их позднего гостя:

— Это сам Мицуо Мори.

Дронго понял, что именно он говорит, услышав имя Мори. Девушка, видимо, сомневалась, но парень настаивал, глядя счастливыми глазами на своего гостя. Очевидно, Мори пользовался в Японии славой компьютерного гения, которого знали в лицо все работавшие операторы.

Мори кивнул в знак благодарности и сел за компьютер. Дронго подивился перемене, происшедшей с этим человеком. Он будто протрезвел, у него заблестели глаза, пальцы забегали по клавиатуре. Он действительно был специалистом. Через некоторое время он поднял голову:

— Что вы хотите?

— Биографические данные и личные дела из вашего управления кадров, — пояснил Дронго, — на всех, кто был в розовом зале.

Мори кивнул и начал поиск необходимых данных. Через некоторое время он взглянул на Дронго.

— Сядьте рядом со мной, — предложил он. — Здесь текст на японском, но я перевел его на английский. Если какие-то слова будут непонятны, можете меня спрашивать.

Дронго сел перед компьютером. Итак, данные на всех, кто был в тот роковой вечер в розовом зале. Прежде всего президент Тацуо Симура. Двадцать третьего года рождения. Учился в токийском университете. В сорок первом пошел добровольцем в армию. Сражения в Маньчжурии и на Филиппинах. Командир взвода в сорок пятом. Тяжело ранен. После поражения Японии был без работы. Этих данных в его рекламном ролике не было. Американцам и китайцам не обязательно знать, что он против них сражался. С сорок седьмого в финансовой корпорации «Даиити-Кангё». Пятьдесят четыре года в одном банке. Вся его жизнь. Поэтому для него этот банк был смыслом существования. Последние семнадцать лет он был президентом банка. С этим все ясно.

Сэйити Такахаси. Работал в корпорации Мицуи больше двадцати лет. В девяностом году обвинен в связях с подавшим в отставку министром финансов. Так, это интересно. Этого тоже нет в его рекламной биографии. Потом привлекался прокуратурой в качестве свидетеля по делу министра, но никаких претензий к нему не было. В банке Мицуи он курировал в том числе и вопросы безопасности. В девяносто третьем перешел в банк «Даиити-Кангё». Интересно, что он много работает. Здесь отмечены его поездки. Более двухсот деловых поездок за восемь лет. В год по двадцать-тридцать поездок. Редкая работоспособность.

Каору Фудзиока. Шестьдесят один год. Уже совсем пожилой. Двадцать семь лет в банке. Удивительно, но в личном деле отмечено, что он в молодости был участником молодежных выступлений против присутствия американцев в стране. Был в полиции несколько раз, и это зафиксировано в его личном деле. Вот это да. Фудзиока — бунтарь. Этот тихий, аккуратный, не повышающий голоса человек, оказывается, был молодежным бунтарем. Правда, сорок лет назад. А потом работал в Гонконге и в Сингапуре. И двадцать семь лет в банке. У него очень

7 – 3065

интересный финансовый опыт работы в крупнейших корпорациях.

Хидэо Морияма. Никаких пятен. Идеальная биография. Очень известная семья. Прекрасное образование. Учеба в Бостоне, в Гарварде. Ему сорок три года, из них восемнадцать лет работает в банке под руководством Симуры. Какие у него блестящие показатели. Наверно, в Гарварде он был одним из лучших. Типичный «золотой мальчик». С детства оправдывал надежды родителей. Странно, что он еще не женат. Это не похоже на преуспевающего банкира.

Кавамура Сато. Пятьдесят шесть лет. Двадцать лет в банке. Интересно, что он... был спортсменом. Занимался биатлоном. Биатлонисты отлично стреляют. Почему этого факта не было в его официальной биографии? Кроме того, здесь отмечено, что его супруга погибла в автомобильной катастрофе и он женат третьим браком. Почему третьим? Значит, был и второй. Дронго читал дальше. Вторая жена была японкой. Но ее родители были американскими гражданами, натурализовавшимися в пятидесятые годы. Сато много раз бывал в коммунистическом Китае, и это тоже было отмечено в его биографии. Кто-то заботливо отметил и его склонность к авантюризму, необоснованным дорогостоящим проектам.

Инэдзиро Удзава. Тридцать девять лет, восемь лет служил на флоте. Ушел после обвинения в халатности. Погибли несколько матросов, но суд его оправдал. Этого тоже нет в его биографии. Одиннадцать лет работает в банке. Взят по личной рекомендации Вадати. Женат. Двое детей.

Аяко Намэкава. Тридцать восемь лет. Работает в банке уже десять лет. Имеет дочь, разведена. Ее муж был известный режиссер. Она в Америке встречалась сначала с одним голливудским актером, потом с известным продюсером. Отмечалось, что она хороший специалист, но кто-то старательно ввел в ее биографические данные и все фотографии Намэкавы с ее различными бойфрендами. Здесь была фотография даже с Мориямой на фоне какого-то японского храма.

Как странно, подумал Дронго, и ее сделали руководителем филиала в Нью-Йорке.

Наконец, Фумико Одзаки. Двадцать восемь лет. Закончила Оксфорд. Отдельные строчки о ее семье, о ее отце. О ее успехах. Дронго внимательно читал. Дальше кто-то ввел данные и о ее встречах. Сначала с сыном президента корпорации Мицубиси, потом с популярным телеведущим. И... он даже не поверил прочитанному. Искоса посмотрел на сидевшего рядом Мицуо Мори. Третьим в ее списке значился сам Мори. Дронго подумал, что через некоторое время сюда введут и его фамилию. Информация поставлена отменно. Но кто занимался всем этим шпионажем?

— Кто составлял эти данные? — спросил Дронго.

— Сам Вадати, — пояснил Мори. — Он считал, что у руководителя банка должна быть исчерпывающая информация о сотрудниках банка.

Интересно, подумал Дронго, что написано о самом Вадати.

Он продолжил поиск, но фамилии Вадати не нашел. Тогда он взглянул на Мори.

— Мне нужны данные по Вадати.

— Их нет, — ответил Мори.

— Почему нет?

— Мне кажется, вы должны были догадаться. Он умер.

— И вы сразу стерли его имя из ваших файлов?

— Не сразу. Прошло достаточно времени.

— Может, у вас осталась копия?

— Вряд ли. Все данные затребовала полиция. Но я попробую поискать. Может быть, удастся восстановить его файл. Вообще-то, я не понимаю, зачем он вам нужен. Но сейчас посмотрю в нашей «мусорной корзине».

Мори начал работать на компьютере. Дронго следил за его пальцами. Длинные, красивые руки. Наверно, ей было приятно, когда он ее обнимал. Наверно, ей было интересно с ним встречаться. Ее вообще привлекают неординарные личности. Но откуда погибший Вадати мог черпать подобную информацию? И почему Мори не стер свою фамилию из биографии Фумико? Или ему все равно? Похоже, он действительно меланхолик с примесью флегматика. Он оживает только тогда, когда дело касается его любимых компьютеров. Интересно, как они спали? Дронго разозлился на себя. Неужели он ревнует? Ему больно и неприятно. Будто она ему изменила. Наверно, так же было больно и ей, когда она переводила слова инспектора Цубои об этом злосчастном ужине.

«Кажется, я действительно ревную ее к этому интересному человеку. Он, конечно, гораздо ближе ей по своей духовной структуре. Он тоже японец и тоже космополит».

Он продолжал смотреть на руки Мицуо Мори. Потом взглянул на профиль сидевшего рядом человека. Он ей должен был понравиться, подумал Дронго. Умный, сильный, немного странный. Наверно, это был красивый служебный роман. Впрочем, ей все равно. Она не обращает внимания на социальное положение человека, с которым хочет встречаться. Такую женщину трудно остановить. Ведь она сегодня сняла номер, чтобы они могли уединиться. Интересно, для этого Мори она тоже снимала номер? И как они вели себя в постели?

Напрасно он читал про нее. Тоже мне профессионал. Ведь чувствует, что она не могла быть убийцей. А если так, мог пропустить ее биографию, не влезать со своим дурацким любопытством в ее жизнь. Но он знал, что не смог бы пропустить биографию именно Фумико Одзаки.

«Кажется, я совсем чокнулся, — подумал Дронго. — Разве можно придавать этому такое значение? Мы встретились с молодой женщиной, которая мне очень понравилась. Встретились и разошлись. Все кончено. Она будет встречаться с другими мужчинами, а я с другими женщинами. Как было до этой встречи. Как будет после этой встречи. И тем не менее я не могу смотреть на Мори, который так сосредоточенно работает на этом компьютере. И вместо благодарности в глубине души испытываю к нему какую-то неприязнь».

— Получилось, — вздохнул Мори, — можете посмотреть.

Дронго начал читать. Так он и думал. Вадати не сразу стал вице-президентом банка и руководителем службы безопасности. Он потребовал, чтобы ему подчинили и другое управление. Управление информационной безопасности Мицуо Мори, которое обычно курирует сам президент или его первый заместитель. До Вадати поста вице-президента не было, его ввели специально для него. Дронго читал его биографию. Так он и думал. Ёситака Вадати работал в Управлении национальной безопасности страны, был контрразведчиком. Эти методы он перенес и на гражданскую службу.

— Еще один вопрос, — неожиданно вспомнил Дронго. — Вы можете установить, кто в последнее время пытался проникнуть в вашу систему?

— Никто не проникал, — усмехнулся Мори, — это невозможно.

— У вас есть филиал в Осаке?

— Есть. Самый крупный наш филиал. Вы же только что читали данные на Кавамуру Сато. И встречались с ним. Он руководитель нашего филиала в Осаке.

— Там есть специалисты вашего профиля?

— Есть. — Мори нахмурился. Ему была неприятна эта тема.

— Вы можете проверить, не пытался ли кто-нибудь просмотреть эти файлы без вашего разрешения?

— Это не такая закрытая информация. Всего лишь биографические данные. Но у нас такая система, что можно всегда проверить, кто входил и когда.

— Тогда проверьте, кто входил вчера утром.

— Никто.

— Вы можете проверить?

— Конечно.

Мори снова заработал на компьютере. Через некоторое время он нахмурился. Потом поправил очки. Затем заработал еще быстрее. И наконец растерянно взглянул на Дронго, чем доставил последнему небольшое удовольствие.

— Вчера утром открывали данные по Такахаси и Удзаве, — сообщил Мори. — Странно, но я об этом не знал. У нас обычно получают разрешение на подобные операции.

— Кто открывал?

— Такие вещи узнать невозможно, — снисходительно улыбнулся Мори, — там не пишут фамилии. Но я могу узнать код. Если человек не введет свой индивидуальный код, он не сможет открыть нашу защиту. Эта предосторожность введена два года назад. У каждого свой код, кроме общего пароля. Нужно вводить и пароль, и код. Подождите... странно. Да, вы были правы. Вчера в нашу систему входил сотрудник... — Он нажал еще несколько цифр и объявил: — из Осаки. Я не помню точно, чей это код, но завтра утром я узнаю. И сообщу вам, если вы оставите свой телефон.

— Лучше мой, — предложил Тамакити.

— Хорошо, — кивнул Мори, — тогда я позвоню вам. У вас есть еще какие-нибудь просьбы? — обратился он к Дронго.

— Нет, — сказал тот, — я благодарен вам, господин Мори.

Мицуо Мори повернулся в своем кресле и взглянул на Дронго. Потом улыбнулся.

— Вы не посмотрели еще одну биографию.

— Чью?

— Мою.

— Вы серьезно?

— Абсолютно. Я думал, вас интересует все руководство банка. Там есть еще руководители крупных управлений и наших филиалов. Или вы проверяли только подозреваемых вами людей?

— Только их. — Дронго начал раздражать его ёрнический тон.

— И к какому выводу вы пришли?

Настала очередь Дронго улыбаться.

— Они все очень достойные люди.

Мори усмехнулся, показывая свои крупные, немного лошадиные зубы.

— Вы мне нравитесь, — сказал он, работая на компьютере, чтобы закрыть программу и стереть пароль.

Через минуту он поднялся.

— Можно я вас тоже попрошу об одной услуге?

— Можно, — кивнул Дронго. Как бы он ни относился к этому человеку и к Фумико, он должен был признать, что Мицуо Мори сегодня помог ему, хотя не обязан был этого делать.

— Поедем со мной обратно в «Такару». Я хочу предложить вам со мной выпить.

Отказаться не было никакой возможности. Полицейские, дежурившие у дома, просто растерзают его, если узнают, где он был ночью. Но отказать Мори нельзя. Если завтра он еще сообщит имя человека, который вошел в их систему, находясь в Осаке, то у Дронго появится реальный шанс раскрыть это дело.

— Только с одним условием, — сказал Дронго, — платить буду я.

Глава 15

Он вернулся в дом Кодзи Симуры далеко за полночь. Пришлось снова перелезать через ограду. На этот раз его почуяла собака, и он едва не свалился с крыши соседской бани. Когда он перелез к себе, то обнаружил, что порвал брюки. К тому же к ним стучались полицейские, услышавшие лай собаки в соседнем дворе.

Дронго пришлось срочно переодеваться, пока садовник уговаривал полицейских не тревожить покой гостя. Они ушли лишь тогда, когда он появился перед домом и помахал им рукой. Затем он принял душ. К счастью, при всей любви Симуры к местным традициям в его красивом доме был и европейский душ с ванной.

Лежа в постели, Дронго опять вспомнил длинные красивые пальцы Мицуо Мори и его лошадиные зубы. «Он ее целовал», — подумал Дронго, чуть не застонав от этой мысли. Потом он начал вспоминать данные, которые прочитал с помощью Мори. В этом розовом зале сидело так мало людей. И один из них был убийцей. Кто? Кто из этих гордых потомков самураев мог решиться на подобное? Если бы он верил в чудеса, то поверил бы в неизвестного ниндзя, который проник туда неведомо как, дважды выстрелил и растаял в воздухе. Только такие ниндзя бывают в кино. Нужно понять логику сидевших за столом людей.

Он повернулся на другой бок. Если даже Кавамура Сато улетел в Токио, он должен был знать, кто имеет доступ к закрытой информации. И возможно, знал. И в момент убийства Сэцуко он был в воздухе. Это такое идеальное алиби. Хотя при чем тут его алиби? Алиби было и у всех остальных. Но он был спортстмен. Биатлонист. Привык стрелять на ходу. Стоя, лежа, сидя. Почему полиция не обращает внимания на такой интересный факт? Или уже обратила? Черт возьми. В европейской стране прокурор и инспектор были бы ему благодарны за помощь. Хотя какая там благодарность. В любой стране мира его послали бы подальше. Профессионалы не любят, когда в их дела кто-то лезет. Но в Европе его хотя бы знают. А здесь никто о нем не слышал. Да вдобавок он не может с ними нормально разговаривать. Абсолютно непонятный язык.

Что-то его удивило. Ах да. Биография Фудзиоки. Интересно, как он изменился. Раньше ездил на мотоцикле и был чуть ли не роллером или рокером, как их там называют. А сейчас само воплощение корректности и лощеной вежливости. Как время меняет людей. Что должно было с ним произойти, чтобы он так изменился? Хотя это не самая большая метаморфоза. Дронго помнил, как всю Германию потрясли факты биографии министра иностранных дел Фишера, когда оказалось, что в молодости он был настоящим анархистом, избивал полицейских, прятал в своей машине взрывчатку, давал убежище революционным террористам, стреляющим в представителей властей. А потом стал респектабельным министром иностранных дел и прилюдно каялся за ошибки молодости.

«Значит, завтра мне нужно уточнить, кто именно смотрел закрытые файлы в Осаке, — вспомнил Дронго, — нужно поехать в больницу к хозяину дома. Думаю, полицейские не станут возражать против этого визита. Что-то еще...» Его тянуло ко сну, был уже третий час ночи, и сказывалась разница во времени. Но он все пытался вспомнить, что именно его волновало. Неожиданно перед глазами появилась Фумико. Нужно будет позвонить ей, подумал он, чувствуя, как проваливается в сон.

Утром его разбудил непонятный шум. Он прислушался, пытаясь определить, что происходит. И наконец понял. Это садовник поливал цветы в саду. Дронго улыбнулся и снова заснул. Он проснулся в половине десятого и отправился в душ. Когда он закончил утренний моцион, жена садовника пригласила его в гостиную, где был накрыт стол.

Завтракал он в одиночестве. Старики уже поели. Но в любом случае им бы не пришло в голову сесть за один стол с гостем хозяина дома, настолько сильны были в них внутренние установки на сословные различия. Дронго позавтракал и позвонил Тамакити. Была уже половина одиннадцатого.

— Наш друг не звонил? — поинтересовался Дронго.

— Еше нет, — ответил Тамакити. — Я уже в машине, еду к вам. Что-нибудь нужно?

— Нет. Приезжай быстрее, я хочу навестить сэнсэя.

— К нему никого не пускают, — предостерег Тамакити. — Они подключили его к аппаратуре. Одна почка у него совсем отказала. Нас не пустят в больницу.

— Мне нужно с ним поговорить, — попросил Дронго, — задать ему несколько вопросов. Это очень важно. Я думаю, он сам не будет возражать, если узнает, что я приехал к нему в больницу.

— Нас не пропустят, — снова сказал Тамакити, но уже менее убежденно.

Дронго вышел в сад. Приятная свежесть весеннего утра чувствовалась в каждом листке, в каждом цветке. Крупные капли воды лежали на камнях, на скамейках. Он прошел по саду, касаясь деревьев кончиками пальцев. Он не успел сделать круг вокруг дома, когда появился взволнованный садовник.

— К вам гость, — сообщил он, чуть поклонившись.

— Опять полицейские, — рассердился Дронго, — хотят проверить, не успел ли я сбежать. Тамакити не мог так быстро приехать.

Он вернулся к дому. Там стоял мужчина в легком светло-коричневом пальто. Дронго удивленно вгляделся в него, не веря своим глазам. Это был сам Хидэо Морияма, нетерпеливо постукивающий рукой по бедру. Увидев Дронго, он шагнул к нему и коротко поклонился.

— Здравствуйте, — сказал он своим резким голосом. Он не носил головного убора, и на его подстриженных ежиком волосах были капельки росы.

— Доброе утро, — произнес удивленный Дронго.

Он не мог предположить, что сам вице-президент банка пожалует к нему в гости. С другой стороны, этого следовало ожидать. Позавчера Дронго был единственным иностранцем, принявшим участие в импровизированном совещании в розовом зале, которое так трагически закончилось. И там прозвучали слова о будущем самого Мориямы, которого Тацуо Симура хотел видеть на посту нового президента банка после Такахаси.

— Пройдемте в дом, — предложил Дронго.

— Нет, — отрывисто сказал Морияма, — давайте поговорим в саду.

Он огляделся по сторонам. Очевидно, этот человек понимал, что их разговор могут подслушать. «Впрочем, он напрасно надеется, что его визит сюда остался незамеченным для полиции», — подумал Дронго. Хорошо, что здесь нет журналистов. Но их появления можно ждать в любую минуту. И тогда Морияме трудно будет объяснить, что он делал в доме, где нашел убежище главный подозреваемый.

Они прошли дальше в сад. Предусмотрительный садовник уже смахнул воду с одной из скамеек, давая им возможность сесть перед мерно журчавшей в искусственном озере водой.

— Вы были с нами в тот момент, когда раздались выстрелы. — Видимо, Морияма не любил тратить время на пустопорожние вступления. Он сразу начинал с главного. Сказывались и опыт работы в банке, и его гарвардское финансовое образование.

— Да, — кивнул Дронго, — к сожалению, это так. Я был с вами в комнате, когда стреляли в руководителей банка.

— Вы сидели в самом конце стола и видели всю комнату. Кто это сделал? — жестко спросил Морияма. — Почему вы не говорите, кто это сделал? Если вы видели, вы должны нам рассказать.

— Я видел то же, что и вы, — признался Дронго. — Неожиданно погас свет, и пока глаза привыкали к тьме, раздалось два выстрела. Я не мог понять, откуда стреляют. Только внезапные вспышки и выстрелы. Вы тоже были в этой комнате. И я с таким же правом могу задавать вам эти вопросы.

— Я банкир, — возразил Морияма, — а вы эксперт по вопросам преступности. Каждый должен заниматься своим делом. Хорошо, я изменю вопрос. Кто, по-вашему, мог быть заинтересован в смерти Симуры и Такахаси? Женщин я исключаю, нас с вами тоже. Тогда кто? Остаются три человека. Фудзиока, Сато и Удзава. Двое из троих были наверняка недовольны решением Симуры. И моим выдвижением. И выдвижением самого Кавамуры Сато. Значит, или Фудзиока, или Удзава. Но первый — пожилой человек, тогда получается, что единственный подозреваемый, знающий, как обращаться с оружием, это Инэдзиро Удзава.

Дронго молчал.

— Или я ошибаюсь в своих рассуждениях? — чуть повысил голос Морияма.

— Почему вы исключаете себя и Кавамуру Сато? — поинтересовался Дронго.

— Я рассуждаю логично, — ответил банкир. — Зачем мне убивать Симуру или Такахаси, если они собираются меня выдвигать? Их смерть помешала моему выдвижению. То же самое может сказать и Кавамура Сато.

— Не обязательно, — возразил Дронго. — Можно предположить и другой вариант. Вы заранее знали о готовящемся назначении. И знали, что Симура хочет объявить вас наследником. Наследником после Такахаси. Поэтому вы дождались, когда внезапно погаснет свет, и начали стрелять в Такахаси, чтобы сразу занять его место. Такое объяснение вполне возможно.

Морияма ничего не сказал. Он нахмурился, подумал. И лишь потом спросил:

— А зачем мне стрелять в Симуру? Он ведь и так хотел меня выдвинуть.

— Может, Симура пытался защитить Такахаси, и вы случайно попали в него, — предположил Дронго, — или решили избавиться от обоих. Ведь Симура официально объявил вас наследником. После этого вами мог овладеть соблазн убрать обоих, чтобы подтвердить свое лидерство в банке.

Морияма снова замолчал, осмысливая сказанное. Он был достаточно осторожным человеком. Поэтому он не обиделся и не встал, прерывая беседу. Годы, проведенные в банке, научили его терпимости и выдержке.

— Интересная гипотеза, — сказал он, — но это только гипотеза. Я никогда не стрелял в людей. Но как одна из гипотез такая версия имеет право на жизнь. А почему вы выгораживаете Удзаву? Или Фудзиоку? Разве они не могли все это организовать?

— Могли, — согласился Дронго, — но у меня нет доказательств. Ни против них, ни против вас. И еще одно обстоятельство. Вы напрасно исключаете женщин. Разве Аяко Намэкаву не обидели, решив не назначать новым вице-президентом? Ведь в банке все полагали, что именно она займет ваше место. И мне кажется, вы тоже так считали.

— Вы действительно опасный человек, — задумчиво произнес Морияма. — Были с нами только несколько минут, а уже пытаетесь делать заключения, на которые у других уходят годы. Да, я покровительствовал Аяко и считал, что именно она должна быть новым вице-президентом. Но я и сейчас так считаю. И буду делать все, чтобы она стала одним из наших вице-президентов. Это укрепит имидж банка в глазах всего цивилизованного мира. Ну и что здесь плохого? Или Фумико? Вы считаете, она тоже могла стрелять? Ей-то это зачем? При миллиардах ее отца работа в банке приносит ей только моральное удовлетворение. А наш бывший президент держал ее лишь для того, чтобы она сделала себе «биографию». Немного набралась опыта. Вся работа была на погибшей Сэцуко Нумате. И все об этом знали.

— Любой из шести людей, сидевших в комнате, мог оказаться убийцей, — твердо заявил Дронго. — Любой, — повторил он.

— Из семи, — поправил его Морияма. — Почему вы исключаете себя, господин Дронго? Вы единственный среди нас иностранец, не связанный с президентом Симурой долгими годами работы и дружбы. Вы и Удзава — единственные люди, профессионально владеющие оружием. И, наконец, вы единственный, кто не должен был находиться в розовом зале во время нашего совещания. Разве этого мало?

— Много, — согласился Дронго, — но вы противоречите сами себе. Я не должен был там находиться, как вы правильно заметили. Значит, мое присутствие было случайным и я не мог спланировать ни его, ни внезапное отключение света. В отличие от всех собравшихся, точно знавших, что после приема состоится совещание в розовом зале, которое проведет президент Симура. Выходит, я единственный среди вас имею хотя бы относительное алиби.

— У вас логическое мышление сильно развито, — признал Морияма, проведя рукой по коротко остриженным волосам. — И тем не менее вы не можете мне сказать, кого именно вы подозреваете?

— Я уже вам объяснил, это невозможно. Выдвигать обвинения против кого-либо, не имея убедительных доказательств, я не могу. Это было бы большой ошибкой. Учитывая ваши патриархальные отношения внутри банка, обвинение в адрес любого из вас будет выглядеть не как гипотеза, а как личное оскорбление.

— Правильно, — согласился Морияма, — но вы убеждены, что стрелял кто-то из нас.

— Убежден. Я не верю в неизвестного убийцу, который сумел войти и выйти незамеченным. И в ниндзя я тоже не верю. Это в кино возможно появление такого специалиста. Или в книге. А в реальной жизни подобного не бывает.

— Никакого ниндзя не было, — согласился Морияма. — Но кто тогда стрелял?

— Вы лучше меня знаете всех сидевших рядом с вами. Стрелял кто-то из них. Кто именно, я пока не знаю.

— Вы можете узнать? — спросил Морияма. — Мне известно, кто вас пригласил. Сэнсэй Симура не стал бы вызывать в страну кого попало. Вы, наверно, знаменитый эксперт. И можете определить, кто и зачем стрелял. Я приехал к вам с конкретным предложением. Мне нужно знать, кто стрелял в Симуру и Такахаси. И я готов помочь вам в ваших поисках.

«На самом деле его не так интересует преступник, сколько его возможное разоблачение, — подумал Дронго. — Чем быстрее завершится это дело, тем скорее совет директоров утвердит его преемником погибших. Морияма был в одном шаге от должности первого вице-президента. Он был единственным кандидатом на должность президента банка. Так объявил Тацуо Симура. И совет директоров наверняка прислушается к его последней воле».

— Я приехал сюда, чтобы найти причину смерти Ёситаки Вадати, — напомнил Дронго. — Когда меня приглашали в Японию, никто не думал, что в вашем банке произойдет такая трагедия...

— И тем не менее она произошла, — перебил его Морияма, — и мне нужно знать, кто это сделал. Кто стоит за всеми преступлениями. Я предлагаю вам любой гонорар. Любую сумму, которую вы сочтете приемлемой за ваш труд. Но при одном условии. Завтра в десять часов у нас совет директоров. И я хочу, чтобы к этому времени у меня были хоть какие-нибудь новые факты. Это возможно?

Дронго молчал.

— Сто тысяч долларов, — сказал Морияма, — я плачу вам немедленно. Независимо от результата. Вы согласны?

Дронго по-прежнему молчал.

— Двести тысяч, — жестко сказал Морияма, — или вам мало? Вы ведь наверняка имеете какую-то информацию, иначе вас не стали бы прятать в этом доме.

— Это несерьезно, — наконец сказал Дронго. — Меня оставили в этом доме, чтобы я не мешал расследованию. Каким образом я могу получить новые факты до завтрашнего утра? Вам лучше обратиться в полицию.

— Триста тысяч. — Морияма был упрямым человеком.

— Нет. Я ничего не смогу сделать.

Морияма стремительно поднялся. Он умел принимать мгновенные решения.

— Если вы эксперт, почему отказываетесь от денег? А если вы отказываетесь, может, вы не эксперт? И приехали сюда не для того, чтобы помочь сэнсэю Симуре? Или я ошибаюсь? До свидания.

Он повернулся и стремительно пошел к воротам. Уже на выходе он едва не столкнулся с Тамакити, который, увидев вице-президента банка, вежливо поклонился ему, пробормотав приветствие. Морияма в ответ наклонил голову и пробормотал ответное приветствие. Тамакити проводил его долгим взглядом и подошел к Дронго.

— Это был сам Морияма, — сказал Тамакити, словно не веря своим глазам.

— Да, — кивнул Дронго, — он приезжал сюда, чтобы со мной договориться.

— Договориться? — не понял Тамакити. — О чем он хотел договориться?

— Просит найти убийцу до завтрашнего утра. Он, вероятно, считает, что можно работать по «индивидуальному заказу». Можно спланировать время обнаружения преступника. Я думал, он умнее.

— Он предлагал вам деньги? — быстро спросил Тамакити.

— Да. И очень большие.

— Это не для ваших поисков, — пояснил Тамакити. — Он не мог предложить вам деньги за вашу откровенность и решил таким завуалированным способом дать вам знать о своей заинтересованности. Если вам что-то известно, вы расскажете ему до завтрашнего утра и получите свои деньги. Он уверен, что у вас есть дополнительная информация. Но предлагать деньги за вашу информацию было бы невежливо, и он сделал это в такой форме.

— Чем больше я нахожусь в вашей стране, тем меньше понимаю, что здесь происходит, — признался Дронго. — Иногда мне кажется, что тут перевернутый мир. Со своими иносказаниями, традициями и умолчаниями. Ты узнал, что произошло в отеле?

— Об этом сообщили журналисты. — Тамакити показал газету, которую держал в руке. — Кто-то устроил короткое замыкание в отеле. Полиция до сих пор не может найти того, кто это сделал. Но обратите внимание, что свет отключился ровно в десять часов вечера. Ни позже, ни раньше. Минута в минуту.

— Значит, была договоренность с убийцей, — убежденно сказал Дронго. — Если свет отключили в определенное время, значит, убийца знал, когда ему нужно действовать. Странно, что он так рисковал. Ведь рано или поздно его раскроют. В комнате было не так много человек, и полиция не успокоится, пока не вычислит виноватого. Мы можем отправиться в больницу?

— Я на машине, — кивнул Тамакити. — И я уже сказал полицейским, что мы поедем в больницу навестить сэнсэя Симуру. Они не возражают. Если мы хотим навестить больного хозяина дома, они не станут нам мешать. Это не в наших традициях.

— Не сомневаюсь, — поклонился Дронго. — Не обижайся, Сиро, но мне иногда кажется, что вы даже в туалет ходите, соблюдая свои традиции. Мне к этому невозможно привыкнуть.

Глава 16

Все получилось так, как они планировали. Европейские полицейские наверняка бы проверили их машину еще раз. Но японские полицейские были достаточно дисциплинированными. Они поверили словам Тамакити и не стали их останавливать. Когда «Тойота» Тамакити поехала в больницу, они двинулись следом, держась на почтительном расстоянии. К больнице они не стали подъезжать, остановились метрах в пятидесяти.

Дронго и Тамакити вошли в здание больницы и направились в приемное отделение. Здесь дежурили две молодые девушки. Обе среднего роста, одинаково темненькие, смешливые и похожие друг на друга.

— Нам нужно пройти в палату к сэнсэю Симуре, — объяснил Тамакити.

Одна из девушек весело улыбнулась и покачала головой, объясняя, что доступ в палату больного категорически запрещен его врачами.

— Мы должны его навестить, — попросил Тамакити. — Мой друг прилетел из Европы, чтобы навестить больного.

Девушка позвонила кому-то, переспросила. И затем, положив трубку, объявила, что доступ запрещен. Тамакити взглянул на Дронго.

— Они нас не пускают, — пояснил он. — Я сказал им, что вы приехали из Европы, но у них есть строгое указание врача.

— Пусть позовут сюда лечащего врача, — попросил Дронго. — Скажите ей, что я прошу позвать лечащего врача.

Тамакити наклонился и перевел его слова дежурной. Она кивнула и подняла трубку, предложив им подождать. Ждать пришлось более двадцати минут. Наконец появился врач в белом халате. Он был среднего роста, лысоватый, в очках. Взглянув на Тамакити, он что-то спросил. Тамакити ответил ему по-японски и показал на Дронго.

— Вы иностранец? — спросил врач по-английски. — Чем я могу вам помочь?

— Мне нужно увидеть сэнсэя Симуру, — поклонился врачу Дронго. — Это очень важно.

— Прошу меня извинить, — сказал врач, — но это невозможно.

— Я понимаю ваши мотивы, — быстро заметил Дронго, — но речь идет не об обычной встрече. Вы, наверно, слышали о попытке убийства его старшего брата, президента банка Тацуо Симуры. Речь идет не только о судьбе старшего брата. Я прилетел сюда по приглашению сэнсэя.

— Спасибо за то, что вы побеспокоились, — очень вежливо ответил врач. — И я понимаю ваше беспокойство. Но не могу пустить никого к больному. Ему сейчас очень плохо, и он должен отдыхать. Он и так дважды покидал больницу без нашего разрешения...

Он не успел договорить, Дронго перебил его:

— Дело в том, что сэнсэй дважды покидал больницу из-за меня. Здесь его помощник, он может подтвердить мои слова. Если вы меня сейчас не пустите к нему, он покинет вашу больницу в третий раз, чтобы поговорить со мной, и ему будет совсем плохо.

Врач взглянул на Тамакити. В этой стране не принято врать. Тамакити кивнул. Врач заколебался.

— Наш разговор займет не больше пяти минут, — настойчиво сказал Дронго.

Врач нахмурился. Он еще раз посмотрел на Тамакити и кивнул в знак согласия.

— Только пять минут, — сказал он. — И вы пойдете один.

Дронго поспешил за врачом. Ему пришлось надеть белый халат, который ему подобрали. Халат был ему мал, в больнице явно не было халатов его размера. Поднявшись на следующий этаж, они с врачом по коридору прошли к палате Симуры.

— У вас пять минут, — напомнил врач.

Он вошел первым. Рядом с больным находилась медсестра. Врач что-то ей сказал, и она, поклонившись, вышла из палаты. Врач показал на часы и последовал за ней. Симура лежал на кровати. К его руке была присоединена капельница. Услышав, как кто-то вошел в палату, Симура открыл глаза.

— Здравствуйте, сэнсэй, — поклонился старику Дронго. Он представил себе, как Симура снимал все эти капельницы, чтобы поехать в аэропорт или в полицейское управление. И содрогнулся. Видимо, старик считал эти встречи особенно важными.

— Вот видишь, — сказал Симура, — ты пришел сам. Я знал, что рано или поздно у тебя появятся новые вопросы. Сядь рядом со мной и скажи, что тебя интересует.

— Спасибо. — Дронго присел на стул рядом с кроватью. — Вы, наверно, знали, что Вадати раньше работал в государственном управлении безопасности?

— Конечно, — ответил Симура.

— Он практиковал сбор информации на всех руководящих сотрудников банка. Вы знали об этом?

— Да, — вздохнул старик, — он говорил мне об этом. Ему дал санкцию на сбор подобных материалов мой брат.

— Почему?

— Не знаю. В последнее время в банке творилось что-то неладное. Мой брат и Вадати старались понять, что происходит. Часть закрытой информации стала уходить к конкурентам. Иногда случались необъяснимые вещи. О закрытых проектах узнавали журналисты.

— Вадати пытался проводить собственное расследование?

Симура тяжело вздохнул:

— Я знал, что ты докопаешься, рано или поздно. Да, он проводил собственное расследование. Но ему помешали. И я хотел знать, кто именно ему помешал. И кто убил Сэцуко. Кто стрелял в моего брата...

Устав от длинного монолога, старик закрыл глаза. Потом спросил:

— Что еще тебя интересует?

— Сэцуко звонила кому-то в Осаку в день своей смерти. Дважды звонила и разговаривала с кем-то из офиса банка в Осаке. Я проверил. Оттуда был несанкционированный доступ в закрытую систему банка. Сегодня мне должны сообщить имя человека, который получил доступ, применив свой личный код.

— Я не знаю, с кем она могла говорить, — ответил Симура.

— Больше у меня нет вопросов, — поднялся со стула Дронго.

Симура открыл глаза.

— Знаю, что тебе трудно, — сказал он, глядя на

Дронго. — Чужая страна, чужие люди. Но только ты... только ты можешь понять эту проблему...

Он снова закрыл глаза. Дронго поспешил выйти из палаты. В коридоре он кивнул медсестре, и она поспешила вернуться к больному. Врач вопросительно взглянул на Дронго.

— Спасибо, — чуть наклонил голову Дронго, — вы мне очень помогли.

— До свидания, — так же вежливо наклонил голову врач.

Дронго спустился на первый этаж, подошел к Тамакити.

— Позвони Мицуо Мори, — предложил он задумчиво. — Мне кажется, у него уже должны быть какие-то результаты.

Тамакити кивнул, доставая свой мобильный телефон. Набрав номер, он подождал, пока ответил Мори. И спросил его по-японски. Затем переспросил. И, поблагодарив Мори, убрал аппарат.

— Он сейчас на совещании, — сообщил Тамакити. — Говорит, уже знает, кто знакомился с закрытой информацией. Но просил перезвонить позже.

— Неужели он не может сказать нам имя? — с досадой спросил Дронго. — Поедем к ним в банк.

— Нельзя. — Тамакити показал на выход. — Нас ждут двое сотрудников полиции. Они должны проводить нас до дома. Они не разрешат вам появляться в банке.

— Получается, меня взяли под домашний арест. —

Дронго вздохнул. — Опять придется перелезать через забор соседей. Их собака уже чувствует меня на расстоянии.

Тамакити улыбнулся. Они прошли к автомобилю, и Дронго помахал обоим полицейским, сидевшим в машине. Затем он уселся в «Тойоту». И машина поехала в сторону района Мукодзима. Полицейская машина тронулась за ними. Так они и проехали весь путь обратно. Когда они подъехали к дому Симуры, там стояло еще два неизвестных автомобиля.

— Число полицейских растет, — недовольно заметил Дронго.

— Это их сменщики, — возразил Тамакити.

— А вторая машина? — спросил Дронго, приглядываясь. — Хотя, кажется, я уже знаю, кто приехал.

Из второго автомобиля вышел Цубои, сидевший там со своими сотрудниками. Он тактично не входил в дом, дожидаясь появления Дронго.

— Здравствуйте, — сказал Цубои, доставая сигарету. Он щелкнул зажигалкой. На его носу были темные очки. Дронго отметил, что его визави поменял пиджак, теперь это был темный шерстяной. Очевидно, инспектор не любил носить костюмы, а предпочитал брюки и удобные широкие пиджаки, которые несколько утяжеляли его худощавую фигуру.

— Добрый день. — Дронго даже поклонился Цубои, настолько привычным стал для него этот жест за несколько дней пребывания в стране.

Цубои что-то сказал Тамакити, и тот перевел его слова Дронго.

— Он хочет с вами поговорить. Спрашивает, можно ли ему войти в дом.

— Придется пустить, — сказал Дронго, — иначе он вызовет меня на допрос.

Они вошли в дом, прошли в небольшую комнату, предназначенную для приема гостей. Дронго уселся в кресло. В другом кресле устроился старший инспектор Цубои.

— Скажи ему, что он может говорить, — предложил Дронго, обращаясь к Тамакити, — только предупреди этого инспектора, чтобы говорил громче. Нас могут записывать.

Тамакити перевел его слова, и Цубои ответил, ухмыльнувшись.

— Он говорит, что дом не прослушивается, — начал переводить Тамакити, — говорит, что вы можете не беспокоиться: чтобы получить согласие на установку микрофонов в доме Кодзи Симуры, он должен был получить согласие не только прокурора Хасэгавы, но и самого господина министра внутренних дел. Ему никто не разрешит соваться в такой дом со своими микрофонами. А вы, наверно, беседовали со своими гостями только в саду. Он говорит, что ему уже доложили о вашей сегодняшней встрече с господином Мориямой.

Дронго усмехнулся.

— Скажи, что ему правильно доложили. Спроси, что он хочет. Я готов отвечать на его вопросы.

— У него несколько вопросов, — перевел Тамакити. Он сидел на диване между двумя собеседниками.

— После того как вы вчера так непростительно грубо себя повели, я не должен был вообще с вами разговаривать, — напомнил Дронго, глядя на Тамакити, чтобы тот переводил его слова. И, дождавшись перевода, продолжал: — Вы же прекрасно знали, что я только ужинал с Сэцуко. А потом ее родственник отвез меня в отель. Вы наверняка допросили и владелицу ресторана, и ее мужа. Спроси его, зачем он устроил такой балаган?

Дронго замолк, ожидая, пока Тамакити переведет. Цубои внимательно слушал, подвинув к себе пепельницу, лежавшую на столике перед ним.

Неожиданно Цубои, усмехнувшись, что-то сказал, показывая на дом.

— Он говорит, здесь очень хороший дом, — перевел Тамакити, — и он даже не думал, что вы серьезно решите сюда переехать.

— Он же сам говорит, что дом очень хороший, — ответил Дронго. — Что касается меня, то здесь даже удобнее. Здесь он хотя бы спрашивает моего разрешения, прежде чем ворваться в мою спальню. А в отеле он и его сотрудники были гораздо бесцеремоннее.

Тамакити перевел, но Цубои возразил.

— А если бы вас убили? — спросил инспектор. — Вы же знаете, что у нас произошло. Сначала погиб Вадати, потом подстроили убийство Сэцуко. И, наконец, эти выстрелы в розовом зале отеля. Я подумал, убийцам будет выгодно убрать и вас, чтобы было на кого свалить все эти преступления.

Услышав это, Дронго покачал головой.

— Поэтому, проявляя обо мне заботу, он так трогательно поссорил меня с Фумико. Скажи ему, Сиро, только обязательно скажи, что я не набил ему морду только потому, что он сотрудник полиции. Хотя то, что он сделал, это не выполнение должностных обязанностей, а типичный... — Он хотел сказать по-русски «сволочизм». Но это слово не переводилось на английский. И уж тем более Тамакити не сможет перевести его на японский. Чуть подумав, Дронго заключил: — Это типичная провокация.

Тамакити перевел все слово в слово, но Цубои снова возразил.

— Мне было важно посмотреть, как она себя поведет, — признался инспектор.

Дронго удовлетворенно кивнул, услышав перевод:

— Я так и думал. Вы преследовали определенную цель, Цубои.

— Я видел, что она врет, — ответил Цубои, стряхивая пепел в изогнутую пепельницу в виде морской раковины, — это было сразу понятно. Вы ей понравились, и она нам врала. Кроме того, мы проверили по показаниям остальных участников встречи. Последние слова перед смертью Симура говорил на английском языке. И поэтому она врала, когда говорила, что переводила вам его слова с японского на английский в тот момент, когда раздались выстрелы.

Тамакити перевел последнее предложение и с тревогой посмотрел на Дронго.

— Подождите, — прервал Тамакити Дронго, — ты сказал, что Симура перед смертью говорил на английском. Он разве уже умер?

— Так сказал господин старший инспектор, — пояснил Тамакити. — Я переводил его слова.

— Спроси у него, — предложил Дронго.

— Пока нет, — ответил Цубои, — но в сознание не пришел. А госпожа Одзаки сказала нам неправду.

— И он решил ее разозлить, чтобы она меня выдала. Обманутая женщина — страшная сила. Он не знает, Тамакити, почему полицейские всего мира похожи друг на друга? Одинаково подлые и грубые методы. Спроси его — неужели он думал, что она похожа на базарную торговку?

— На кого? — не понял Тамакити, который не смог перевести эту фразу.

— Ну да, конечно. В вашей стране базарные торговки — это такие же женщины, как остальные. Так же кланяются при встрече, так же улыбаются и так же вежливо отвечают. Я имел в виду, что он посчитал Фумико Одзаки обычной женщиной, с которыми он сталкивается на работе. Проститутки, наркоманки, содержательницы притонов, разного рода мошенницы, воровки, ну и тому подобное. А госпожа Одзаки — леди. Она дочь известного человека

8 – 3065

и закончила Оксфорд, Тамакити, переведи ему это слово — Оксфорд. Образование накладывается на воспитание и формирует человека. А он подошел к ней с обычной меркой. Решил разозлить ее, чтобы она перестала меня защищать. Но его дешевая уловка не удалась. Вместо этого она провела пресс-конференцию и выставила всю полицию в неприглядном виде.

Цубои внимательно выслушал. Отвел глаза и что-то пробормотал. Он погасил сигарету и взял другую.

— Ей уже сделали замечание за эту пресс-конференцию, — перевел Тамакити. — Прокурор Хасэгава позвонил в банк и попросил исполняющего обязанности президента банка Фудзиоку указать своему пресс-секретарю на недопустимость вмешательства в дела следствия.

— Представляю, как ему трудно было решиться на этот шаг, — пошутил Дронго.

Тамакити перевел, и неожиданно Цубои улыбнулся, ему понравилась шутка насчет прокурора.

Он взглянул на Дронго более мягко и начал говорить.

— Я понимаю, что вы не стреляли, — сказал Цубои, — я вчера еще раз посмотрел ваше досье. Вы удивительный человек. По вашим данным получается, что вы раскрыли столько преступлений, сколько не раскрывает крупное полицейское управление. Если это правда, значит, вы уникальный человек. А я думаю, что это правда, если вас пригласил сюда сам Кодзи Симура. И если вы живете в его доме.

Выслушав перевод, Дронго кивнул и спросил:

— Что следует из этого факта?

— Вы можете нам помочь. Вы и Удзава были в этой комнате в момент убийства. Значит, должны были увидеть больше, чем обычные банкиры. Вы профессионал и не могли не заметить, кто стрелял и откуда. Я не знаю, в какую игру вы играете, но уверен, что вы знаете гораздо больше, чем мы думаем.

Тамакити перевел. Дронго возразил:

— Представьте, что у вас перед глазами внезапно отключают свет, а потом в абсолютно темной комнате стреляют. Неужели вы сможете мгновенно определить, откуда раздались выстрелы? Какой бы профессионал я ни был, я не могу определить, откуда стреляли. Но я твердо знаю, что в розовом зале не было посторонних.

— Стрелять могли только вы двое, — задумчиво сказал Цубои, выслушав Тамакити, — и еще Аяко Намэкава.

— Почему она? — удивился Дронго. — Мне казалось, третьим мог быть совсем другой человек.

— Мы узнали у ее первого мужа. Она часто ездила с ним на охоту. И он научил ее стрелять. Выяснилось, что она хорошо стреляет.

— Поздравляю, — пробормотал Дронго. Понятно, почему этих данных нет в ее биографии. Вадати не мог получить таких сведений от ее первого мужа.

— И больше никто? — спросил Дронго.

— Может быть, еще Кавамура Сато, — ответил Цубои, стряхивая пепел. — Он бывший спортсмен. Правда, он занимался биатлоном.

«Молодец, — подумал Дронго, — кажется, этот неприятный тип начинает мне нравиться. Он проделал за полтора дня удивительно большую работу. Раскопал столько сведений. Вот ему-то Мори никогда бы не позволил читать закрытую информацию».

— Уже четверо потенциальных преступников, — заметил Дронго, — не так плохо. Остальных вы исключаете?

Приходилось ждать, пока Тамакити переведет его слова, услышит ответ и снова переведет на английский.

— У Фудзиоки тремор, — сообщил Цубои, — у него трясутся руки, и он не мог решиться на подобное преступление. В нужный момент у него бы задрожали руки. Фумико я тоже исключил. Она единственная, кому это абсолютно не нужно. Кроме того, ее отца связывает с Симурой многолетняя дружба. Зачем ей стрелять в старого друга своего отца? Чтобы самой стать президентом банка? Глупо. Она на это не претендует. Все знают, что ее работа в банке лишь временная практика. Ступень в ее карьере. Через год-два она заменит отца, встанет во главе одной из самых мощных компаний страны. Поэтому она не станет вмешиваться в такие игры. Кроме того, эта женщина привыкла говорить все, что думает. И своим языком вкупе с миллиардами ее отца и ордой журналистов, которыми он управляет, она может раздавить любой банк, любого человека лучше всякого убийцы. Ей это просто не нужно.

Он часто останавливался, давая возможность Тамакити переводить.

— Вы забыли про Морияму, — напомнил Дронго.

— Не забыл.

Цубои достал третью сигарету. Он много курил. Дронго взглянул на пепельницу. При такой нервной работе старший инспектор долго не протянет. Наверно, он привык к подобному темпу своей жизни.

— Мы поговорили с каждым из присутствующих, постарались восстановить всю картину происшедшего. Кто-то замкнул свет в отеле. Мы не знаем пока, кто это сделал. Но убийца знал, что свет погаснет. Говорят, Симура хотел рекомендовать Морияму на место Такахаси, первым вице-президентом банка. Это правда?

— Да. Мне переводила госпожа Одзаки, и я слышал, как он это говорил. Но тогда выходит, что Морияма — самый незаинтересованный человек. Ему смерть Симуры была не нужна.

— Зачем он к вам приезжал?

— Он, как и вы, считает, что я знаю что-то такое, о чем не хочу сообщать полиции. Предлагал большие деньги за розыск настоящего преступника. Ему важно найти и уличить виновного до завтрашнего утра, до того момента, когда соберется совет директоров. Если все будет ясно с этой трагедией, возможно, совет директоров решит оставить исполняющим обязанности не Фудзиоку, а Морияму, как завещал Тацуо Симура.

— Ясно. — Цубои поднялся со своего места. Потушил третью недокуренную сигарету. — Неужели вы будете сидеть здесь и никуда не пойдете? — поинтересовался он. — И вчера никуда не выходили? Соседи говорят, кто-то бегал по их крыше. Это случайно были не вы? — Тамакити, переводя эти слова, вдруг поперхнулся и начал кашлять, стараясь не смотреть в сторону Цубои.

— Это случайно был не я, — ответил Дронго, строго взглянув на Тамакити.

— Я мог бы снять наблюдение за вашим домом, — сказал Цубои. — Но тогда вам придется нелегко. Человек, который убрал Вадати и стрелял в Симуру и Такахаси, может решить, что вы тоже опасный свидетель. Поэтому я оставлю своих ребят, пусть пока подежурят.

Тамакити перевел, но Цубои неожиданно произнес еще одну фразу и пошел к выходу.

— Что он сказал? — спросил Дронго.

— Он говорит, если вам будет нужно, вы всегда можете уйти по крыше соседей, — перевел несколько сконфуженный Тамакити.

«А он настоящий полицейский, — удовлетворенно подумал Дронго. — Характер тяжелый, но зато мозг работает здорово. Теперь понятно, почему именно его вызвали в отель «Империал». Он действительно один из лучших сыщиков в этой стране».

Дронго вышел следом за Цубои. Старший инспектор дошел до ворот, оглянулся. Ухмыльнулся и вышел за ворота. Дронго подошел, посмотрел, как Цубои садится в машину и уезжает.

«Он, конечно, сукин сын, — подумал Дронго. — Но настоящий полицейский».

Он вернулся в дом к Тамакити. Тот терпеливо ждал его.

— Я позвонил Мицуо Мори, — сообщил Тамакити.

— Кто это был? — спросил Дронго, имея в виду имя человека, находившегося в Осаке.

— Он говорит, что использовали код Кавамуры Сато, — сообщил Тамакити. — Но этого не может быть. Он был в самолете, я сам проверял.

Дронго выслушал его молча. Он смотрел на Тамакити, думая о своем. Тамакити терпеливо ждал, понимая, что его собеседнику необходимо осмыслить услышанное.

— Мне нужно поговорить с Мори, — сказал Дронго. — Дай мне телефон, Сиро. Кажется, мы с тобой что-то не учли.

Тамакити набрал номер и протянул аппарат Дронго. Тот выслушал какое-то сообщение на японском и покачал головой, не понимая, что ему говорят. Тамакити еще раз набрал номер и нахмурился, услышав, что именно сказал ему оператор телефонной компании. Мобильный телефон Мори был отключен. Тамакити убрал аппарат и взглянул на Дронго.

— Телефон Мори отключен, — сказал он, нахмурившись.

— Сделаем так, — решил Дронго, — будешь ждать меня на соседней улице. А я попытаюсь опять воспользоваться крышей наших соседей. Думаю, их баня выдержит мой вес еще раз. Лишь бы их собака громко не волновалась.

— Хорошо, — кивнул Тамакити, — я буду ждать на соседней улице. Как вчера ночью.

— Только осторожнее, чтобы полицейские не поехали за тобой, — напомнил Дронго.

Тамакити кивнул и вышел. Дронго достал легкую куртку, надел свою шапочку, темные брюки, джемпер. Затем вышел из дома, показал садовнику на соседний дом. Тот кивнул головой, улыбнувшись. Дронго подтянулся на руках. Нужно будет перебежать как можно быстрее. Собака сразу начала лаять, как только он оказался на крыше. Но днем было легче уходить, чем ночью. Он добежал до ограды и спрыгнул. Какой-то мальчик, увидев его прыжок, застыл на месте, глядя на него. Подмигнув мальчику, Дронго поспешил дальше.

«Надеюсь, он не скажет родителям, что видел грабителя», — подумал Дронго. Вполне может быть, что по возвращении его будут ждать родители этого мальчика, которые потребуют объяснений.

На улице, как обычно, было полно народу. Япония все-таки восточная страна, и здесь традиционно многолюдно на улицах даже в разгар рабочего дня. Расталкивая толпу, Дронго направлялся к голубой «Тойоте», стоявшей на другой стороне улицы. Тамакити сидел за рулем.

Дронго приблизился, намереваясь открыть дверцу и оказаться на заднем сиденье. Он уже протянул руку, но что-то заставило его остановиться. Опустив руку, он сделал один шаг вперед, второй... Сиро Тамакити сидел, прислонившись к креслу и откинув голову. В японских машинах водитель сидит с правой стороны. Отсюда было видно, как на левой стороне груди Тамакити расплывалось три красных пятна. Несчастный был убит тремя выстрелами в упор. Дронго оглянулся по сторонам. Прохожие спешили по своим делам, и на него никто не обращал внимания...

Глава 17

Смотреть на убитого Тамакити не было сил. Дронго издал какое-то рычание, подавляя в себе боль и злость. Получилось, в смерти Тамакити виноват он сам, он отправил его на соседнюю улицу, уводя от полицейского контроля. Дронго оглянулся. Почему Тамакити? Почему они не подождали, пока выйдет Дронго, чтобы убить их обоих? Кто мог стрелять?

Он еще раз посмотрел по сторонам. Бедняга Тамакити. Он, наверно, даже не понял, что произошло. Стекло было опущено, неизвестный, проходивший по тротуару, неожиданно достал пистолет с глушителем и открыл огонь. Конечно, пистолет был с глушителем, иначе выстрелы услышали бы на улице. Дронго, глядя на несчастного, отошел от машины.

«Нужно возвращаться обратно», — подумал Дронго. С другой стороны, ему теперь тем более надо встретиться с Мицуо Мори. Если тот еще жив. Но почему убили именно Тамакити? Дронго вошел в небольшой магазин электротоваров, чтобы успокоиться и оглядеться. Почему убили Тамакити? Чем убийцам помешал этот парень? Кто стоит за этими преступлениями?

Давай еще раз. Тамакити был с ним с самого утра. Он сегодня был в отеле и выяснил, каким образом там отключился свет. В этом нет ничего необычного, там наверняка было полно журналистов и полицейских, пытавшихся выяснить то же самое. Из-за этого его не стали бы убивать. Почему его убрали? Он приехал за Дронго, и они поехали в больницу. Убили из-за того, что он поехал в больницу на встречу с Симурой? Нет, этот вариант тоже не подходит. Черт возьми. Но почему, почему они его убили? Чем он им помешал? Какое он имел отношение ко всем этим преступлениям? К убийству Вадати, Сэцуко, к выстрелам в розовом зале.

«Подожди, подожди, — успокоил себя Дронго. — Ведь Тамакити был тем, кто нашел причину гибели Вадати. Он знал о встрече Сэцуко с Дронго. И, наконец, он был на приеме в тот вечер. Получается, я подозреваю убитого», — невесело подумал Дронго. Нет, Тамакити даже не было в коридоре. Он был внизу и не поднимался в розовый зал. В момент убийства его там не было. Но тогда почему убийцы убрали именно его? Чего они боялись? Если они ждали Дронго, то почему стреляли в Тамакити? Перепутать их невозможно.

Оставаться и ждать здесь — глупо. Вернуться домой — значит, отказаться от попытки найти виновных. Но как быть одному в городе без знания языка? Он даже не знает города. Здесь можно заблудиться. Но, с другой стороны, он много раз бывал в различных городах. Как-нибудь сумеет разобраться. Оставаться здесь не имеет смысла. Его все равно будут обвинять в этом убийстве, хотя Цубои наверняка знает, что у него нет оружия с глушителем.

Дронго осторожно вышел из магазина, поднял руку, останавливая такси. И, усевшись в машину, приказал отвезти его в центр города, к головному офису банка «Даиити-Кангё». Когда машина тронулась, Дронго в последний раз посмотрел на убитого Тамакити. К нему уже подходил полицейский, заинтересовавшийся необычным видом водителя, который, казалось, спал, откинув голову на спинку сиденья. Дронго отвернулся.

В этот момент у водителя зазвонил мобильный телефон. Водитель поднял трубку, заговорил с кем-то на японском языке. Дронго смотрел на водителя и вдруг... вспомнил. Он вспомнил. Как он мог так подставить несчастного парня. Они звонили из дома с мобильного телефона Тамакити. Они расслабились. Это была их ошибка. Они не имели права расслабляться.

Они говорили по мобильному телефону с Мицуо Мори, и кто-то выяснил, с кем именно говорил этот меланхолик с лошадиными зубами. Дронго сжал кулаки. Если тот виноват в смерти Тамакити, он его раздавит. Он сам выбьет зубы этому негодяю. Нет. Это эмоции. Он не должен поддаться эмоциям. Хотя как тут не поддаваться, когда убили хорошего парня. «Ну почему у меня такая жизнь, — чуть не закричал он. — Почему я должен мотаться по всему миру и повсюду видеть человеческую жестокость, предательство, кровь, горе, слезы. Что за профессию я себе выбрал! Вот и Джил предлагает мне бросить мое проклятое ремесло. Но я ничего другого не умею делать. Это единственное, чему я научился за столько лет». Спокойнее. Если бы Мори был предателем, Тамакити не дожил бы до утра. Однако как быстро они действуют. Сэцуко убрали сразу после разговора с Осакой, а Тамакити вычислили, как только он позвонил по своему мобильному телефону. Кто это такой быстрый? И почему отключен мобильный телефон Мори? Неужели убийцы решатся устранить даже Мицуо Мори. Нет. Этого не может быть. Так рисковать они не станут. Иначе полиция бросит все силы на их поиски. Хотя полицейские и так с ног сбились, чтобы раскрыть эти преступления.

Машина въехала в район Роппонги, в самый центр города, где расположены посольства иностранных государств. Напротив посольства Соединенных Штатов, рядом с музеем Окура-сюкоган, находится один из самых роскошных отелей города. Дронго попросил водителя свернуть к отелю. Когда автомобиль затормозил рядом с входом, швейцар в красной ливрее открыл дверцу, наклонившись к Дронго.

— Я сейчас вернусь, — сказал Дронго, снимая с себя шапочку и оставляя ее в машине. «В этой вязаной шапочке у меня вид мойщика окон», — с неудовольствием подумал он.

Отель «Окура» — не просто пятизвездочный отель. Это один из самых роскошных отелей класса «люкс», имеющий собственный сад, раскинувшийся вокруг отеля. Войдя в холл, Дронго прошел к консьержу и попросил карту города на английском языке. Консьерж кивнул и протянул ему карту, сразу признав в нем иностранца. Дронго взял карту и вернулся к машине. Через мгновение автомобиль отъехал от отеля и вскоре выехал на улицу Хигасидори, двигаясь к центральному офису банка.

«Меня могут не пустить в банк, — подумал Дронго, — но у меня нет другого выхода. Еще несколько минут — и сюда приедет инспектор Цубои со своей командой. И тогда мне точно не удастся ничего выяснить. Не найдя меня дома, Цубои поймет, что я поехал именно сюда».

В банке он подошел к сотруднику, отвечавшему за прием посетителей. Поклонившись, Дронго сказал, что хочет видеть господина Мицуо Мори, чем поверг сотрудника банка в изумление.

— Извините, — вежливо осведомился тот, — но вам назначено?

— Нет, — ответил Дронго. Хорошо, что в крупных банках все говорят по-английски. — Мне не назначено. Скажите ему, что близкий друг сэнсэя Кодзи Симуры хочет с ним поговорить.

— Как вы сказали? — спросил сотрудник банка, услышав имя младшего брата президента банка.

— Скажите, что я приехал сюда по приглашению сэнсэя Кодзи Симуры.

В этой стране магическое имя открывало любые запоры. Здесь не принято было врать, разоблаченному грозил позор, а это было как потеря лица, чего японцы более всего опасались.

Сотрудник возился невыносимо долго. Дронго все время смотрел на улицу. Но пока здесь не было ни полицейских, ни возможных убийц. «Если Мори убит или его нет, то мне придется отсюда уйти», — подумал Дронго.

— Он на совещании, — наконец сказал сотрудник банка. — Вы будете ждать или придете попозже?

— Мне нужно срочно с ним увидеться. — Дронго с трудом сдерживал себя. — Скажите господину

Мори, что речь идет о покушении на президента Симуру.

— Он на совещании, — растерянно повторил сотрудник. Затем взглянул на Дронго и кивнул. — Хорошо. Поднимитесь на четырнадцатый этаж. Вас встретит секретарь господина Мори. У вас есть документы?

«Хорошо, что я повсюду вожу с собой два паспорта», — подумал Дронго. Один паспорт забрал прокурор Хасэгава, но второй был у него. Правда, в этом паспорте не было японской визы, но сотрудник банка не обратил на это внимания. Он удручающе медленно оформил пропуск, вводя данные Дронго в компьютер. И наконец выдал пропуск, разрешая посетителю пройти в банк.

На четырнадцатом этаже Дронго встретила молодая женщина. Она была в белой блузке и в синей юбке. Любезно улыбаясь, она провела Дронго в комнату для посетителей и попросила подождать. Но тот упрямо мотнул головой.

— Мне нужно срочно видеть господина Мори, — сказал Дронго, немного повышая голос.

— Он на совещании, — вежливо ответила секретарь. — Вам принести кофе или чай?

— Мне нужен господин Мори, — еще раз сказал Дронго, — это очень важно. Дело касается покушения на жизнь вашего президента Симуры. Поймите, каждая минута на счету.

Секретарь взглянула на него. Услышав имя Симуры, она заколебалась.

— Быстрее, — попросил Дронго, — быстрее.

Она повернулась и вышла из комнаты. Ожидание становилось невыносимым. «Тело Тамакити, наверно, уже нашли, — подумал Дронго. — Пока сообщат в полицию, пока поймут, что там произошло. Пока свяжутся с Цубои. Все равно уже прошло много времени». Если сюда приедет полиция, он не успеет поговорить с Мори. Ему обязательно нужно еще раз поговорить с этим человеком. Хотя бы пять минут.

Секретарь наконец появилась.

— Господин Мори ждет вас, — сообщила она, и он выскочил из комнаты, едва не сбив женщину. Он пробежал до кабинета начальника управления и, открыв дверь, ворвался в комнату. Здесь было царство технополиса. Мори сидел за компьютером в кожаном кресле.

«Технократ чертов, — зло подумал Дронго. — Он даже не подозревает, что произошло. И телефон свой отключил».

— Что случилось? — спросил Мори. Он кивнул Дронго как старому знакомому. Этот американизировавшийся японец улыбнулся, продолжая работать на компьютере.

Дронго закрыл дверь и подошел к нему.

— Убит Тамакити, — сказал он, нависая над столом.

— Что? — оторвался наконец от своего компьютера Мори. — Что вы такое сказали? Как это убит?

— Его убили после того, как он поговорил с вами по мобильному телефону, — сообщил Дронго. — Кто-то слушает ваши разговоры. Или его разговоры, что гораздо вернее. Вы сказали ему, что в Осаке воспользовались кодом Кавамуры Сато. Правильно?

— Да, — кивнул Мори, — я просмотрел номер кода. Это личный код Сато.

— И вы сообщили об этом Сиро Тамакити. Через полчаса его убили. Кавамура Сато не мог воспользоваться своим кодом. Вчера утром он вылетел из Осаки в Токио и не мог работать на компьютере.

— Как это вылетел? — не понял Мори. — Это был номер его кода.

— Нет, — возразил Дронго, — Сато не мог воспользоваться своим кодом. Он летел в Токио на прием. Кто-то другой в Осаке воспользовался его кодом. Другой человек, с которым говорила Сэцуко. Мне нужно знать, кто именно в Осаке мог воспользоваться его кодом.

— Этого не может быть. — Мори заработал на компьютере, нахмурившись и глядя на появлявшиеся перед ним цифры. Через некоторое время он поднял голову. — Я сказал точно. Это был код Кавамуры Сато.

— Проверьте еще раз, — попросил Дронго, — кто мог знать его код. И кто мог им воспользоваться.

Пальцы Мори забегали по клавишам компьютера. На этот раз он довольно быстро сказал:

— Никто. Это был личный код и пароль Кавамуры Сато. Никто не мог о нем знать. Никто.

В этот момент зазвонил телефон, стоявший рядом с ним. Он поднял трубку. Выслушал сообщение и посмотрел на Дронго.

— Вас ищет полиция, — сказал он, закрывая трубку, — они уже знают, что вы у меня. Им сообщили, что выдали вам пропуск для встречи со мной. Если хотите уйти, уходите сейчас. Я постараюсь проверить все еще раз. Позвоните мне вечером вот на этот телефон. — Он быстро написал номер телефона и протянул его Дронго. — В другом конце коридора есть служебный лифт. Вы можете спуститься в гараж и выйти оттуда. Только быстрее, сейчас полиция будет здесь.

Дронго взял бумажку и выбежал в коридор. В конце коридора была кабина лифта. Он поспешил туда. Уже входя в кабину, он увидел, как в другом конце коридора появились сотрудники полиции. Спустившись в гараж, Дронго вышел из лифта, намереваясь идти к выходу. И в этот момент услышал, как рядом тормозит автомобиль. Дронго инстинктивно пригнулся. Но это был автомобиль, выезжавший из гаража. Дронго поспешил прочь. Он уже видел перед собой выход, когда за спиной опять раздался скрежет автомобиля. На этот раз Дронго скорее машинально, чем из опасения быть обнаруженным, пригнулся. И в этот момент раздались выстрелы. Вернее, хлопки выстрелов, которые он умел отличать от всех других шумов. Дронго упал на пол, перекатился. Посмотрел вверх. В колонну рядом с ним попали две пули.

Машина затормозила недалеко от него. Из нее вышли двое мужчин. Он видел их обувь. Они шли к нему, внимательно осматривая все вокруг. Это, очевидно, были убийцы Сиро Тамакити.

В такой момент трудно себя контролировать. Хочется броситься на мерзавца и размозжить ему голову. Но подняться означает подставиться под выстрелы убийц. У них в руках пистолеты, а Дронго безоружен. В кино это выглядит куда красивее. Он прыгает на одного, ногой ударяет второго и пристреливает обоих, перед этим узнав, кто их послал. Но в жизни получается по-другому. Если он сейчас поднимет голову, его сразу обнаружат и пристрелят. И никакие героические жесты ему не помогут. Убийцы подходили все ближе.

Он пощупал свои карманы. Ничего особенного. На нем обычный ремень. В карманах деньги, пропуск, второй паспорт. У него нет даже перочинного ножика. Значит, остается лежать и ждать, пока убийцы подойдут и прикончат его. Интересно, откуда они знают, что он должен быть в гараже? Неужели Мори действительно предатель? Но почему тогда он сообщил о коде Кавамуры Сато и дал свой телефон? От этих мыслей можно сойти с ума. Дронго начал расстегивать ремень, стараясь не шуметь. Другого выхода у него нет. Нужно попытаться что-то сделать, иначе его пристрелят. Сейчас даже старший инспектор Цубои кажется благодетелем. Он наконец вытянул ремень и осторожно свернул. Сейчас все зависит от его ловкости. Он чуть приподнял голову. Отсюда трудно увидеть, на какой машине они приехали. Он видит лишь обувь убийц. У одного темно-бордовые туфли на застежке. Дронго поднял руку и изо всех сил метнул ремень в сторону. Оба преследователя повернулись туда, где раздался шум. Секунды достаточно. Он поднялся и побежал в другую сторону, прячась за машинами. Дронго еще услышал несколько выстрелов за спиной. Одна пуля попала в машину.

Он подбежал к кабине лифта. Если окажется, что он просчитался и кабины здесь нет, его пристрелят через секунду. Но в это время пунктуальные японцы не пользуются служебным лифтом, который работает для тех, кто хочет спуститься в гараж. Дронго нажал кнопку вызова, оборачиваясь на спешивших преступников. Одного он успел разглядеть. Высокий амбал с жестоким выражением лица. Створки кабины раскрылись, и Дронго, ворвавшись в лифт, нажал первую попавшуюся кнопку.

Створки кабины закрылись до того, как убийцы подбежали к лифту. Кабина начала подниматься наверх. Он не заметил, какую именно кнопку нажал. Наконец кабина лифта остановилась на одиннадцатом этаже, и он вышел в коридор. Здесь были кабинеты. Надписи на японском языке. Он двинулся по коридору, осторожно прислушиваясь к различным шумам. Сзади могли появиться убийцы, впереди сотрудники полиции. Он сделал еще несколько шагов и неожиданно увидел Фумико, появившуюся в коридоре. Она была в темном костюме — в стильной юбке, доходившей до колен, в пиджаке с узкими лацканами, — в полосатой блузке, две верхние пуговицы которой были расстегнуты.

«Кажется, мне повезло», — подумал Дронго. И в этот момент Фумико увидела его. Она удивленно подняла брови, потом нахмурилась. Неужели она не остановится, пройдет мимо? Нет. Остановилась.

— Что ты здесь делаешь? — спросила она тяжело дышавшего Дронго. — У тебя такой вид...

— За мной гонятся, — сказал он. — За мной гонятся убийцы, и меня ищут полицейские. Убит Сиро Тамакити.

Она действительно была сильной женщиной. Ни секунды размышления, ни мгновения колебаний. Она схватила его за руку. Вчерашний инцидент в отеле был забыт. Она буквально потащила его по коридору и, открыв дверь, втолкнула в одну из комнат. Затем вошла сама и закрыла дверь на ключ. Повернулась к Дронго.

— А теперь расскажи мне, что произошло, — потребовала она.

Глава 18

Он сел на стул. Женщина стояла у двери. Дронго вздохнул.

— Убит Сиро, — повторил он. — И, мне кажется, я отчасти виноват в его смерти.

— Как это произошло? — спросила она.

— Он должен был ждать меня на другой улице, за домом Симуры. Но когда я там появился, он был уже убит. Кто-то подошел к его автомобилю и выстрелил в него трижды. И я, кажется, видел его убийц.

— Но почему? Кому он мог помешать?

— Не знаю. Я сам ничего не понимаю. Я приехал к Мицуо Мори, чтобы узнать, о чем они говорили с Тамакити. Перед смертью тот разговаривал с ним. А когда я вошел к Мори, оказалось, что меня уже ищет полиция. И он предложил мне воспользоваться служебным лифтом. Я спустился в гараж. А там меня уже ждали убийцы.

— Мицуо не мог тебя предать, — сразу сказала она. — Он не такой человек.

Дронго вспомнил уверенные руки Мори, его длинные пальцы и лошадиные зубы. Мрачно посмотрел на стоявшую перед ним женщину.

— Может быть, — согласился он, — но убийцы меня ждали. И я чудом спасся. Ты можешь выйти отсюда и сообщить, где я нахожусь. Меня заберут полицейские, а ты получишь их благодарность.

Она прищурила глаза. Подошла к нему ближе. Он поднял голову.

— Знаешь, почему я тебя не ударила? — спросила Фумико. — Потому что тебе и так плохо. Зачем ты разговариваешь со мной в подобном тоне?

— Извини, — пробормотал Дронго, — мне на самом деле плохо. И не смотри на меня сверху. Я не люблю, когда наблюдают за моей лысиной.

— Купи парик, — улыбнулась она, — или пересади волосы с затылка. Сейчас, говорят, это помогает.

— Может, еще поставить силиконовые груди? — невесело пошутил Дронго. — У меня пока нет комплексов. Просто я чувствую себя неловко. В таком виде и в такой одежде рядом с тобой. Будто я пришел починить твой сортир. Чувствую себя каким-то отщепенцем.

— Зато от тебя пахнет твоим «Фаренгейтом», — засмеялась Фумико. — Правда, одежда действительно не твоя. Я обратила внимание на твои галстуки и костюмы, когда была у тебя в номере.

— И ты могла поверить Цубои? Думаешь, я действительно провел ночь с Сэцуко?

— Нет. Я знаю, что не провел. Просто мне не понравилось, как ты отвечал. Ты колебался, думал о чем-то своем. Вот я и взбесилась.

— Не завидую твоему будущему мужу, — пробормотал Дронго. — Ты мало похожа на японку, скорее на американку.

— Я думала, это комплимент.

— Ненавижу американских феминисток. Знаешь известный анекдот про рай и ад на земле? Так вот. Рай — это японская жена, американская зарплата, английский дом и китайский повар. А ад соответственно — американская жена, китайская зарплата, японский дом и английский повар.

Она начала беззвучно смеяться. Анекдот ей понравился.

— Насчет английских поваров я согласна, — смеясь, произнесла она, — а насчет японцев не совсем.

Он поднялся и подошел к окну. Посмотрел вниз.

— Что думаешь делать? — спросила она за его спиной.

— Мне нужно где-нибудь спрятаться до вечера, — сказал он, не оборачиваясь. — Вечером я должен получить новые сведения. Я могу переждать здесь?

— Нет, — услышал он ее ответ и обернулся. — Здесь нельзя оставаться, — объяснила Фумико, — сюда придут уборщицы и охранники. Наша система безопасности функционирует таким образом, что охранники зафиксируют тепловое излучение в этом кабинете. Это была идея Вадати. Здесь невозможно спрятаться. Через несколько часов, когда все уйдут, тебя обнаружат.

— Ясно, — он держал свою дурацкую шапочку в руке, — тогда пойду искать другое убежище.

— Подожди, — она остановила его, схватив за

руку. — Извини, — она убрала руку, — не уходи. Я думаю, что могу тебе помочь. Может быть, вчера я действительно вела себя не слишком сдержанно. Ты должен был понять мое состояние. Мне не приходилось показываться раздетой перед полицейскими, которые на меня пялились. Меня впервые в жизни застали в такой обстановке.

— Понимаю, — кивнул Дронго, — значит, мы оба были не правы.

— Я подгоню свой «БМВ» к кабине лифта, и ты сядешь в машину, — предложила Фумико. — Я увезу тебя туда, где тебя не найдут.

— А если убийцы еще внизу? В таком случае я подвергаю тебя ненужному риску. Так нельзя. Лучше я сдамся полиции. В конце концов, Цубои произвел на меня впечатление благоразумного человека.

— Ты же сказал, что тебе нужно подождать до вечера. Почему ты боишься спуститься в гараж?

— Там могут быть убийцы. И у них есть оружие, а я безоружен.

— Ну, это как раз не проблема, — улыбнулась она. — У меня в кабинете есть небольшой дамский пистолет. Подарок одной оружейной фирмы. Он, правда, шестизарядный, и я из него никогда не стреляла. Но он у меня есть. И патроны есть. Если подождешь, я его принесу. Только я тебя запру, чтобы ты не убежал.

Он улыбнулся в ответ. Она вышла из комнаты, забрав с собой ключи. Она действительно заперла дверь и пошла по коридору к лифту. Очевидно, ее кабинет был на одном этаже с кабинетами руководителей банка. Он снова подошел к окну. Внизу стояли две машины полиции.

«Надеюсь, они не сообщат Кодзи Симуре о гибели его помощника, — подумал Дронго, — иначе старику станет совсем плохо».

Ему пришлось ждать минут пять, наконец появилась Фумико. Она открыла дверь и торжествующе протянула ему оружие.

— Из него ни разу не стреляли, — сказала она.

Дронго осмотрел пистолет. Вставил патроны. Теперь он чувствовал себя гораздо спокойнее. Прокурор Хасэгава даже не подозревал, насколько он был прав, когда говорил об умении Дронго владеть оружием. Много лет назад Дронго даже принимал участие в международных соревнованиях.

Однажды в Москве он встретился с бывшим полковником милиции Владиславом Швецовым, который тоже занимался стрельбой из пистолета. Швецов, смеясь, рассказывал о своих многочасовых тренировках, когда в основном приходилось сгибать указательный палец правой руки. Полковник не стал продолжать свои занятия, получив звание мастера спорта. Но зато научился стрелять, как стреляют ковбои, навскидку. Дронго также не стал совершенствоваться в этом мастерстве, но научился стрелять, практически не целясь.

Проверив оружие, Дронго взглянул на Фумико.

— Когда мне спуститься вниз? — спросил он.

— Ровно через две минуты, — ответила она, — я подгоню свою машину. Только постарайся не стрелять. Будет лучше, если мы уедем тихо.

— Нет, — неожиданно решил Дронго, — мы спустимся вместе. Я не хочу терять и тебя.

Она посмотрела на него и ничего не сказала. Они вместе вышли в коридор. Проходивший мимо сотрудник поклонился Фумико, и она ответила кивком головы. Они дошли до служебного лифта, и Дронго вызвал кабину, стараясь не смотреть на Фумико. Когда они вошли в кабину лифта, он нажал на нижнюю кнопку и обернулся к ней.

— Странно, — сказала она, — все мужчины одинаковы. Как только вы добиваетесь женщины, сразу теряете к ней интерес. Или мне так кажется?

— Тебе так кажется.

В кабине было много места, но они стояли близко друг к другу. И он чувствовал волнующий аромат ее парфюма, смешанный с неповторимым запахом ее волос. Он даже чуть отстранился, испугавшись своих чувств. Створки кабины могли открыться в любой момент, и ему стало бы не до Фумико.

Но она неожиданно потянула его за куртку. И поцеловала его так, словно была мужчиной, не давая ему уклониться от этого темпераментного захвата. Кабина лифта наконец остановилась, и они отодвинулись друг от друга. Он придержал ее рукой, не позволяя ей выходить из лифта первой. Достал пистолет. На дальние расстояния такое оружие не годится, но в ближнем бою очень может помочь. В гараже было тихо. Он так и полагал. Убийцы наверняка ищут его в банке. Интересно, как они смогли попасть в банк? Им тоже выписали пропуска? И чем тогда занимается управление Удзавы, который так любил покойного Вадати? При последнем здесь наверняка не было такого бардака. Дронго выглянул в гараж. Все тихо. И все-таки нужно быть осторожнее. Хотя убийцы не станут ждать его в гараже. Им не придет в голову, что он может решиться на вторую попытку. Но как они вошли в банк?

Он вышел из лифта, Фумико следом за ним. Она огляделась и пошла к своему автомобилю. Он шел за ней, внимательно осматриваясь по сторонам, готовый к любой неожиданности. Но пока все было спокойно. Неожиданно где-то раздался громкий мужской голос, и Дронго инстинктивно шагнул вперед, прикрывая Фумико. Но это был всего лишь сотрудник банка, выходивший с женщиной из другой кабины лифта. Дронго быстро убрал пистолет, стараясь не обращать внимания на короткий смешок Фумико.

Они дошли до ее машины, и он сел на заднее сиденье. Она закрыла дверцу и села за руль. Автомобиль мягко выехал из гаража. Полицейские, стоявшие на улице, лишь проводили машину взглядом. Через некоторое время она остановила автомобиль,

Дронго перебрался на переднее сиденье. Машина, набирая скорость, помчалась за город.

— Куда мы едем? — спросил Дронго.

— В японский дом, — улыбнулась Фумико, — хочу доказать тебе, что японский дом не такая плохая вещь. Мы едем в Никко, там у моего отца есть дом. Настоящий японский дом. Не беспокойся, его сейчас нет. А там нас никто не посмеет беспокоить.

— Никогда не был в Никко, — признался Дронго. — Говорят, там очень красиво.

— У нас говорят, чтобы узнать Японию, нужно подняться на Фудзияму и увидеть Никко. Там находится храм Тосёгу. Японская пословица гласит: «Кто не был в Никко, не знает, что такое подлинная красота». Лучше всего ездить туда осенью, вокруг цветут огненные клены.

— Я был в Токио только раз, — сказал Дронго, — одиннадцать лет назад. Тогда мы прибыли на корабле, на котором насчитывалось четыреста человек. Три четверти из них были женщины. Такой был необычный рейс сторонников мира. Нас тогда возили даже в токийский Диснейленд. Но мне было интересно самому посмотреть Токио. Со мной тогда поехала в город одна молодая девушка из российского города Самары. Кажется, ее звали Ольгой. Мы объездили с ней весь город, это было так интересно.

— У тебя все воспоминания связаны с женщинами, — сказала Фумико.

— Мы просто вместе ездили по городу, и больше ничего не было. Она была очень интересным человеком. Это было давно, еще в прошлой жизни.

— Ты иногда употребляешь это выражение, — сказала Фумико, — «прошлая жизнь». Что значит «прошлая жизнь»? У тебя было две жизни?

— Да. В прошлой жизни я был молодым человеком, наивно верившим в свою страну и в идеалы, которые я защищал. Там все было совсем по-другому. Тогда я был отчаянным холериком и немного сангвиником. А в этой жизни я стал меланхоликом.

— Не похоже, — улыбнулась она, — мне кажется, ты остался холериком и немного сангвиником.

— Это я притворяюсь, — рассмеялся Дронго.

Он смотрел на ее руки, на ее тонкие красивые пальцы. Почему-то опять вспомнил Мори. Прямо наваждение какое-то. Дронго покачал головой, отгоняя его образ. Нащупал в кармане бумажку с его телефоном. Глупо таскать ее с собой. Нужно было сразу запомнить и уничтожить. Но у него не было времени. Дронго достал бумажку и запомнил номер, после чего разорвал ее в клочья.

До места они добирались около трех часов. Где-то в середине пути он спросил у Фумико:

— Ты не устала? Я не очень хорошо вожу машину, но на ваших трассах смогу. Если хочешь, я тебя сменю.

— Нет, — улыбнулась Фумико, — на Бонда ты явно не тянешь. Он как раз водил машину очень хорошо.

— Одну серию снимали в Японии. Сколько тебе тогда было лет?

— Меня не было на свете, — сделала удивленные глаза Фумико. — Разве ты не знаешь, сколько мне лет? Этот фильм снимали еще в шестидесятые годы.

Они добрались до Никко в четвертом часу дня. Здесь действительно было очень красиво. А храм Тосёгу, о котором говорила Фумико, с его резными фигурами и украшениями, был подлинным шедевром зодчества. Попутно Дронго узнал, что «Никко» в переводе с японского означает — солнечный блеск. Правда, в Никко весенняя погода давала о себе знать. Он был в легкой куртке и основательно продрог на холодном, пронизывающем ветру.

Посмотрев храм, они поехали назад в сторону Токио и где-то на двадцатом километре свернули в сторону. Здесь была большая охраняемая зона, состоящая из разделенных на неровные лоскутки кусков земли. На каждом участке, огороженном символическим забором из живописной зелени, стояли японские дома. Дронго улыбнулся. Это были дома, какие он видел только в кино. У одного из таких домов Фумико остановилась.

— Здесь очень дорогая земля, — сказала она, показывая на домики, стоявшие в разных местах. — Пойдем.

У входа она сняла обувь. Появившаяся женщина приветствовала их глубоким поклоном. Фумико что-то сказала ей по-японски, и женщина удалилась.

— Я попросила ее подготовить нашу баню «фуро», чтобы ты мог согреться, — пояснила Фумико. — А потом мы с тобой будем пить чай. Я приглашаю тебя на нашу чайную церемонию.

Она показала на небольшой чайный павильон, стоявший рядом с домом. Дронго поклонился в ответ.

— Очень хорошо, — сказал он. — Мне всегда хотелось увидеть вашу чайную церемонию. И побывать в настоящем японском доме.

— Ты сказал, что пришел к Мори, — вспомнила Фумико. — Откуда ты его знаешь? Он ведь не был на приеме. Он вообще не ходит на наши приемы.

— Мы с ним познакомились вчера вечером, — пояснил Дронго. Он снял обувь, проходя в глубь дома.

— Раздвижные наружные двери в японском доме называются фусума, — пояснила Фумико, показывая на двери. — Они изготовлены из более плотной бумаги, а внутренние перегородки называются сёдзи.

— Значит, у вас наружные двери отличаются от внутренних, — усмехнулся Дронго. — Хотя они такие легкие, что я не понимаю, как вы живете зимой. Между прочим, мы простудимся, если будем ходить в одних носках.

— Не простудимся, — сказала Фумико, — не волнуйся. Тебе понравился Мицуо?

— Да, — честно ответил Дронго, — мы вчера с ним выпили. Кроме того, он нам очень помог.

— Чем он мог тебе помочь? — поинтересовалась она. Очевидно, ее действительно волновал этот вопрос.

— Он открыл мне доступ к вашим закрытым файлам. Мне нужна была информация по всем руководителям банка.

Она замерла. Взглянула на него, нахмурилась. Потом тряхнула головой.

— По всем? — Ему не понравился ее голос.

— Да, — кивнул Дронго, — а почему ты спрашиваешь?

— Это программа Вадати, — строго сказала она. — Ты читал данные и про меня?

— Да, — он понял, что ее волновало. Их отношения с Мори. Наверняка она знает, что эти отношения зафиксированы на сайте, подготовленном погибшим Вадати.

— Тогда ты все знаешь, — сказала она, глядя ему в глаза. — Почему ты не сказал мне об этом раньше?

Он вздохнул. Кажется, пора привыкать к подобной жизни. Наверно, труднее всего женатым мужчинам, подумал Дронго. Если жена считает, что у нее есть все права на своего мужа, то это очень печально. К счастью, Джил не такая.

— Я не считал нужным об этом говорить, — от-

9 – 3065

ветил Дронго, — твоя личная жизнь не должна меня интересовать. Я читал материалы, нужные мне для расследования, и случайно прочел о ваших встречах с Мицуо, если это ты имеешь в виду.

Она, ни слова не говоря, прошла в какую-то дальнюю комнату. Он хотел пройти следом, но она показала в другую сторону.

— Там ты можешь переодеться, — сказала она, глядя ему в глаза, — только сними с себя все. Для тебя приготовлен юката — это домашнее кимоно, в котором ты можешь пройти в баню.

Он послушался Фумико. Раздвижные бумажные двери вызывали у него досаду, смешанную с недоумением. Как можно жить в подобных домах? Правда, на полу есть какие-то матрасы, но без парового отопления и без электричества эти дома похожи на нелепые декорации. Ему и так холодно, а она советует ему надеть это короткое кимоно. Дронго раздевался, чувствуя, как начинает зябнуть. Пистолет лучше взять с собой, а нижнее белье не снимать, иначе он просто окоченеет. Он надел кимоно, заканчивающееся ниже колен, и вышел в другую комнату. Хотя какие здесь комнаты, подумал он. Порви бумагу и пройди дальше. Его уже ждала Фумико. Она была в таком же кимоно.

— Мы идем в нашу баню, — торжественно сказала она.

— Подожди, — остановил ее Дронго, — я слышал, у вас купаются в бочке. Сначала мужчина, а потом все члены семьи. Так называемая баня «фуро». Это действительно так?

— Бочки не будет, — улыбнулась Фумико. — Иди за мной. Когда будем выходить, можешь надеть обувь, которую нам оставили перед домом. Это варадзи, специальная обувь из соломы.

— Я получу воспаление легких, — пробормотал Дронго, выходя из дома. Нужно было оставить носки, с неудовольствием подумал он.

Они прошли к небольшому строению, стоявшему в стороне от дома. Фумико вошла первой, он следом за ней. Там уже стояла женщина, которую он видел. В небольшом помещении клубился пар. Женщина поклонилась и вышла. Фумико подошла к выложенному из камней небольшому бассейну. Над ним поднимались клубы пара. Дронго посмотрел на воду.

«Неужели вода кипит?» — с испугом подумал он.

Фумико обернулась на него. И улыбнулась.

— Это для тебя, — показала она на каменный бассейн с кипящей водой.

«Она, наверно, не знает сказки об Иване-царевиче, — неожиданно вспомнил Дронго, — там царя сварили в кипятке. Может, она меня тоже хочет сварить в кипятке?»

Он подошел к бассейну, опутил туда палец и тут же убрал руку. Вода была не просто горячей, это был действительно настоящий кипяток.

— Как здесь купаются? — спросил Дронго, взглянув на Фумико. — Здесь же можно свариться.

— Старики любили купаться в кипящей воде, — загадочно ответила она. — Когда под бочкой разводили огонь.

— К счастью, я не старик, — пробормотал он, — и я не люблю купаться в кипящей воде. Хотя мне нравится горячий душ... Что ты делаешь?

Фумико подошла к каменному бассейну и сбросила с себя кимоно. Под ним ничего не было. Дронго немного смущали некоторые вещи, например, совместное купание в сауне мужчин и женщин. Такая процедура казалась ему нарочито вызывающей. Но здесь больше никого не было. Он посмотрел на ее грудь, на ровные линии ее прекрасного, словно отполированного тела.

«Неужели она полезет в эту кипящую ванну?» — содрогнулся он от одной этой мысли.

Молодая женщина улыбнулась и, встав на скамью, опустила в воду ногу.

— Не нужно экспериментов, — закричал Дронго. — Я верю, что вы так купаетесь. Но не нужно лезть в такой кипяток. Ты себе все обожжешь. Подожди...

Она неожиданно легко соскользнула в этот бассейн. От ужаса он чуть не зажмурился. И обнаружил, что сжимает в потной руке пистолет. Над каменным бассейном показалась ее голова в клубах пара.

— Иди сюда, — позвала его Фумико.

— Знаешь, Фумико — осторожно сказал Дронго, — ты насмотрелась американских фильмов, которые крутят по каналам твоего отца. Это в Калифорнии, где все время лето и стоит мягкая погода, можно купаться в прохладных бассейнах, одновременно занимаясь сексом. Голливудские актеры делают это в каждом фильме. Не спорю, это приятно. Но в суровом японском климате принимать ванну из крутого кипятка и при этом быть рядом с красивой женщиной очень непросто. Ты знаешь, я могу обжечь себе все конечности. И не буду больше годен на что-либо подобное.

— Иди сюда, — снова сказала она, показывая на термометр, торчавший из воды, — здесь не так горячо. Только шестьдесят четыре градуса. Некоторые выдерживают гораздо больше.

— Только, — пробормотал он, — ничего себе только. Я сварюсь в этом кипятке. Неужели мне обязательно лезть в этот бассейн?

— Обязательно, — кивнула она.

— Никогда больше не приеду в эту страну, — прошептал Дронго. Он снял кимоно, стащил с себя майку, оставшись в одних трусах, и подошел к каменному бассейну, забрался на полку.

— Нет, — сказала Фумико, — снимай все.

— Ни за что на свете, — заорал он в ответ, — это уже пытка. Ты хочешь, чтобы я обжегся? Я не смогу.

— Ладно, — кивнула она, — влезай так.

Черт побери, подумал Дронго. Она его не предупредила, что будет такая вода. С другой стороны, она права. Он ведь должен будет выйти отсюда. Куда он сможет уйти в мокрых трусах? В бумажный японский дом, в котором он замерзнет? Придется раздеваться. Чертыхаясь, он слез с этой каменной полки, снял с себя трусы. Она следила за ним с улыбкой. Он снова поднялся на полку, служившую некой подставкой для принимающих эту своеобразную ванну.

Он дотронулся до воды. Какой ужас. Конечно, он любит горячий душ. Но душ, а не каменный бассейн с кипящей водой. Осторожно опуская ногу, он чуть не закричал. Затем опустил вторую ногу. Вода была нестерпимо горячей.

— Смелее, — подбадривала его женщина.

«Интересно, беременные женщины тоже принимают ванну из такого кипятка? — почему-то подумал Дронго. — Как можно в здравом уме залезать в такую воду?»

Она помахала ему рукой. Нет, он не сможет влезть в эту воду. Лучше встать под душ и уйти отсюда, чем предпринимать заведомо неудачную попытку. Он просто не выдержит такой температуры.

— Я не могу, — упрямо сказал он, — для меня слишком горячо.

— Ты боишься? — засмеялась она.

Он махнул рукой и повернулся, пытаясь вылезти. Пусть думает что хочет. Неожиданно он потерял равновесие и соскользнул в горячий бассейн. Вода обожгла его, и он закричал, чуть не задохнувшись в этом кипятке. Затем тело начало привыкать. Целую минуту он стоял не двигаясь. Через некоторое время он уже чувствовал, как прогревается все тело до костей. Целебные свойства такой бани были известны многим поколениям японцев. Он подошел к Фумико, сделав несколько неуверенных шагов. Вода в бассейне была ему по грудь. Она улыбнулась, протягивая руки.

— Нет, нет, — попросил он, отступая, — только не дотрагивайся до меня. Я не могу думать ни о чем в такой горячей воде.

Она рассмеялась и повернулась к нему спиной. Он подумал, что сказал неправду. Даже в такой горячей воде он мог любоваться ее красивым лицом, находившимся над водой, и смутно видневшимся телом.

Они пробыли в воде минут пятнадцать. После чего приняли душ и вытерлись большими суровыми полотенцами. Закончив этот обряд, они снова надели свои кимоно и вернулись в дом. На этот раз ему не было холодно, даже когда он шел по двору.

В одной из комнат были приготовлены небольшие плоские подушки для сидения, называемые дзабутон. Женщина принесла им разноцветные матерчатые носки, которые они надели на ноги и которые Фумико называла таби. Потом поставила в комнату хибати — небольшую жаровню для обогрева.

С этой жаровней здесь неплохо, отметил Дронго, чувствуя истому в теле. Они отдыхали так не более десяти минут. Затем женщина снова куда-то их пригласила.

«Надеюсь, на этот раз не будет экспериментов, — подумал Дронго, — в виде ледяного бассейна, например. Хотя Фумико совсем не похожа на «моржа».

Женщина первой вышла из дома и направилась к строению, стоявшему в глубине сада. Это был небольшой чайный павильон. Здесь было всего две комнаты. Одна для приема гостей и другая, называемая мидзуя. В ней мыли чайную утварь и готовили чай. Перед тем как начать известную чайную церемонию, женщина принесла им жаровню, называемую котацу. Это была домашняя жаровня, накрытая одеялом. Вся семья обычно просовывала ноги под такое одеяло в короткие зимние дни, согреваясь столь необычным способом. Дронго просунул ноги и коснулся прохладных пяток Фумико.

Следующие полчаса Дронго пил чай и наслаждался теплом котацу. Особую прелесть этой церемонии придавали ноги Фумико, которые он все время чувствовал рядом с собой. Она глядела на него и улыбалась. Когда им в очередной раз подали плоские чашечки с чаем, похожие на узбекские пиалы, он не выдержал.

— Чему ты все время улыбаешься? — спросил Дронго.

— Ты знаешь, как называется наша чайная церемония? — ответила она вопросом на вопрос.

— Просто чайная церемония, — буркнул Дронго. — Хотя у вас, наверно, она тоже называется как-то особенно. Должен признаться, ваша баня, эти жаровни и чай очень благотворно на меня подействовали. А как у вас называется эта церемония?

— Чайный обряд в Японии называется «ваби-саби», — пояснила Фумико, — и переводятся эти слова: «печальная прелесть обыденного».

Дронго замер. Не обязательно быть поэтом, чтобы почувствовать музыку этих слов. «Печальная прелесть обыденного», как красиво, подумал Дронго. Может быть, так можно назвать и нашу жизнь. Обыденность самой жизни, заключенная в ее уникальности и всегда смешанная с печалью, так как мы осознаем неотвратимость нашего ухода. Печальная прелесть обыденного. Мне нужно остаться здесь на годы, чтобы хотя бы попытаться понять этих людей. Их уникальную эстетику. Мудрость. Любовь к поэтическим образам. Их своеобразное мужество. Этику их отношений. Как странно мы себя ведем, отвергая все, что не можем понять.

— Ты была права, — сказал он. — Я начинаю находить удовольствие в ваших традициях, Фумико. Насчет японского дома беру свои слова обратно. Это самый теплый дом, какой может быть в вашем холодном климате. Теперь я это знаю.

Глава 19

Часы показывали уже половину седьмого, когда они вернулись в дом. Чайная церемония была закончена. Дронго подумал, что теперь ему не страшны никакие весенние ветры. В комнате стояла жаровня, она показалась ему даже лишней. После горячей бани и чайной церемонии он был так размягчен, что ему хотелось спать. Но необходимо было еще позвонить Мицуо Мори. Он вспомнил о погибшем Тамакити. Звонить с телефона Фумико опасно. Но здесь нет другого телефона. Если Мори понял все правильно, он дал номер, который наверняка не прослушивается. Нужно решаться, потом будет поздно.

— Ты можешь одолжить мне свой мобильный телефон? — спросил Дронго. — Но с одним условием. Как только я поговорю, мы его отключим, чтобы никто не мог определить, где мы находимся. Хотя сейчас можно определить, где находится владелец телефона, даже если он отключен.

— Тогда не обязательно говорить по моему телефону, — улыбнулась Фумико. — Это хоть и японский дом, но здесь есть телефон.

Легко поднявшись, она прошла в другую комнату и вскоре вернулась с телефоном в руках. Дронго набрал номер и напряженно ждал ответа. И услышал, как что-то говорят по-японски.

— Что это? — спросил он, передавая трубку Фумико.

Она переспросила, и мягкая улыбка тронула ее губы.

— Он в баре отеля «Такара», — пояснила Фумико. — Это его любимое место. Если хочешь, я позову его к телефону.

— Да, — попросил Дронго, — позови, если можно.

Она попросила позвать господина Мори. Через несколько секунд, когда раздался его голос, она торопливо сунула трубку Дронго.

— Алло, — сказал Дронго, чувствуя, как немного нервничает, — добрый вечер. Вам удалось что-нибудь узнать?

— Да, — ответил Мори, — а где вы находитесь? Вас искала полиция. Говорят, в гараже кто-то стрелял. Это были вы? Или стреляли в вас?

— Это не важно, — перебил его Дронго. — Скажите, кто это?

— Новый начальник отдела в Осаке Хиробуми Акахито. Я ему уже звонил, и он признался, что воспользовался кодом Сато, чтобы проверить некоторые материалы по просьбе Сэцуко Нуматы. Он не знал, что она погибла...

— Вы ему звонили? — переспросил Дронго.

— Да, — ответил Мори, — он очень хороший парень, и я...

— Скажите, — перебил его Дронго, — кто-нибудь еще мог узнать о попытках Акахито войти в вашу закрытую систему?

— Конечно, мог. Система защиты построена таким образом, что всегда можно проверить, кто и зачем входил на наши закрытые сайты и чей код в данном случае применялся...

— Как позвонить Акахито? — спросил Дронго.

— Я не помню, — ответил Мори. — А зачем он вам? Бедный парень и так ужасно переживает смерть Сэцуко. И еще это происшествие. Он имел право воспользоваться кодом Сато как начальник отдела. Юридически он имел на это право. Хотя с точки зрения этики это было не совсем красиво. Он должен был подождать, пока получит собственный индивидуальный код. Его только недавно назначили. Но если бы вы знали, как он переживает...

— Не сомневаюсь, — сказал Дронго. — Спасибо вам за помощь... — он отключился.

— Что происходит? — спросила Фумико. — У тебя такой взволнованный вид.

— Нужно подумать, — сказал Дронго, нахмурившись. — Ты не могла бы узнать телефон некоего Хиробуми Акахито, сотрудника вашего банка в Осаке?

— Конечно, могу, — улыбнулась Фумико. — Это был друг Сэцуко. Они очень дружили, он такой хороший парень...

— Мне срочно нужен телефон этого парня, — попросил Дронго.

— Я тебе его найду. — Фумико взяла телефон и кому-то позвонила.

«Значит, пока не сходится, — подумал Дронго. — Восстановим события в прежнем порядке. Вадати вводит свои правила игры и узнает об определенных недостатках в банке. Его убирают. Затем Дронго встречается с Сэцуко Нуматой и просит ее узнать про Такахаси и Удзаву. Такахаси уже погиб, а Удзава еще жив. Сэцуко, очевидно, никому не доверяла и решила позвонить своему другу в Осаку. Тот, воспользовавшись личным кодом Кавамуры Сато, вскрыл информацию и узнал нечто такое, что передал Сэцуко. И была мгновенная реакция. Утром убили Сэцуко. Вечером застрелили Такахаси. Теперь вопросы. Что именно увидел Акахито? Что там было такого, чего не увидел Дронго? И второй вопрос. Если Акахито работает на другую сторону, то почему он еще живой?»

— Я нашла его номер, — сообщила Фумико, набирая номер Акахито.

Когда ответил молодой голос, она сказала:

— Здравствуй, Акахито, с тобой говорит госпожа Одзаки.

— Здравствуйте, — печально ответил молодой человек. — Это правда, что Сэцуко умерла?

— Правда. Нам всем очень жаль, что так произошло. Ты можешь поговорить с нашим другом? У него к тебе несколько вопросов.

— Конечно, — ответил Акахито.

— Он говорит по-английски, — добавила Фумико, протягивая трубку.

«Разумеется, говорит, — подумал Дронго. — Он ведь умеет работать с компьютерами, а там нужно хорошо знать английский язык. Даже будучи сотрудником банка в Осаке».

— Добрый вечер, господин Акахито, — вежливо начал Дронго. — Меня интересуют несколько вопросов. Это вы вскрыли закрытый сайт по просьбе Сэцуко Нуматы?

— Вы уже знаете. — Было слышно, как он тяжело вздохнул. — Я должен был получить свой доступ, но еще не имел индивидуального кода, меня только неделю назад утвердили руководителем отдела. Я понимаю, это такой проступок...

— Не нужно себя винить, — сказал Дронго. — Кто, кроме вас, знал о вашем несанкционированном доступе в систему? Кто? Ведь код вам дал Кавамура Сато?

— Мы работали с ним два года, — продолжал сокрушаться Акахито. — Он мне доверял, а я его подвел...

— Кто-нибудь еще об этом знал? Вы кому-нибудь рассказывали?

— Нет. Только господину Мицуо Мори. Он недавно позвонил. Я не думал, что так получится... я не знал...

Молодой человек готов был расплакаться.

— До свидания. — Дронго положил трубку.

— На самом деле он не сделал ничего незаконного, — объяснила ему Фумико. — Он назначен начальником отдела и должен знать пароль для входа в систему. А индивидуальный код бывает только у руководителей наших филиалов. Он имел право воспользоваться кодом Кавамуры Сато. В этом не было ничего противозаконного. Это Вадати придумал, чтобы у каждого был индивидуальный код. Поэтому молодой человек ни в чем не виноват. Он нарушил этические нормы, не дождавшись, пока ему дадут индивидуальный код. Конечно, это не преступление, но с точки зрения наших этических норм это явная нескромность.

— В вашей стране это хуже всякого преступления, — пробормотал Дронго.

— Да. И парень наверняка никому об этом не станет рассказывать.

— Но кто-то узнал об этом, — нахмурился Дронго. — Давай еще раз. Акахито воспользовался кодом Сато и посмотрел закрытую информацию. Реакция была мгновенная. Убили Сэцуко. Вечером застрелили Такахаси. Я просил посмотреть информацию по Удзаве и Такахаси. Один из двух погиб, второй жив. Неужели все-таки стрелял Удзава?

— Не может быть, — возразила Фумико, — он на такое не способен. Такахаси его очень ценил, он несколько раз при мне предлагал назначить его на место Вадати. Не может этого быть.

— Тогда кто стрелял? И кто мог так быстро вычислить Сэцуко? У вас в банке два управления, обеспечивающих безопасность. Управление информационной безопасности Мицуо Мори и управление охраны Инэдзиро Удзавы. Верно?

— Да.

— Предположим, Мори ни при чем. Тогда получается, что против него работает Удзава. Каким образом убийцы могли войти в ваш охраняемый гараж? Мне выписывали пропуск минут двадцать. Или они вошли без пропуска? Кто отвечает за охрану?

— Удзава, — кивнула она.

— Кто мог подслушивать разговоры Мори с Тамакити?

— Удзава, — снова сказала Фумико. — Но это не он. Ты ошибаешься. Он не мог стрелять в Такахаси. Это абсолютно невозможно.

Дронго нахмурился. Потом подвинул к себе телефон.

— У тебя есть номер мобильного телефона Кавамуры Сато?

— Конечно, есть, — кивнула Фумико.

— Позвони ему и узнай, разрешал ли он новому начальнику отдела пользоваться своим кодом. И если разрешал, то информировал ли его Акахито.

Она взглянула на Дронго и набрала номер. Когда ее собеседник ответил, она стала говорить с ним по-японски. Дронго терпеливо ждал. Закончив разговор, она быстро сказала:

— Да, Акахито получил согласие на вход в систему. Он позвонил господину Сато в аэропорт и получил согласие.

— Кому господин Сато рассказывал об этом? — спросил Дронго. — Кто еще об этом знает? Кто?

Она переспросила своего собеседника. Тот сообщил нечто такое, от чего она вздрогнула. Поблагодарив его, она отключила телефон. И почему-то молчала.

— Что он сказал? — спросил Дронго. — Почему ты молчишь?

— Он летел из Осаки не один, — заговорила она, — с ним летел господин Фудзиока, который проверял в Осаке филиал нашего банка. Они возвращались вместе, и Фудзиока находился рядом с господином Сато как раз в тот момент, когда позвонил телефон.

— Чем больше мы узнаем, тем меньше я понимаю, что происходит. Значит, Сато и Фудзиока летели вместе из Осаки в Токио. Это конкретный факт. Бедный Акахито ни в чем не виноват. Формально он все сделал согласно вашим правилам. Но кто-то сообщил в Токио, и Сэцуко нашли мертвой.

— Так можно подозревать кого угодно, — рассудительно сказала Фумико. — Сначала ты думал, что это Удзава, а сейчас подозреваешь Фудзиоку или Сато. Так мы ничего не узнаем. Нужно найти человека, который стрелял. И тогда мы все поймем.

— Стол был рассчитан на двенадцать человек, — напомнил Дронго. — С левой стороны от меня, спиной к окнам, сидели два человека. Такахаси на первом стуле и Удзава на пятом. Напротив меня сидел сам президент Симура, во главе стола. С правой стороны, спиной к двери, сидели вы пятеро. Первым

Фудзиоки, вторым Морияма, третьей Аяко Намэкава, четвертым Кавамура Сато, и пятой сидела ты. Удзава не мог стрелять, в этом я абсолютно убежден. В Симуру и Такахаси стреляли спереди. Удзава не мог обежать стол и выстрелить, а потом снова вернуться на свое место. Тогда остаетесь вы пятеро. Вот моя загадка, Фумико. Пять подозреваемых.

— Один из которых перед тобой, — усмехнулась Фумико.

— Да, — кивнул Дронго, — настоящий классический детектив. В закрытой комнате были убиты руководители вашего банка. Комната охранялась, и никто не мог из нее выйти. Кроме того, мы нашли оружие на полу, значит, убийца был в розовом зале, он был вместе с нами. Кто этот человек? В дешевом детективе таким убийцей должна была оказаться ты.

— Спасибо, — обиженно кивнула она. — Только я в них не стреляла. Я вообще в жизни ни в кого не стреляла. Кажется, для полноты ощущений мне не хватает только этого. И потом, почему ты включаешь в число подозреваемых Аяко Намэкаву? Она тоже не могла стрелять. Я думаю, стрелял или Кавамура Сато, или Хидэо Морияма, хотя это тоже невозможно.

— Почему не Фудзиока?

— У него дрожат руки. Об этом в банке все знают. Он даже принимает лекарства, хотя старается это скрыть. Я думаю, поэтому Симура решил предложить должность первого вице-президента Морияме, а не Фудзиоке.

— Он мог обидеться, — заметил Дронго. — В таком возрасте люди становятся особо чувствительными. Любое напоминание о его физической немощи могло быть ему неприятно. Возможно, он знал, что собирается сделать Симура, и поэтому решил таким необычным способом доказать, в какой он хорошей физической форме.

— Тогда получается, что убийца Фудзиока, но он не смог бы так быстро и ловко выстрелить.

— Два выстрела, — сказал Дронго, — не так сложно. Что касается Аяко Намэкавы, то я бы ее не исключал. Ее первый муж рассказал, как он приобщил ее к охоте. Она прекрасный стрелок, Фумико, ты об этом не знала?

— Не может быть, — растерянно сказала Фумико, — этого просто не может быть.

— Очень даже может. Она долгое время провела в Америке. Типичная феминистка, готовая отстаивать свои права даже с помощью оружия. Она узнала, что ее не хотят выдвинуть, и решила отомстить.

— Ну это слишком нереально, — улыбнулась Фумико. — В Японии такие преступления невозможны, даже если Аяко всю жизнь провела в Америке. Она все равно японская женщина, а в нашей стране не принято стрелять в президента банка, если он не хочет назначить вас на более высокую должность.

— Тогда получается, что двое подозреваемых —

Сато и Морияма — тем более отпадают, так как оба получили новые назначения. Вернее, им пообещали назначить их на новые должности. У меня больше нет подозреваемых, Фумико. И я понимаю, что все мои рассуждения ничего не стоят. В стране, где существует подобная чайная традиция, где культивируется вежливость с самого детства, где самое главное — самурайский дух «бусидо», неожиданно происходит такая трагедия. И если я правильно рассуждаю, то один из высокопоставленных сотрудников вашего банка неожиданно сошел с ума и начал стрелять в собственных руководителей. Насколько я понял, сумасшедших в вашем банке не держат. Тогда кто стрелял?

В этот момент раздался телефонный звонок. Фумико опасливо посмотрела на телефон. Он прозвенел во второй раз.

— Возьми трубку, Фумико, — предложил Дронго.

Она протянула руку и подняла трубку. Дронго следил за выражением ее лица. Она нахмурилась, услышав голос говорившего. Потом, ни слова не говоря, закрыла трубку рукой и обратилась к Дронго.

— Это инспектор Цубои. Он догадался, что ты у меня. Просит сообщить тебе, что погиб Тамакити. Он знает, что ты не виноват. И знает, что в тебя стреляли в банке. Спрашивает, когда ты можешь вернуться в Токио.

— Откуда он знает, что в меня стреляли в банке? — спросил Дронго.

— В двух автомобилях есть пробоины от выстрелов, — объяснила Фумико, выслушав Цубои. — Он просит тебя срочно вернуться. Но ты не должен туда ехать. Тебе лучше улететь из Японии.

— И оставить все как есть? Я хочу знать, кто убил Сэцуко и Тамакити. Спроси его, где мы можем встретиться. Я хочу с ним поговорить. Только не в полицейском управлении. Там могут быть информаторы бандитов. Если они смогли попасть в банк, то в полицейское управление они тем более могут попасть.

— Он предлагает встретиться в Гиндзе, — сказала Фумико, — рядом с отелем «Гиндза-Токю». Там есть полицейская будка. Это рядом с театром Кабуки. Я знаю, где это находится. Он спрашивает, когда мы там будем.

— Я поеду на такси, — возразил Дронго. — Не хватает втягивать тебя в это дело. Ты останешься здесь.

Она взглянула на часы и что-то сказала Цубои. После чего положила трубку.

— Что ты сказала? — спросил Дронго.

Она не ответила, набирая номер телефона. Затем, переговорив с кем-то по-японски, удовлетворенно кивнула, положила трубку и взглянула на таймер часов, установленный на телефоне.

— Что ты ему сказала? — спросил Дронго.

— В девять вечера мы будем в Гиндзе, — объяснила Фумико. — Я сказала, что мы обязательно приедем.

— Не мы приедем, а я поеду один, — снова возразил Дронго.

Часы показывали уже двадцать минут восьмого.

— Ты собираешься разговаривать с Цубои по-японски? — спросила Фумико. — Насколько я знаю, ты еще не успел выучить японский, а он не знает английского.

— Подожди, — сказал Дронго, — каким образом мы можем оказаться в Гиндзе в девять вечера? Сейчас уже почти половина восьмого. А отсюда до центра Токио не меньше двух с половиной часов на машине. Или ты думаешь, мы доедем туда раньше? Есть какой-нибудь более короткий путь?

— Мы полетим на вертолете, — усмехнулась Фумико. — В восемь часов прилетит вертолет, и мы полетим в Токио. Лететь туда не больше тридцати минут.

— Какой вертолет, откуда?

— Из корпорации моего отца, — пояснила она, — я вызвала вертолет, чтобы быстрее добраться до города. Отец разрешает мне пользоваться его вертолетом. К нам прилетит его личный пилот.

— Я полечу один, — произнес он машинально. — Должен тебе сказать, ты меня все время удивляешь.

Они сидели на плоских подушках дзабутон, держа ноги под теплым одеялом, прикрывавшим жаровню котацу. Неожиданно она вытащила ноги, встала на колени и, повернувшись вполоборота, оказалась перед ним. Глядя ему в глаза, она медленно опустила свое кимоно. Протянула руки.

— Иди сюда, — позвала Фумико, — у нас есть еще сорок минут.

— У тебя «эффект вторичного слияния», — пробормотал Дронго, также вставая на колени перед ней.

— Что это такое? — спросила она.

— Это когда женщина второй раз встречается с незнакомым прежде мужчиной, — пояснил Дронго. — При этом полностью исчезает твоя стыдливость, и у тебя пробуждаются все нужные для глубокой разрядки рецепторы.

Она толкнула его на подушки.

— Сейчас мы проверим, как проснулись твои рецепторы, — пошутила она, наклоняясь над ним.

«Интересно, что особенного находят во мне женщины? — подумал он, чувствуя на шее ее губы. — Честное слово, я бы такого никогда не выбрал».

Глава 20

Фумико все рассчитала точно. Они успели даже принять душ и выйти к прилетевшему вертолету. Крылатая машина доставила их в центр города за тридцать пять минут. Они сели на площадку высотного дома в районе Синдзюку. Поблагодарив пилота, они спустились вниз, где их уже ждал автомобиль, пригнанный сюда специально для госпожи Одзаки. Четырехдверный «Мицубиси» стоял перед зданием. Фумико села за руль, направила машину в сторону Гиндзы. Когда они выехали на трассу, она взглянула на Дронго и спросила:

— Почему ты сидел в кабине вертолета с таким каменным лицом? Ты был совсем на себя не похож. Я что-нибудь не так сделала?

— Просто я ненавижу летать, — пробормотал Дронго. — Я боюсь летать даже на самолетах, а уж на вертолетах мне совсем плохо. Но я не хотел тебе этого говорить.

— Знаешь, что я тебе скажу? Ты меня тоже постоянно удивляешь. Я думала, ты ничего не боишься, а оказывается, ты боишься даже летать. Как же ты летаешь по всему миру?

— Боюсь, но летаю, — признался Дронго. — Я понимаю, что это фобия. Но умные люди должны уметь преодолевать свои фобии.

Через двадцать минут они были в районе Гиндзы. Фумико подъехала к театру Кабуки и остановилась недалеко от знаменитого здания.

— Всегда мечтал здесь побывать, — сказал Дронго. — Этот театр одна из самых больших достопримечательностей вашей страны.

— Мне иногда кажется, что ты знаешь гораздо больше, чем говоришь, — улыбнулась Фумико, вглядываясь в прохожих. Поблизости была полицейская будка, около нее стояли и разговаривали двое сотрудников полиции в форме.

— Ну, театр Кабуки я знаю, — хмыкнул Дронго. — Мне вообще кажется, что это некий символ Японии. Будучи мягкой женщиной, она все время старается предстать перед нами суровым самураем. Тогда как в театре строгие мужики пытаются играть женские роли. В этой подмене понятий, наверно, заключена некая тайна японцев, которую чужеземцы не могут понять. С одной стороны, восхищение цветением сакуры, ваши знаменитые пятистишия — танка и шестистишия — сэдока, культ живой природы, который царит здесь на протяжении тысячелетий. С другой стороны, этот «бусидо», суровый самурайский дух, эта непонятная этика «среднего равновесия», как я ее называю. Когда для вас важнее всего не выделяться из толпы и не потерять своего лица.

— Этика «среднего равновесия», — усмехнулась она, — мне понравилось это выражение. А насчет подмены понятий... В Японии уже был человек, говоривший об этом. Известный Юкио Мисима, который, перед тем как покончить с собой, заявил, что Япония должна поменять свои мягкохарактерные женские традиции на твердохарактерные мужские.

— Насчет Мисимы я очень сомневаюсь, — вдруг сказал Дронго.

— В каком смысле? — она удивленно взглянула на него.

— Мне кажется, что в вашей стране, где слишком много значения придается жесту или поступку, Мисиме уделено неоправданно много внимания. И никто не заметил других, более глубинных мотивов его поступков.

— О самоубийстве Юкио Мисимы написаны тысячи книг, — сказала Фумико. — Неужели ты думаешь сказать что-то новое? Ужасно интересно, что именно ты можешь мне рассказать о Мисиме.

— Просто я считаю, что он покончил с собой не только из-за своих принципов. Дело в том, что в шестьдесят восьмом году Нобелевскую премию по литературе получил Ясунари Кавабата, который сразу стал культовым писателем не только вашей страны, но и всего мира. А Мисима всегда считал его образцом для подражания. И вдруг Кавабата в одном из интервью заявил, что не может признать Мисиму своим литературным продолжателем, у них слишком разные взгляды. Для самолюбивого «самурая», каким был Мисима, это был страшный удар. Вот тогда он и стал рассуждать о мягкохарактерности, решив переплюнуть нобелевского лауреата своим диким поступком. В основе многих человеческих страстей подсознательно лежат неудовлетворенные графоманские начала, человеку кажется, что его талант не ценят по заслугам. И Мисима решил покончить с собой, чтобы превзойти Кавабату. Это моя теория. Возможно, я не слишком хорошо разбираюсь в японской литературе, но поступки людей и причины, побуждающие их к тому или иному шагу, я могу анализировать. Я ведь профессиональный аналитик.

— Хорошо, что ты не литературный критик, — пробормотала она. — В Японии тебя бы разорвали на куски тысячи поклонников Мисимы.

— Да, — согласился Дронго, — но именно потому, что все рассматривали поступок Мисимы либо с точки зрения его самоубийства, либо с точки зрения его взглядов на литературу. А нужно всегда смотреть на человека в развитии, стараясь понять, какие истинные причины побуждают его к тому или иному поступку.

Кто-то постучал в стекло. Они оглянулись. Это был Цубои. Он открыл дверцу и уселся на заднее сиденье. Затем достал сигарету. И, не спрашивая разрешения, закурил.

— Убили Тамакити, — повторил свое сообщение Цубои. Фумико посмотрела на Дронго и перевела ему слова старшего инспектора. Тот кивнул головой.

— Скажи ему, что я видел предполагаемых убийц, — сказал Дронго. — Один из них был в темно-бордовых туфлях с застежками. А второй — высокого роста, коротко острижен, с лицом дебила.

Фумико перевела его слова. Цубои что-то проворчал.

— Он говорит, что такие приметы могут относиться к любому человеку и он не может искать убийцу по описаниям его обуви.

— Это я понимаю. Но если я увижу убийц, я их сразу узнаю. Пусть он лучше выяснит, как они могли оказаться в гараже. Кто им дал пропуск. Пусть проверит двух мужчин, которым выдали в банке пропуск на посещение.

Она перевела его слова. И короткий ответ Цубои.

— В банке не было посторонних. Он проверил всех посетителей. Двое мужчин с такими приметами в банк не приходили, — сообщила Фумико.

Цубои задал какой-то вопрос. Фумико взглянула на него, потом посмотрела на Дронго.

— Что он спросил? — уточнил Дронго.

— Он говорит, кто-то трогал пистолет после того, как из него стреляли, — пояснила Фумико, глядя на Дронго. — Экспертиза установила, что пистолет протирали носовым платком и на рукоятке остались микрочастицы платка.

Дронго слушал с каменным лицом. Фумико начала заметно волноваться.

— Говори спокойнее, — попросил Дронго, — мне не хочется, чтобы ты так нервничала.

Цубои продолжал говорить. Фумико облизнула губы и перевела следующие его слова.

— Экспертиза установила, что пистолет протирали носовым платком, который мог быть куплен в Париже, — продолжал Цубои. — И я уверен, что оружие протирали именно вашим платком, Дронго.

Она тревожно взглянула на него, ожидая ответа.

— Скажи ему, что в розовом зале в момент убийства находились все руководители крупнейшего банка мира, — напомнил Дронго, — и, кроме меня, там мог оказаться человек, который вполне мог позволить себе купить носовой платок в Париже. Или купить его в Токио, зайдя в любой супермаркет.

Цубои выслушал перевод и недобро усмехнулся, выпустив струю дыма в открытое окошко. Затем снова что-то сказал.

— Он уверен, что это ты успел стереть отпечатки пальцев с пистолета, — сообщила Фумико. — Когда все вышли из комнаты, мы остались в розовом зале. И никто, кроме нас, не мог стереть эти отпечатки пальцев. Может, мне рассказать ему, как все было? — спросила она.

— Скажи, что я не стрелял. И не говори больше ничего.

— Он не стрелял, — перевела Фумико.

— Может быть, — согласился Цубои. — Я думаю, что он не стрелял. Но почему-то решил стереть отпечатки пальцев. Вы не знаете, кого из находившихся в этой комнате он мог выгораживать?

— Вы намекаете на меня? Думаете, это я убила Такахаси? И стреляла в Симуру? Вы считаете меня способной на такое преступление?

— Я не могу понять, что там произошло, — сказал Цубои, — но сегодня убили Тамакити. И я должен знать, кто и зачем это сделал.

Фумико перевела их короткий разговор Дронго. Тот задумчиво кивнул головой и неожиданно обратился к ней:

— Скажи, что я начну ему помогать с этой минуты. Пусть только выполняет все мои просьбы. Если мы договоримся, то, возможно, к утру найдем убийцу. И его пособников. Если он, конечно, согласится.

Она перевела слова Дронго и короткий ответ Цубои.

— Он согласен, — сказала она.

— Тогда пусть он отвезет нас в полицейское управление. Но не в свое. Мы должны оказаться в другом управлении, желательно подальше от того, где я сидел в камере.

Фумико сообщила о желании Дронго, и Цубои кивнул в знак согласия. Он сказал, что рядом есть полицейское управление, куда они могут отправиться. Через полчаса они уже были в комнате с двумя операторами, которые сидели перед компьютерами и ждали распоряжений Цубои. Тот вопросительно взглянул на Дронго.

— Ты знаешь, о чем я думаю? — неожиданно спросил Дронго у Фумико. — Мне жаль будущих жителей Земли. Вся их жизнь будет организована так, что государственные органы смогут контролировать их мысли, чувства, связи, знакомства. Скажи, что мы начинаем. Итак, первый вопрос. Пусть проверят все утренние звонки из Осаки. Мне нужно, чтобы они установили номера мобильных телефонов Фудзиоки и Сато, которые вылетели из Осаки в Токио. Пусть проверят их номера. С кем они говорили?

Оба оператора, получив конкретные указания, принялись за работу. Цубои, достав очередную сигарету, снял очки и посмотрел на Дронго. Глаза у него оказались разноцветными. Один глаз был светлый, а другой темный, и от этого лицо казалось поделенным пополам.

Выяснить номера мобильных телефонов было делом несложным. Фумико сообщила оба номера, и операторам оставалось лишь проверить их подключение. Затем они вышли на компьютеры телефонных компаний и начали дальнейшую проверку. Выяснилось, что Сато сделал два звонка из Осаки перед вылетом, а Фудзиока целых три. Затем началась проверка звонков. Сато сделал первый звонок в офис банка своему секретарю, а второй звонок в Токио, заказывая автомобиль. Фудзиока позвонил Такахаси, Удзаве и Морияме. Несмотря на раннее время, он сделал три таких важных звонка.

Дронго попросил проверить телефоны каждого из собеседников Фудзиоки. Может быть, они звонили кому-то сразу после его звонка. Ему было важно уточнить, кому именно они звонили и как быстро. Выяснилось, что Морияма перезвонил Аяко

Намэкаве буквально через несколько секунд после звонка Фудзиоки. Такахаси и Удзава никому не звонили. Распечатав все данные, их показали Дронго. Тот взял бумаги, сравнивая записи. Затем посмотрел на Цубои.

— Переводи ему, — сказал Дронго. — Кроме Сато и Фудзиоки, о попытке Акахито могли знать все сидевшие в розовом зале руководители банка. Поэтому нам нужно срочно выехать к Фудзиоке. Как можно быстрее.

— Уже десять часов вечера, — сказала Фумико. — Это неприлично. Так поздно нельзя беспокоить пожилого человека.

— Мы сегодня будем беспокоить всех по очереди, — возразил Дронго. — У тебя есть уникальная возможность, Фумико. Ты сможешь потом написать воспоминания. Если, конечно, ты хочешь мне помочь. Звони Фудзиоке и скажи, что мы хотим с ним поговорить.

Фумико нерешительно взглянула на него. Потом посмотрела на операторов, на курившего Цубои.

— Погибли Сэцуко Нумата и Сиро Тамакити, — напомнил Дронго. — Если мы ничего не предпримем, завтра может случиться еще одно убийство. Или завтра утром ты сядешь за один стол с убийцей, даже не зная, кому ты улыбаешься. Тебя устраивает такой вариант?

Она достала свой телефон и набрала номер.

— Господин Фудзиока, — обратилась Фумико к

вице-президенту банка, — извините, что беспокою вас так поздно. Мне нужно срочно встретиться с вами. Да, я хочу встретиться немедленно. Мы приедем к вам с моими друзьями. Вы их знаете. Это инспектор Цубои и эксперт Дронго. Да, да, тот самый Дронго, который был с нами в розовом зале. Его уже выпустили. Спасибо.

Она убрала телефон и взглянула на Дронго.

— Он нас ждет, — сказала она. — Я с ним договорилась.

Цубои потушил недокуренную сигарету, надел очки, зачем-то похлопал себя по пиджаку, под которым просматривались контуры кобуры с оружием.

«Он даже не знает, что у меня есть пистолет», — подумал Дронго, когда они вышли из полицейского управления и уселись в машину Фумико.

— Ты знаешь, где живет Фудзиока? — уточнил Дронго.

— Конечно, — кивнула она, стремительно рванув автомобиль с места. Цубои усмехнулся, но ничего не сказал. Он не обязан контролировать движение на дорогах. В его компетенцию входит расследование наиболее тяжких преступлений.

Они проехали в аристократический район Роппонги, где расположено большинство иностранных посольств. Недалеко от больницы Красного Креста находился двухэтажный дом Каору Фудзиоки.

Фудзиока стоял на лужайке перед домом, ожидая их появления. Он был в мягких брюках и свет-

10 – 3065

лом джемпере. Увидев выходивших из машины, он поспешил к ним. Любезно поклонившись гостям, он приказал одному из стоявших рядом с ним телохранителей отвести машину в гараж. И пригласил всех в каминный зал, где можно было уединиться. Дом Фудзиоки был домом очень богатого японца и в отличие от домика Кодзи Симуры имел большой подвал и одиннадцать комнат на двух этажах. Кроме того, еще несколько построек примыкали к дому. Японские бумажные домики сохранялись лишь как традиция. У Фудзиоки был каменный дом, который вполне мог быть построен в Америке или в Европе.

Вышколенный слуга спросил гостей, что им подать. Цубои попросил принести ему виски. Фумико захотела немного белого вина, а Дронго попросил апельсиновый сок. Фудзиока улыбнулся и пожелал яблочного сока. Ему, очевидно, понравился выбор Дронго.

— Наверно, что-то случилось, если вы приехали ко мне так поздно, — сказал Фудзиока. — Чем я могу вам помочь?

— Извините нас, господин Фудзиока, — вежливо произнесла Фумико, — но мой друг хотел с вами побеседовать. Он не говорит по-японски, а только по-английски.

— Значит, будем говорить по-английски, — кивнул Фудзиока. — Чем я могу вам помочь, господин Дронго? Признаюсь, не ожидал встретить вас в своем доме так быстро. Мне казалось, вам трудно будет доказать вашу невиновность. У полиции есть стереотипы, которым она всегда следует. Подозревать кого-то из руководителей трудно. Значит, вы были идеальной кандидатурой на роль подозреваемого. Но вас отпустили.

— К счастью, — кивнул Дронго. — У меня к вам несколько вопросов, господин Фудзиока. Я случайно узнал, что вы были в день приема в Осаке. Это верно?

— Нет, — улыбнулся Фудзиока, — в день приема я не был в Осаке. Я был там за день до приема.

— Верно, — согласился Дронго, — вы прилетели из Осаки утром в день приема вместе с Кавамурой Сато.

— Да, — сказал Фудзиока, — я был там. И мы вместе прилетели. Я должен был посмотреть работу нашего филиала. В этот день меня ждал Тацуо Симура, ждал моего доклада о работе нашего филиала в Осаке.

— Вы рассказали ему о своих выводах?

— Конечно. Сато блестяще справлялся с работой. За два года его работы наш филиал в Осаке невозможно узнать. Он прекрасный руководитель, и я постарался рассказать об этом нашему президенту.

— Когда вы с ним встречались?

— Сразу после моего приезда из Осаки. Примерно в одиннадцать часов утра. Я рассказал господину Симуре о моих наблюдениях.

— А где был в это время Кавамура Сато?

— Не знаю точно, где. Но он приехал со мной в банк. Его потом принял Симура. Уже гораздо позже.

— Находясь в аэропорту, вы слышали, как Сато с кем-нибудь разговаривал?

— Слышал, — кивнул Фудзиока, — он говорил со своими сотрудниками. Кажется, кто-то из его сотрудников позвонил и попросил доступа на наши закрытые сайты. Эти сайты придумал Вадати, он был помешан на технике...

Слуга принес заказанные напитки. Соки подавались в высоких стаканах, вино в бокале, виски со льдом в пузатом стакане, специально предназначенном для подобных напитков.

— Сато разрешил своему сотруднику посмотреть нужную информацию, — продолжал Фудзиока. Фумико села рядом с Цубои, пересказывала ему вопросы и ответы говоривших. Иногда ее голова оказывалась слишком близко с головой Цубои, и Дронго чувствовал легкое беспокойство. Он почему-то вспомнил лошадиные зубы Мицуо Мори.

— Вы это слышали? — уточнил Дронго.

— Да, — кивнул Фудзиока. — Дело в том, что код к закрытой информации есть только у руководителей наших филиалов. Так хотел Вадати. Но мы приняли решение позволить руководителям отделов наших филиалов также получить персональные коды. Согласитесь, это странно, когда код есть только у руководителя банка и его нет у начальника отдела, отвечающего за связь с Интернетом.

— Но некоторые еще не успели получить этот код?

— Да. Как раз Акахито и не успел его получить.

— Вы помните фамилию начальника отдела в Осаке? — изумился Дронго.

Фудзиока улыбнулся. Ему было приятно демонстрировать свою натренированную память.

— Конечно, помню, — сказал он. — Меня иногда подводят руки, которые начали в последнее время немного трястись. Об этом все в банке знают, но стараются мне не говорить. А память у меня осталась прежняя. Я двадцать семь лет работаю в банке. Мы начинали с Тацуо Симурой еще в те времена, когда разразился самый сильный энергетический кризис в мире. Я пришел в банк после семьдесят третьего года.

— Значит, Сато разрешил доступ. И вы это слышали?

— Конечно, слышал. Мы сидели вместе с ним в салоне для пассажиров первого класса.

— Прошу меня простить, господин Фудзиока, но я убедился, что у вас феноменальная память. Не могли бы вы вспомнить, с кем вы говорили, находясь в аэропорту. Может, вы кому-нибудь звонили?

— Конечно, звонил. Было уже восемь тридцать утра. Мне нужно было поговорить с некоторыми руководителями нашего банка. Я ведь знал, что в этот день будет прием.

— И с кем именно вы разговаривали?

— С Такахаси и Мориямой. А почему вы спрашиваете?

— Вы можете вспомнить, о чем именно вы говорили?

— Конечно, могу. Прошло только два дня. Я говорил о нашем филиале в Осаке. Разумеется, я говорил о нашем банке в Осаке, о чем еще я мог говорить с нашими сотрудниками.

— О чем именно вы говорили? — настаивал Дронго.

— О нашем банке, — снова ответил Фудзиока. — Вы хотите, чтобы я вспомнил все свои разговоры? Слово в слово?

— Желательно. Кстати, а почему вы полетели инспектировать ваш филиал в Осаке? Вы ведь вице-президент по финансовым вопросам, а Морияма был вице-президентом по вашим филиалам. Логичнее было бы, чтобы он полетел в Осаку.

Фумико, переводившая вопрос Дронго для инспектора, заметила, как насторожился Цубои, ожидая ответа на этот вопрос.

— Однако как вы это запомнили, — удивился Фудзиока. — Вообще-то это не принципиально, кто именно едет проверять работу нашего филиала. Но в данном случае было принято решение, что поехать должен я. Существовали этические моменты, о которых я бы не хотел говорить.

Фумико перевела его ответ, и Цубои встал со своего кресла.

— Извините, господин Фудзиока, — сказал инспектор, — но в данном случае вы не правы. На этот вопрос, заданный господином Дронго, вы должны ответить. Почему полетели именно вы, а не Морияма, курирующий ваши филиалы? Простите мое любопытство, но после трагедии, случившейся в вашем банке, мы вправе просить вас ответить на этот вопрос.

Дронго понял, что Цубои просит ответить на его вопрос. Фудзиока поставил стакан на столик рядом с собой, взглянул на Дронго и Цубои. И потом тихо ответил по-японски.

— Что он сказал? — спросил Дронго у Фумико.

— Я сказал, — продолжал по-английски Фудзиока, — что существуют некие этические моменты, по которым Морияма не мог полететь в Осаку. Мне неприятно об этом говорить, но господин Морияма испытывает определенные симпатии к руководителю нашего нью-йоркского филиала Аяко Намэкаве. Руководству банка было известно об этом. И поэтому мы решили, что инспектировать наш филиал в Осаке должен я, чтобы избежать ненужной тенденциозности. Такое решение было принято на совместном совещании, в котором принимал участие и господин Морияма.

«Типично японский подход, — подумал Дронго. — Этому Морияме нравится руководитель их филиала в Нью-Йорке, и он хотел ее выдвинуть на свое место. Но поехать в Осаку он не мог, чтобы не оказаться пристрастным. И поэтому он согласился, чтобы полетел Фудзиока. Эти японцы начинают меня пугать. Они не живые люди, а манекены, следующие определенным схемам. Хотя Фумико вряд ли назовешь манекеном. И инспектор Цубои тоже похож на живого человека».

— Давайте вернемся к вашим разговорам в тот день, — предложил Дронго. — Вы можете вспомнить, о чем вы говорили с Такахаси и Мориямой?

— Конечно, могу. Морияме я сказал, что у меня сложилось прекрасное впечатление о работе Кавамуры Сато. Ему, разумеется, не понравились мои слова, но он выслушал их молча. Морияма — человек из известной семьи. Он всегда пытается сдерживать свои эмоции, хотя иногда бывает излишне горяч.

«Лучше бы сказал, что Морияма пытается стать «настоящим самураем», — подумал Дронго. — Хотя он, наверно, это и подразумевает».

Цубои снова сел рядом с Фумико.

— О чем вы говорили с Такахаси? — спросил Дронго.

— Я сказал, что закончил работу в Осаке, и просил ускорить решение о выдаче индивидуальных кодов для руководителей отделов информационной безопасности в наших филиалах. Они все имеют доступ в нашу закрытую сеть, а должны пользоваться кодом руководителей банков. Это нелогично.

— Почему вы сказали об этом Такахаси? Разве это не компетенция президента банка?

— Как много вы знаете о нашей работе! — Фудзиока взял свой стакан и обнаружил, что он пуст. Он не стал вызывать слугу и поставил стакан обратно на столик. Крикнуть слугу означало начать суетиться, потерять свое лицо, а этого он не мог допустить.

«Сорок лет назад он был против присутствия американцев в стране, — подумал Дронго. — Может, тогда он искренне считал, что все беды страны от иностранцев. Наверно, это тоже последствия трехсотлетней политики изоляции. А с другой стороны, как может меняться человек, как трансформируются его взгляды. Сейчас он апостол консерватизма, выдержанный, серьезный, строгий. Как это сказано? Кто не революционер в двадцать, у того нет сердца, кто не консерватор в сорок, у того нет головы. Как часто мы любим повторять это глупое изречение. На самом деле все совсем не так. Человек может быть революционером и в пятьдесят. А консерватором в двадцать. Или родиться старым человеком. Или остаться молодым на всю жизнь. А слова про молодых революционеров и старых консерваторов — это слова о нашей жизни, как мы костенеем и превращаемся в ворчливых стариков. Хотя исключения возможны. Моим родителям под восемьдесят, а они абсолютно молодые люди».

— Дело в том, что Симура в последние месяцы серьезно болел, — объяснил Фудзиока, — и мы все знали, что реальное руководство находится в руках господина Такахаси, который должен возглавить наш банк. Я не сказал вам главного. Когда я докладывал господину Симуре, он сначала выслушал меня, а потом позвал и господина Такахаси. Они еще раз вместе выслушали мой доклад.

— Зачем? — спросил Дронго. — Ведь вы уже говорили с Такахаси. И доложили обо всем Симуре. В чем был смысл вашего повторного доклада?

— Президент хотел, чтобы я повторил свой доклад в присутствии Такахаси, — сказал Фудзиока. — Вы видите в этом что-то необычное?

— Два раза повторять один и тот же доклад? Зная, как ценится время в ваших банках, мне в это трудно поверить. Может, вы немного изменили свой доклад?

— Нет, — ответил Фудзиока, — сначала мы обсуждали две кандидатуры. Аяко Намэкавы и Кавамуры Сато. А потом пришел Такахаси, и мы стали говорить про работу филиала.

— И вы больше никому не звонили? — уточнил Дронго.

— Больше никому. Господина Симуру я не стал беспокоить.

— Почему?

— Вы же были на совещании в розовом зале, —

сказал Фудзиока недовольным голосом. — Сейчас, когда господин Симура при смерти, мне неудобно об этом говорить.

— Мы пришли к вам, чтобы найти того, кто в него стрелял. Поэтому я прошу вас ответить.

— Он написал письмо совету директоров, — объяснил Фудзиока, — передал его мне вместе со своими последними распоряжениями. Он хотел уйти на совете директоров в отставку.

— Ясно. Может, вы позвонили еще кому-то?

— Нет-нет, я больше никому не звонил. Мы сразу вылетели вместе с господином Сато... Хотя нет, подождите. Я сделал еще звонок господину Удзаве. Да-да, я позвонил именно ему. Когда я рассказал Такахаси об этом начальнике отдела из Осаки, он сказал, что это проблема Удзавы. Мы думали, что Удзава станет новым вице-президентом банка, но в последний момент Симура начал возражать, считая, что нельзя подчинять одному человеку оба управления безопасности и сосредоточить в его руках и охрану наших банков, и нашу информационную безопасность. Симура полагал, что мы не сможем заменить такого человека, как Вадати.

— И вы позвонили Удзаве?

— Да. Я позвонил и сказал, что нужно ускорить выдачу новых кодов.

— Подождите. Разве информационная безопасность подчиняется Удзаве? Это ведь управление Мори.

— Верно. Но сначала всех руководителей отделов мы проверяем. Этим и занимается ведомство Удзавы. Никто не отменял обычной проверки без этих компьютерных игрушек.

— Могу я задать вам один личный вопрос? — спросил Дронго. — Заранее прошу извинить, если мой вопрос покажется вам неуместным. Я слышал, как господин Симура предлагал новые должности Такахаси, Морияме, Сато. Но почему он ничего не предложил вам? Ведь вы работали с ним двадцать семь лет. И именно вам он давал самые деликатные поручения. Неужели вам было не обидно?

Фудзиока еще раз посмотрел на свой стакан. И медленно поднялся с места.

— Я ответил на все ваши вопросы, — сухо сказал он. — Разрешите мне не отвечать на этот личный вопрос. Он касается только меня и моих чувств.

Дронго посмотрел на Фумико, переводившую разговор инспектору. Дождался, пока она закончит. И поднялся со своего места.

— Извините нас, господин Фудзиока, — сказал Дронго, поклонившись хозяину дома. — Я благодарю вас за нашу беседу.

Фудзиока поклонился ему в ответ. Затем повернулся к инспектору и Фумико и поклонился им.

«Путь воина, — подумал Дронго. — Кажется, это его предки служили еще при великих князьях Минамото. Так говорила Фумико. Если я не ошибаюсь, династия Минамото была в Японии в двенадцатом-четырнадцатом веках. Наверно, в его роду было много самураев. Хотя нет, самураи были всего-навсего наемными воинами, находившимися в услужении у богатых феодалов. Но кодекс поведения формировался именно тогда. Вот как воспитывается стоицизм. Из поколения в поколение. Восемьсот лет. Или уже девятьсот. Он никому и никогда не расскажет о своих чувствах».

Они вместе вышли из дома. Почти сразу перед ними затормозил автомобиль, в котором они приехали. Телохранитель кивнул Фумико, открывая перед ней дверцу.

Когда они отъезжали, Дронго обернулся и посмотрел на лужайку, где стоял Фудзиока. Высоко подняв голову, тот глядел вслед автомобилю.

Глава 21

Когда отъехали от дома, Фумико испытующе посмотрела на Дронго.

— Куда теперь? — спросила она.

Цубои, сидевший на заднем сиденье, что-то пробормотал. Дронго обернулся к нему.

— К Морияме, — сказал он, — нужно поговорить с ним еще раз.

— Сначала скажи мне, с кем вообще ты хочешь говорить, — предложила Фумико. — К Морияме мы можем поехать и ночью. Все знают, что он поздно ложится спать. С кем еще ты хочешь увидеться?

— Со всеми, кто был в розовом зале, — ответил Дронго. — Сегодня ночь истины, и мы должны наконец разобраться с этим делом.

— Значит, нам нужно поговорить с Аяко Намэкавой, Мориямой и Удзавой.

— А Кавамура Сато?

— Он вернулся в Осаку, — сказал Цубои, поняв, о ком речь, — приедет в Токио утром на совет директоров банка.

Фумико перевела его слова.

— Тогда поедем сначала к руководителю нью-йоркского филиала, — предложил Дронго, — а уже затем определимся, кто нас примет — Удзава или Морияма. Я думаю, они оба захотят с нами встретиться. Они предлагали мне любую помощь в расследовании этого преступления.

— Получается, один из них врал, — сказала Фумико. — Как ты думаешь?

— Пока не знаю. Если кто-то из них организатор всех этих преступлений, тогда да. А если нет, то я не знаю. Скажи Цубои, что мы сначала должны найти Аяко Намэкаву.

— Он согласен, — ответила Фумико, когда Цубои опять проворчал несколько слов в ответ на ее перевод. — Но он говорит, что уже беседовал с каждым из находившихся в розовом зале.

— Не сомневаюсь в его компетенции, — кивнул Дронго. — Но он не знал некоторых деталей, которые нам сейчас известны. Поэтому нам придется поговорить со всеми еще раз. Ты знаешь, где живет Аяко Намэкава?

— У меня нет ее телефона, — ответила Фумико. — Но, если нужно, я могу узнать. — Она остановила автомобиль и достала мобильный телефон.

Фумико довольно долго выясняла, как позвонить прилетевшей из Америки Аяко Намэкаве. Выяснилось, что мобильный телефон госпожи Намэкавы был куплен в США и зарегистрирован там. Наконец Фумико, нахмурившись, быстро набрала чей-то номер и начала разговаривать официальным тоном. Дронго взглянул на нее, удивленный тем, как изменился ее голос. Она закончила разговор и стала набирать новый номер.

— В чем дело? — спросил Дронго. — С кем ты говорила?

— Я узнала номер Аяко, — несколько раздраженно ответила Фумико.

Он протянул руку, чтобы дотронуться до нее, но она резко дернулась.

— Извини, — сказала она, — сейчас я найду госпожу Намэкаву.

Он обернулся и посмотрел на Цубои. Тот достал сигарету и ухмыльнулся. Когда Фумико заговорила, он по слогам произнес фамилию того, с кем она говорила до этого.

— Мо-ри-я-ма.

«Странно, — подумал Дронго, — она разговаривала с ним весьма напряженно. Что происходит? Почему она так разнервничалась, когда вынуждена была позвонить Морияме?»

— Она находится в отеле «Фоор сизон», — сообщила Фумико. — Это недалеко отсюда. Через две минуты мы там будем. Американское посольство проводит презентацию какого-то совместного проекта, и ее пригласили туда. Я забыла, у меня тоже было приглашение на сегодняшнее мероприятие.

Она развернулась, поехала против движения и свернула в сторону. Цубои удовлетворенно хмыкнул и достал новую сигарету. Кажется, ему доставляло удовольствие ее лихачество.

— Фумико, — тихо спросил Дронго, — что происходит?

— Что? Ничего не происходит, — она смотрела перед собой. Он понял, что лучше ничего не спрашивать. Отвернулся.

— Ты прав, — сказала она через некоторое время, — я не люблю разговаривать с этим типом. С Мориямой. Думала, ты поймешь, почему.

Он молчал, ожидая, что она скажет.

— Когда я пришла работать в банк, он решил, что может мне понравиться, — пояснила Фумико. — Такой гордый американский ковбой и японский самурай в одном лице. Все наши женщины от него без ума. В том числе и Аяко. Но со мной этот номер не прошел, и он сильно нервничал. Теперь ты понимаешь?

— Он знал о ваших отношениях с Мицуо Мори? Извини, что я спрашиваю, но мне это нужно знать.

— Наверно, знал. Я обычно не скрываю своих отношений. И, конечно, ему это очень не нравилось. Но мы расстались с Мицуо несколько месяцев назад. И больше с ним не встречались.

Она замолчала.

— Ты обиделся? — спросила она через некоторое время.

— Нет. Я должен был догадаться, с кем ты говоришь. И понять, что произошло. Он холостой, ты не замужем. Две такие фамилии. Вы были бы идеальной парой.

— Нет, — жестко ответила она, — с ним никогда. Неприятно, когда выясняется, что твоим женихом может быть только Морияма.

— Почему он тебе не нравится?

— Он человек без фантазии. Все подчинено прагматизму. Рациональный банкир, которого интересуют только деньги. И собственная карьера. Даже женитьбу он будет рассматривать как выгодное помещение капитала.

Машина подъехала к отелю «Фоор сизон». Отель был известен как место, где обычно собирались представители правящей элиты, мастера искусств.

Припарковавшись на стоянке перед отелем, Фумико вышла из машины. Цубои выбросил сигарету и поправил очки. Дронго подумал, что ему следует переодеться, прежде чем появиться в этом отеле. Но Фумико уже уверенно направлялась к входу. В роскошном холле на низком столе стоял огромный букет живых цветов. Фумико подошла к портье и что-то ему сказала. Тот кивнул головой и несколько недоуменно оглядел спутников Фумико, тем не менее вышел из-за стойки, приглашая их следовать за ним. Они прошли к кабине лифта, и портье терпеливо подождал, пока все трое окажутся рядом с ним. Затем он нажал кнопку, и кабина заскользила наверх. Дронго молчал, ничего не спрашивал. Даже Цубои, смущенный великолепием отеля, не решался достать сигарету.

Кабина лифта замерла, и створки открылись. Портье прошел дальше и вставил свою карточку в дверь.

— Ваши апартаменты, госпожа Одзаки, — сказал он, поклонившись. — Прикажете что-нибудь принести?

— Кофе, чай, фрукты, — распорядилась она. — И найдите госпожу Намэкаву. Скажите, что мы уже приехали.

Он поклонился еще раз и ушел.

— Что это такое? — спросил Дронго. — Чей это номер?

— В этом отеле забронированы апартаменты для моего отца, — объяснила Фумико. — Его корпорация платит за весь год.

Это была обычная практика крупных компаний. В некоторых местах даже государственные организации имели подобные апартаменты, снятые на весь год. Дронго знал, что в нью-йоркском отеле «Уолдорф Астория», где он любил останавливаться, находятся апартаменты, зарезервированные для постоянного представителя США в ООН. Причем отель предоставлял эти апартаменты бесплатно, исходя из престижности самого факта проживания такого важного лица.

Цубои достал наконец сигарету и спросил у Фумико, можно ли здесь курить. Она кивнула. Он отошел к окну и закурил. Ждать пришлось недолго. Через несколько минут принесли кофе, чай и фрукты. А еще через минуту в дверь позвонила Аяко Намэкава.

Она вошла в комнату, приветливо поздоровалась со всеми. От Дронго не ускользнуло, как напряглась Фумико. Вошедшая женщина была по-своему привлекательной. У нее были хорошо уложены волосы. Идеальный макияж подчеркивал красоту ее лица. Она была в темно-фиолетовом платье с черным воротом. На ногах изящная обувь с высокими каблуками. Дронго посмотрел на обувь. Наверно, американская фирма, подумал он, хотя похоже на обувь от Стюарта Вейцмана. А вот сумочку он узнал сразу. Это была темная сумочка с большими золотыми логотипами фирмы «Донна Каран».

Аяко сказала несколько слов по-японски, Фумико ей ответила. Цубои тоже что-то сказал и поклонился. Аяко повернулась к Дронго.

— Вы хотите со мной поговорить? — спросила она по-английски. У нее был безупречный английский, сказывались долгие годы работы в Нью-Йорке. Дронго поклонился женщине.

— Мы можем сесть, — показал он на роскошный диван, отделанный темно-синим велюром.

Они разместились на диване. Фумико села недалеко от них. Цубои взял стул и уселся рядом с ней, готовый слушать ее перевод. Фумико взглянула на него и усмехнулась. Впервые в жизни она должна была всю ночь работать в качестве переводчика для сотрудника полиции. Но ей начинала нравиться такая деятельность. Ее захватил дух поисков.

— Госпожа Намэкава, вы прилетели в Токио несколько дней назад, — начал Дронго. — Вы должны были принять участие в приеме, организованном руководством банка в отеле «Империал». Пока все правильно?

— Да, — улыбнулась она.

У нее была широкая улыбка, сказывался американский опыт. Она внимательно его слушала, демонстрируя дружелюбие и доброжелательность. Хотя он видел, как она иногда настороженно косится на Фумико. Очевидно, она знала кое-что о пресс-секретаре и также чувствовала себя в ее присутствии не совсем удобно. Какие бы высокие должности ни занимали женщины, но, если между ними стоит тень мужчины, налет цивилизации улетучивается, уступая место инстинктам.

— Извините, если мои вопросы покажутся вам несколько бестактными, — сказал Дронго, — но вы видите, что здесь находится старший инспектор Цубои. И мои вопросы диктуются исключительно желанием найти виновного в страшной трагедии, произошедшей в вашем банке.

— Я готова ответить на любые ваши вопросы, — сказала Аяко чуть напряженным голосом.

— Вам нравится ваша нынешняя работа?

Она удивилась. Распахнула глаза на своего собеседника, потом оглянулась на Фумико, кажется, подозревая, что этот вопрос он задал под ее влиянием.

— Безусловно, нравится, — ответила она. — Мне кажется, мы живем в свободном обществе, где каждый может выбрать работу по своему желанию.

— Разумеется. Но вам пришлось переехать из Японии в Америку. Говорят, переезд вызывает самый большой стресс в жизни.

— У меня не было стрессов, мистер Дронго, — мягко улыбнулась она, — я вообще спокойный человек. Вы не могли бы бросить курить? — обратилась она к Цубои, и тот загасил свою сигарету в пепельнице.

— Я вижу, — кивнул Дронго. Он заметил, как нахмурилась Фумико. Нужно быть осторожнее. У них десять лет разницы, и Фумико может не понравиться любой комплимент в адрес этой женщины.

— Скажите, госпожа Намэкава, вы знали о том, что господин Морияма собирается покинуть пост вице-президента банка по связям с филиалами и перейти на другую должность?

— Конечно, знала. Об этом знали все в руководстве банка. Ни для кого не было секретом, что президент нашего банка Тацуо Симура собирался уходить на пенсию. Президентом банка должен был стать господин Такахаси. Все предполагали, что на место первого вице-президента перейдет господин Фудзиока, а на его место господин Морияма. — Она говорила спокойно, уверенным голосом.

— Таким образом, место господина Мориямы должно было стать вакантным, — уточнил Дронго.

— Да, — кивнула она, — но господин Симура решил все поменять.

— Он всего лишь поменял местами Морияму и Фудзиоку, — напомнил Дронго. — Я был на этом совещании и слышал предложения господина Симуры. И его рекомендацию назначить на место господина Мориямы представителя вашего банка в Осаке господина Сато.

— Правильно, — сказала она с дежурной улыбкой, — это была рекомендация господина Симуры, и мы все готовы поддержать его решение. Господин Симура отдал этому банку всю свою жизнь. И мы готовы подчиниться любому решению нашего президента. Если он так предложил, значит, лучше знает, кому и где работать.

Она была явно довольна своими словами. И на этот раз улыбнулась достаточно дружелюбно. Пусть эта гордячка Фумико слышит, как ведут себя люди, делающие карьеру сами, а не с помощью денег своего отца.

— Не сомневаюсь, что вы так думаете, — пробормотал Дронго. — А вы знали о его решении?

— Н-нет, — не совсем уверенно сказала она.

Кажется, она соврала первый раз за время разговора, понял Дронго. Но как она могла заранее узнать? Ах да, Морияма. Если он знал заранее, то мог сообщить.

— Как вы думаете, госпожа Намэкава, кто мог

выстрелить в господина Симуру и господина Такахаси?

— Никто из наших, — на этот раз она была серьезна. — Извините меня, мистер Дронго, но это слишком важный вопрос, чтобы ответить на него по-другому. Я не верю, что кто-то из наших руководителей мог решиться на такое преступление. В нашей стране такое невозможно. Я знаю всех этих людей много лет.

— То есть вы хотите сказать, что мог стрелять только один человек. Иностранец, который там был. Я.

— Извините меня, — еще раз сказала она, — но поверить в виновность кого-то из людей, которых я знаю много лет... Мне кажется, стреляли из коридора. Наверно, мы не заметили, как открылась дверь и начали стрелять из коридора. Никак иначе я это объяснить не могу.

— В коридоре стояли ваши охранники, — устало напомнил Дронго. — Разрешите задать вам еще один вопрос?

— Конечно, — она уже полностью овладела собой.

— Мне удалось ознакомиться с закрытой информацией по всем руководителям банка, — сообщил Дронго. — В вашей биографии указано, что вы любили ездить на охоту со своим бывшим мужем.

— Да, — ответила она, — я действительно любила с ним ездить, но...

Она вдруг поняла, о чем именно он ее спрашивает. И нахмурилась.

— Вы думаете, это я стреляла в Симуру? — Она впервые за время разговора потеряла самообладание. — Вы думаете, я могла такое сделать?

Она оглянулась на Фумико и инспектора, разводя руками. На щеках проступили красные пятна.

— Этот Вадати, — с досадой сказала она, — он включал туда всевозможные слухи. Я всегда говорила, что этого не стоит делать...

— Вы действительно хорошо стреляли?

— Да. Я научилась стрелять из ружья. И даже любила ездить на охоту. И в Америке люблю. Иногда мы выбираемся с друзьями в лес. Но я никогда не стреляла из пистолета. И никогда не стреляла в людей, мистер Дронго, если вы это имеете в виду. И мне понятны все ваши вопросы. Думаете, если меня не утвердили на место господина Мориямы, то я должна была достать пистолет и по-ковбойски стрелять в руководителей банка? У вас извращенное сознание, мистер Дронго. Вам никто этого не говорил? Здесь не Дикий Запад и не Колумбия. Это Япония. Страна с тысячелетними традициями, которые соблюдают все граждане. Страна, где не стреляют в президента банка его сотрудники. Это невозможно у нас.

Она раскраснелась и перешла на крик. Фумико перестала переводить инспектору ее слова, с интересом глядя, как она волнуется. Госпожа Намэкава дотронулась до своего пылающего лица и с гневом взглянула на Дронго. Он все-таки вывел ее из равновесия.

— Извините, — сказал Дронго, — я не думал, что этот вопрос покажется вам таким неприятным. У меня больше нет к вам вопросов.

Женщина тяжело дышала. Но многолетняя работа в Америке научила ее «держать удар». Она медленно поднялась, усилием воли подавляя свои чувства.

— Надеюсь, вы меня правильно поняли, — произнесла она. — Благодарю вас за нашу беседу. — Она чуть поклонилась и по-японски спросила уже у инспектора Цубои: — Я могу идти? Или я должна остаться и отвечать на другие неприличные вопросы? Этот иностранец, кажется, слишком увлекся. Извините меня, госпожа Одзаки, за мою вспыльчивость.

— Извините нас за то, что мы вас побеспокоили, — церемонно поклонилась Фумико.

Аяко Намэкава повернулась и вышла из апартаментов, хлопнув дверью чуть сильнее обычного. Это было единственное, что она могла себе позволить. Дронго взглянул на Фумико и растерянно развел руками. Цубои достал очередную сигарету и усмехнулся. Затем сказал несколько слов.

— Он говорит, что тебе повезло, — перевела Фумико. — Не понимает, как ты мог позволить себе задавать ей такие вопросы.

— Скажи, что я бывший плохой полицейский. Меня выгнали с работы, и теперь я занимаюсь частной практикой.

Она перевела и, выслушав ответ, рассмеялась. Затем объяснила Дронго:

— Он говорит, что давно это подозревает. Ты только делаешь вид, что разбираешься в наших делах. А на самом деле тебе ясно, что ты ничего не сможешь понять.

Дронго посмотрел на Цубои и усмехнулся.

— Он прав, — кивнул Дронго. — Поедем к Морияме. Послушаем, как он будет меня ругать.

Глава 22

Вице-президент Морияма жил в пентхаусе, расположенном на одном из высотных домов в районе Синдзюку. Изобретение американцев, так удобно придуманное для многоэтажных высоток, постепенно привилось и в других странах. Даже в Южно-Африканской Республике и в элитных районах городских кварталов Южной Америки стали появляться эти дома для очень богатых людей. На крыше можно не только оборудовать квартиру с видом на город, но и построить вечнозеленые террасы, бассейны, установить подогреваемые кровли.

На скоростном лифте гости поднялись в квартиру Мориямы, который уже ждал их, одетый в темный костюм. Очевидно, он недавно приехал с одной из вечеринок, на которой собирались представители крупных финансовых корпораций. В Японии установившиеся клановые различия похожи на кастовые различия в средневековой Индии. У каждой категории людей свои бары, свои рестораны, свои места отдыха. Собственно, деньги разделяют людей во всех странах гораздо более зримо, чем надуманные кастовые различия.

Морияма владел превосходной квартирой, оборудованной по последнему слову техники. Окна гостиной выходили на зимний сад, где росли вечнозеленые растения, многолетние плющи, даже плодовые деревья, для ухода за которыми сюда ежедневно приезжал садовник. Фумико успела предупредить Морияму, что они приедут втроем, поэтому он не удивился, увидев их в таком составе. Был уже первый час ночи, когда он провел их в большую гостиную и показал на свои диваны и кресла, стоявшие полукругом.

— Вы впервые у меня дома, госпожа Одзаки, — сказал, улыбнувшись, Морияма.

— У вас красивый дом, — холодно произнесла она, усаживаясь на диван.

Цубои хотел закурить, но обнаружил, что у него кончились сигареты. Он попросил сигарету у Моriямы, и тот вышел в другую комнату, вернулся и бросил инспектору пачку сигарет «Картье». Цубои рассеянно повертел в руках плоскую белую пачку и наконец, решившись, вынул сигарету, щелкнул зажигалкой.

«Наверно, хозяин дома держит эти сигареты для гостей», — подумал Дронго.

Морияма нажал кнопку, скрытую в стене, и возле дивана раскрылся автоматический столик, поднимая бутылки с напитками. Заиграла легкая музыка.

— Что будете пить? — поинтересовался Морияма.

Очевидно, дома он был плейбоем, наслаждающимся жизнью. «Может, именно поэтому Симура хотел сделать его первым вице-президентом, но не доверил ему место Фудзиоки», — подумал Дронго.

— Мы уже много выпили, — отказалась Фумико. — Мне только минеральную воду.

— Виски, — попросил Цубои.

Дронго тоже хотел попросить минеральной воды. Но, взглянув на Фумико и Морияму, решил, что это будет слишком символично. «Кажется, я становлюсь японцем, — усмехнулся он. — Настолько, что уже придаю значение даже таким фактам».

— Мне сок, — попросил Дронго, — апельсиновый.

Морияма, улыбнувшись, кивнул. Себе он налил французского коньяка, устраиваясь в кресле. Он выглядел настоящим банкиром в этом великолепном доме, среди окружавшей его обстановки.

— Господин Морияма, — сказала Фумико, — у нашего друга есть к вам разговор.

— Мы с ним уже говорили, — возразил Морияма, — но, кажется, не смогли договориться.

— Он хочет задать вам несколько вопросов.

— Наверно, он подозревает меня, — усмехнулся Морияма. — И вы тоже, инспектор, так думаете?

— Я ничего не думаю, — мрачно отозвался Цубои, — я должен найти преступника. Что я думаю, никого не касается.

Морияма рассмеялся. Дронго, не понимавший, о чем они говорят, обратил внимание на зубы хозяина дома. Они росли не ровно, а чуть скошенно внутрь, как у акулы.

— Господин Дронго, — обратился Морияма к нему, — вы снова решили со мной поговорить. Вы передумали и приняли мое предложение?

— Неужели вы полагаете, что я приехал сюда из-за этого? — сказал Дронго. — С тех пор как мы встречались, произошло еще одно убийство. Погиб помощник сэнсэя Симуры — Сиро Тамакити.

— Тот молодой парень, который вас возил, — вспомнил Морияма. — Жаль парня. Вот видите, как получилось. Может, если бы вы приняли мое предложение, он был бы жив.

— Его убили бы еще быстрее, — мрачно ответил Дронго. — Скажите, господин Морияма, вы знали, что Фудзиока полетел в Осаку инспектировать ваш филиал и работу господина Сато?

— Конечно, знал, — усмехнулся Морияма. Он услышал, как Фумико переводит Цубои вопрос Дронго и удивился: — Вы не знаете английского, инспектор?

— Нет, — ответил Цубои, — не знаю.

— Очень жаль, — растерянно пробормотал Морияма, — очень жаль.

— Господин Фудзиока позвонил вам из аэропорта и сообщил, что они с господином Сато вылетают в Токио, — продолжал Дронго.

— Правильно. Он мне позвонил, когда я был еще в машине. Формально должен был поехать я, но послали господина Фудзиоку.

— Почему?

Морияма взглянул на Фумико и, чуть запнувшись, сказал:

— Такое решение принял президент Симура.

— Он решил, что в Осаку должен отправиться господин Фудзиока?

— Да, — кивнул Морияма, — и у нас в банке не принято обсуждать решения руководителей.

— Тем не менее именно вам по должности полагалось полететь в Осаку?

— Этот вопрос вас так волнует? — холодно осведомился Морияма. — Я не мог поехать в Осаку. Вас устраивает такой ответ?

— Нет, не устраивает.

Морияма нахмурился, поставил свой бокал на столик.

— Я вам объяснил, что это решение президента банка. Что именно вам непонятно?

— Фудзиока позвонил и сообщил вам, что господин Сато прекрасно справляется со своей работой. Верно?

— Вы уже успели его допросить? — Морияма взял бутылку и налил себе на дно бокала. Поднял его. — Да, — сказал он, — Фудзиока позвонил и рассказал мне о работе Сато. И сообщил, что будет рекомендовать Сато на мою должность. Теперь вы довольны моим ответом, господин «следователь»?

— То есть вы знали, что уходите со своего поста?

— Догадывался. Все считали, что меня рекомендуют на должность господина Фудзиоки.

— Почему именно на его должность? Ведь он такой же вице-президент, как и вы.

— Его должность считается чуть более престижной, чем моя. В иерархии нашего банка сначала идет президент, потом первый вице-президент. Затем вице-президент по кредитным учреждениям, вице-президент по филиалам и вице-президент по вопросам безопасности. Но вы слышали, что Симура решил ликвидировать должность третьего вице-президента.

— Получается, вы должны были подняться на одну ступеньку выше?

— Правильно, — весело сказал Морияма, — у нас в стране разносчик газет не может стать премьером. Это не Америка, господин Дронго, где выросший без отца Билл Клинтон смог стать президентом страны. У нас подобное невозможно. Ему пришлось бы преодолевать все должности. Одну за другой. И только к семидесяти годам, возможно, он стал бы президентом. Если бы прошел все должности до единой. В нашей стране чтут традиции и порядок. У нас нельзя назначить руководителем банка мальчика со стороны. Поэтому каждый из нас знает, для чего старается и какое место может занять в будущем. Ступенька за ступенькой. В нашей стране я считаюсь очень молодым. А мистер Клинтон в моем возрасте был уже президентом страны.

— А вы хотите в его возрасте быть президентом банка? — спросил Дронго.

Морияма неприятно усмехнулся и покачал головой.

— Не пытайтесь поймать меня таким дешевым способом, — сказал он. — У вас ничего не выйдет.

— Я только спросил, — осторожно произнес Дронго. — И тем не менее ваша теория не совсем верна. Ведь Симура решил не выдвигать Фудзиоку, а назначить вас сразу первым вице-президентом банка. Я могу узнать, почему?

— Давайте разложим ваш вопрос на составляющие, — предложил Морияма. — Что именно вы хотите знать? Почему не назначили Фудзиоку? Или почему выдвинули меня?

— Если можно, ответьте на оба вопроса.

— Можно, — кивнул Морияма. — Дело в том, что следующая ступень после должности Фудзиоки — это место первого вице-президента, которое освобождалось. Симура всегда умел нестандартно мыслить. Поэтому он стал выдающимся руководителем. Он решил, что меня нужно передвинуть на две ступени, а Фудзиоку оставить на его месте. Возможно, он заметил, что Фудзиока стал сдавать в последнее время. У него начался тремор, начали дрожать руки, и он посещает врачей. Вы удовлетворены моим ответом?

— Вы знали, что Аяко Намэкаву не собираются назначить на ваше место? — спросил Дронго.

Морияма посмотрел на Фумико. Молчание длилось секунд пять. Оно становилось неприличным.

— Ее хотели назначить, — наконец сказал Морияма.

— Как это хотели? — не понял Дронго.

— Вот так, — кивнул Морияма, — господин Симура сам говорил мне об этом.

— Но этого не может быть, — сказал Дронго. — Я был в розовом зале, когда господин Симура четко сказал, кого он хочет назначить.

— Я сам ничего не понимаю, — признался Морияма. — Поэтому я приезжал к вам, чтобы вы мне помогли.

— Вы считали, что Симура должен выдвинуть госпожу Намэкаву?

— Да. Она была идеальной кандидатурой. Я был уверен, что она пройдет. У нее масса достоинств. — Морияма посмотрел на Фумико и быстро добавил: — Я имею в виду как у специалиста.

— Она хороший стрелок, — сообщил Дронго. — Вы знали об этом?

— Аяко? — изумился Морияма. — О чем вы го-

11 – 3065

ворите? Вы с ума сошли? Думаете, она могла... Нет, это невозможно. Откуда вам это известно?

— Мы только что с ней разговаривали. Она вспомнила, что любила охотиться со своим первым мужем. И предается любимому занятию в Америке.

— Ну и что? — Морияма бешено взглянул на Фумико, которая переводила весь разговор. — При чем тут Аяко?

— Вы знали, что она не станет вице-президентом? — продолжал спрашивать Дронго.

— Нет, — повысил голос Морияма, не выдерживая такого давления. Он почти швырнул бокал на столик. Бокал перевернулся, коньяк выплеснулся на пол. — Нет, — повторил он, — я был уверен, что она станет вице-президентом.

— Расскажите, как это было, — попросил Дронго.

Морияма вскочил. Он явно «потерял лицо».

— Что вы от меня хотите?

— Расскажите, когда именно вы узнали о том, что ее хотят назначить вице-президентом, — попросил Дронго.

— Я пришел в кабинет Симуры, — вздохнул Морияма, — примерно в половине первого дня. Мне сказали, что у него до меня были Такахаси и Фудзиока. Я понял, что все решено. Вошел к Симуре. Он принял меня, как всегда, очень хорошо. Долго говорил о верности нашим традициям. Потом сообщил мне, что принял решение. Он хочет, чтобы я работал в должности первого вице-президента. Он говорил, что Аяко — прекрасная кандидатура и, возможно, я прав, рекомендуя ее на свое место. Еще он сказал, что собирается объявить о своем уходе. Вот и все. Потом я вышел от него, и мы встретились вечером на приеме. И в розовом зале он почему-то изменил свое мнение насчет госпожи Намэкавы. Я не знаю, почему он изменил свое мнение.

— Больше вы ни о чем не говорили?

— Нет, больше ни о чем. Хотя еще позвонил прокурор Хасэгава. Он сообщил о несчастном случае, происшедшем с нашим сотрудником, госпожой Сэцуко Нуматой. С вашим заместителем, госпожа Одзаки. Наш президент попросил господина прокурора все проверить. И очень переживал за эту молодую женщину, чью семью он знал. Но Симура всегда умел сдерживать свои эмоции. Он сказал мне, что вечером состоится прием, на котором он объявит о своем окончательном решении. И не нужно думать, что я или госпожа Намэкава могли поднять руку на Тацуо Симуру. Это просто глупо.

— И до вечера вы с ним не встречались?

— Не встречался. Увидел его только на приеме. А потом мы собрались в розовом зале.

Морияма снова уселся на диван, откинув назад голову.

— Вас еще что-то интересует? — спросил он.

— Больше ничего, — сказал Дронго. — Извините, что мы вас побеспокоили.

— Господин Дронго, — неожиданно сказал Морияма, повернув голову, — я хочу вам пояснить, что происходит. Когда погас свет, почти сразу раздались выстрелы. Возможно, мы все не заметили, как в комнату вбежал кто-то из охранников. А потом, когда вбежали другие, все было кончено. Я бы на месте полиции проверил наших охранников. Возможно, их наняли, чтобы застрелить Симуру и Такахаси. Других объяснений быть не может. Сколько я об этом ни думаю, ничего другого в голову не приходит. Или стреляли вы, или один из охранников. Извините, что вынужден это говорить. Госпожа Одзаки, вы напрасно не переводите мои слова инспектору, — обратился он к Фумико.

Она посмотрела на Дронго, и тот кивнул. Тогда она перевела его слова Цубои, который молча выслушал перевод и снова закурил. За день он, очевидно, выкуривал две-три пачки сигарет.

Они поднялись, чтобы попрощаться. Морияма встал с дивана, проводил их до лифта.

— Последний вопрос, — вспомнил Дронго. — Вы не знаете сотрудника в вашем банке, который ходит в темно-бордовой обуви?

Морияма улыбнулся. Его развеселил этот вопрос.

— Вы представляете, сколько тысяч людей у нас работает? — спросил он. — Неужели вы думаете, у меня есть время смотреть на их обувь? До свидания, господин Дронго. Боюсь, в Японии вы не сможете проявить свое мастерство. Возможно, у нас слишком специфическая страна.

Здесь не принято было пожимать друг другу руки, и они, поклонившись, распрощались. Когда спустились вниз, Дронго попросил:

— Фумико, позвони господину Удзаве. У нас осталась встреча с ним.

— Зачем ты задал этот дурацкий вопрос про обувь? — поинтересовалась она. — Неужели не понимал, каким будет ответ?

— Конечно, понимал, — кивнул Дронго. — Я хотел проверить его реакцию. Если бы он улыбнулся, значит, конфуз с госпожой Намэкавой не задел его. А если бы ответил мрачно, значит, принял это близко к сердцу. Его волновала Аяко Намэкава только потому, что она его протеже. Собственное реноме для него важнее всего. Этот мой метод, Фумико. Я внимательно слежу за своими собеседниками. И по их реакции могу сделать нужные выводы.

— Он ничего не принимает близко к сердцу, — сказала она, проходя к своей машине. И, прежде чем открыть дверцу, вдруг призналась: — А тебя я начинаю бояться. Теперь я буду знать, что ты можешь читать мои мысли, даже когда я молчу.

Глава 23

Усевшись в автомобиль, она взглянула на часы. Было уже очень поздно. Но она достала свой мобильный телефон и набрала номер Инэдзиро Удзавы.

Однако голос оператора любезно сообщил ей, что телефон отключен. Фумико взглянула на Дронго.

— Он отключил телефон. Наверно, уже спит. Так поздно нельзя беспокоить человека.

Цубои понял, что она говорит, и стал возражать. Он говорил довольно долго, Фумико с ним спорила. Затем она взглянула на Дронго:

— Ты понял, о чем мы говорили?

— Я только видел, как вы спорили. Неужели ты думаешь, что я мог так быстро научиться японскому языку? Даже после «чайной церемонии».

Она улыбнулась.

— Он говорит, нам обязательно нужно побеседовать с Инэдзиро Удзавой. Инспектор считает, что именно Удзава мог дать разрешение посторонним людям на вход в банк, именно он мог организовать прослушивание телефонов Мори, устранить Вадати и открыть стрельбу в Симуру и Такахаси. Нужно только узнать, почему он это сделал. Цубои считает, что появление чужих людей доказывает вину Удзавы. А наши разговоры с Фудзиокой и Мориямой показали, что все было решено еще до совещания. И Удзава мог об этом узнать.

— В таком случае убийца — Удзава, — сказал Дронго. — Но каким образом он мог обежать стол, дважды выстрелить и снова вернуться на место? Нам действительно нужно встретиться с этим Удзавой и расставить все по своим местам.

— Я позвоню ему домой, — решила Фумико.

Она набрала номер банка, узнала у дежурных сотрудников номер домашнего телефона Удзавы. Потом позвонила ему домой и стала ждать, когда возьмут трубку.

— Я вас слушаю, — наконец раздался голос Удзавы.

— Господин Удзава, — сказала Фумико, — извините, что беспокою вас так поздно. Мне срочно нужно с вами поговорить.

— Госпожа Одзаки? — изумился Удзава. — Вы звоните так поздно? Что случилось?

— Мне срочно нужно с вами встретиться, — повторила Фумико, — это очень важно. Со мной господин Цубои из полиции и господин Дронго.

— И он тоже? — Удзава явно был не в настроении. — Спросите, как он себя чувствует? Это из-за него сегодня в гараже банка произошла стрельба. Может, ему не нужно больше вмешиваться в наши дела? Мы как-нибудь сами без него разберемся.

— Вы можете с нами встретиться?

— Да. Где вы сейчас находитесь?

— В районе Синдзюку, — сообщила Фумико. — Куда к вам приехать?

— Вам далеко ехать, — сказал Удзава. — Я живу возле порта, в районе Коотоо-ку, на другом берегу. Вам ехать минут сорок. Может, мне лучше самому приехать на встречу?

— Нет, мы приедем. Скажите, где мы можем встретиться?

В отличие от вице-президентов, имеющих роскошные дома, Удзава жил в скромном портовом районе и явно не собирался приглашать к себе ночных гостей.

— Тогда встретимся в порту, — предложил Удзава. — Там есть небольшой бар «Акамон». Выше Харуми-пристани. Сумеете найти?

— Он приглашает нас в бар «Акамон» в порту, — повернула Фумико голову к Цубои. — Вы знаете, где этот бар?

— Знаю, — сказал Цубои. — Поедем, я вам покажу.

— Хорошо, — согласилась Фумико, — мы приедем, господин Удзава. Через сорок минут мы будем там. Бар будет еще работать?

— Он работает до утра, — сообщил Удзава. — До встречи.

Фумико убрала аппарат, взглянула на часы.

— Кажется, сегодня ночью мы обречены ездить из одного конца города в другой.

Машина направилась в сторону окружной дороги.

— Не понимаю, — сказала Фумико, — для чего Удзаве стрелять в Симуру и Такахаси. Только потому, что его не сделали вице-президентом? Он и без того стал начальником управления. Неужели честолюбие было для него выше всяких человеческих принципов? Не может быть.

— Может, он собирался взять под контроль и управление Мори? — предположил Дронго. — Тогда он приобрел бы очень большое влияние.

— Поэтому Симура был против, — сказала Фумико. — Тацуо Симура доверял Вадати. Он знал, что тот был любимым учеником его брата, и поэтому не возражал против подчинения обоих управлений Вадати. А когда Вадати погиб, он решил, что не стоит доверять одному человеку так много власти. Может, поэтому он не захотел назначить Удзаву на должность Вадати. Тот был еще не готов к такой должности.

— Тогда выходит, что Удзава решил доказать обратное. Ты в это веришь?

— Нет, — ответила Фумико. — У Инэдзиро Удзавы двое детей. Он поздно женился, и я видела его жену. Он обожает ее и детей. Ради них он готов работать двадцать четыре часа в сутки. У него маленькие дети, и он никогда не пойдет на преступление.

— Дети — это не гарантия от преступных наклонностей, — возразил Дронго, — как раз наоборот. Многие оправдывают свои преступления именно заботой о детях, полагая, что могут пойти на любые нарушения закона во имя собственной семьи.

— Ты осуждаешь такой взгляд?

— Не знаю. В молодости осуждал. А сейчас не знаю. Я стал мудрее, опытнее. Наверно, нужно идти на какие-то компромиссы в жизни, но не изменять самому себе. Человек всегда знает, когда он поступил правильно, а когда нет. Раньше боялись бога, а теперь ничего не боятся. Но все равно сам человек знает, когда он поступает нормально, а когда нет. У каждого свой потолок нравственности.

— И даже у тех, кто убил Сэцуко?

— Что-то человеческое в них, безусловно, есть. Но боюсь, не очень много. Они сами исключают себя из списка нормальных людей, переходя в разряд хищных зверей, на которых разрешен отстрел. Хотя я стараюсь относиться к людям снисходительно. Каждый имеет право на ошибки. Только бог может смотреть на нас сверху. Человек не имеет права ни на кого смотреть сверху вниз.

Она молчала, глядя перед собой.

— Мой любимый писатель Габриэль Гарсиа Маркес обратился по Интернету ко всем своим читателям, — вспомнил Дронго. — Он сообщил, что умирает. Сообщил в своем последнем обращении. В этом обращении есть изумительные слова. «Человек только тогда имеет право смотреть на другого сверху вниз, когда он наклоняется, чтобы помочь другому человеку подняться».

Она улыбнулась. На глазах блеснули слезы. Оценить красоту фразы могла истинная японка.

— Он настоящий гений, — сказала она. — А гений имеет право на сострадание. И на такую фразу.

Дронго смотрел, как мелькают огни за окном автомобиля.

— Если даже ты не сможешь ничего найти, — вдруг произнесла Фумико, — то и тогда я буду считать тебя одним из самых выдающихся людей, с которыми я когда-либо встречалась.

— Это преувеличение, — возразил Дронго. — А если я не найду преступника, значит, я всего-навсего неудачный аналитик, который должен заниматься другим делом.

После этой фразы они надолго замолчали, и Фумико заговорила первой только тогда, когда автомобиль въехал в район порта. Цубои начал направлять ее действия, показывая, куда ехать. Через несколько минут они подъехали к бару «Акамон», находящемуся в конце небольшой улицы. Машина остановилась недалеко от бара. Цубои вышел из машины, огляделся. Здесь было довольно тихо.

— Выходите, — сказал Цубои, — мы приехали.

Он не успел договорить, как раздались два громких хлопка. Две пули попали в Цубои, и он упал на тротуар, еще несколько выстрелов пришлось в автомобиль. Они были беззвучные и поэтому особенно страшные.

— Ложись. — Дронго пригнул к себе Фумико, закрывая своим телом. Затем вытолкнул ее из автомобиля и прыгнул следом за ней. Раздались еще два выстрела поверху. И пыль оседала на их головы от попаданий в здание за их спиной. Дронго взглянул на инспектора. Тот лежал рядом с автомобилем и пытался достать свое оружие.

— Держи пистолет. — Дронго протянул Фумико ее пистолет. — Стреляй в ту сторону, только не поднимай головы и не высовывайся. Главное, чтобы ты отвлекла их хотя бы на несколько секунд. Но не поднимай головы, Фумико.

— Почему нет полиции? — спросила она.

— Мы с ней приехали, — зло крикнул Дронго и пополз к Цубои. — Стреляй! — закричал он Фумико.

Она подняла руку и несколько раз выстрелила. Грохот выстрелов наполнил всю улицу. Воспользовавшись паузой, Дронго затащил тело Цубои за машину. Тот тяжело застонал, что-то пробормотав по-японски.

Дронго склонился к Цубои, чтобы осмотреть его раны. Одна пуля попала в ногу, вторая в грудь.

«В других странах полицейские хотя бы носят бронежилеты», — подумал Дронго. Он вытащил его пистолет, но, когда поднимал руку, Цубои схватил свой пистолет и снова что-то пробормотал.

— Что он говорит? — спросил Дронго, высвобождая руку.

Фумико подползла ближе. Туда, где она только что была, ударили две пули. Одна пробила бампер автомобиля, вторая стекло. И оно рассыпалось.

— Он говорит, это его оружие, — перевела Фумико, — ты не должен его забирать. И еще он извиняется. Говорит, что должен был тебя раньше предупредить.

— О чем предупредить?

— Он еще в день смерти Сэцуко понял, что ее убили. И сообщил об этом прокурору, который позвонил второй раз Симуре. Они знали уже тогда, что смерть Сэцуко была подстроена.

— Нужно было сразу принимать меры, — проворчал Дронго. — А они потеряли время.

Он чуть приподнял голову. С полицейским «магнумом» он чувствовал себя гораздо увереннее, чем раньше. Сейчас он попытается поиграть с этими двумя убийцами.

— Будь здесь и никуда не уходи, — предупредил он Фумико.

— Ты думаешь, это организовал Удзава? — спросила она.

— Не знаю, — ответил Дронго. — Но, кроме него, никто не знал, где мы должны были встретиться. Постарайся поднять руку и выстрелить еще два раза в их сторону. Только с интервалом в несколько секунд.

Он пригнулся и пополз к другому автомобилю.

«Хоть бы они стреляли из обычных пистолетов, — подумал Дронго, — это не так опасно. А тут не можешь услышать выстрел и не знаешь, откуда прилетит смерть. Хотя, кажется, на другой стороне улицы, за темно-зеленым «Ниссаном», стоит кто-то из стрелявших».

Фумико выстрелила. Дронго перебрался к другому автомобилю. Пытаться перебежать через улицу немыслимо. Он превратится в куропатку, в которых так любит стрелять Аяко Намэкава. Несмотря на ночь, здесь достаточно света, чтобы увидеть его.

Фумико выстрелила второй раз. Она стреляла наугад, чуть подняв руку. Дронго тревожно заметил, как один из нападавших перебежал на их сторону улицы. Второй, поняв, что стреляют беспорядочно, поднялся, чтобы подойти ближе и завершить начатое дело. Они верно разработали план нападения. Сначала нужно было вывести из строя полицейского, а затем пристрелить иностранца и женщину.

«Напрасно они меня недооценили», — подумал Дронго, поднимая пистолет и прицеливаясь. Нападавший явно подставлялся, он слишком сильно вытянул руку.

Дронго выстрелил. Грохот «магнума» прогремел по всей улице. Нападавший дернулся, выронил пистолет и, пошатнувшись, упал на тротуар. Дронго точно попал ему в правое плечо. Оставался второй. Дронго увидел, как тот спешит к Фумико. Женщина обернулась и, увидев нападавшего, подняла пистолет. От ужаса она не могла выстрелить. Чтобы выстрелить в человека, нужно не просто мужество. Это должна быть либо отчаянная ситуация, либо холодный расчет. Просто так в человека нельзя стрелять. И некоторые не могут стрелять даже в самой отчаянной ситуации. Фумико беспомощно оглянулась, она поняла, что не сможет выстрелить. Тот подбегал, уже улыбаясь. Он поднял пистолет.

Дронго, не целясь, выстрелил. Нападавший както нелепо подпрыгнул, выронил пистолет и упал на затылок. Пуля из «магнума» попала ему в грудь. Выстрел из такого пистолета может свалить и крупное животное. Убийца лежал на тротуаре, вытянув ноги, и на его лице еще была та хищная улыбка торжества, с какой он подбегал к Фумико. Дронго бросился к ней. Не нужно было присматриваться к убитому, чтобы узнать его. Достаточно было взглянуть на темно-бордовые туфли с застежками.

— Успокойся, — сказал Дронго, хватая Фумико за плечи, — успокойся. Уже все кончилось. Все в порядке.

Она заплакала, прижимаясь к его плечу. Слышались завывания полицейских сирен, крики людей. Дронго посмотрел на раненого Цубои. Если сейчас приедут врачи, они еще могут спасти инспектора. Фумико продолжала плакать. Они сидели на тротуаре, и Дронго обнимал ее, стараясь успокоить. Он положил «магнум» на тротуар, чтобы не держать в руках пистолет, когда приедут полицейские. И неожиданно увидел, как некая тень надвигается на них. Он повернулся. Черт возьми. Раненный им убийца сумел подняться и, держа пистолет в левой руке, подошел к ним совсем близко. Очевидно, этот тип одинаково хорошо владел двумя руками. Дронго взглянул на «магнум». Далеко. Он может не дотянуться. Он завернул руку Фумико так быстро и внезапно, что она вздрогнула. И, выхватив ее пистолет, выстрелил в нападавшего. Но пистолет лишь сухо щелкнул. Там больше не было патронов. Фумико, вскрикнув от неожиданности, обернулась туда, куда он направлял пистолет. Нападавший, весь в крови и в грязи, взревел от радости. Он поднял пистолет, и в этот момент раздался выстрел. Громкий выстрел, от которого они вздрогнули.

— Нет, — крикнул Дронго, первым сообразив, что произошло.

Нападавший упал лицом вниз. За его спиной стоял Удзава, сжимая в руках свой пистолет.

«Глупо, — подумал Дронго, — как все глупо получилось. Теперь мы окончательно обрубили все концы».

Глава 24

Полицейские рассыпались по улице. Было ощущение, что сюда приехал целый полицейский участок. Машина «Скорой помощи» увезла раненого Цубои в госпиталь. Он потерял сознание и ничего не мог говорить. Дронго сдал его «магнум» полицейским. Фумико, немного сбиваясь, рассказывала о том, что произошло. Удзава подошел к Дронго.

— Я задержался, — мрачно проговорил он. — Кто-то проколол мне сразу три колеса. Пришлось искать другую машину. Пока я нашел такси, пока приехал сюда, прошло много времени. Я не думал, что все так выйдет.

— Кроме вас, никто не знал, куда мы едем, — сказал Дронго. — Откуда взялись эти бандиты?

— Я не знаю, — ответил Удзава, — я никому не говорил, куда еду. Даже жене.

— Мы тоже никому не говорили. — Дронго вздохнул. — Зачем нужно было стрелять ему в голову?

— А вы хотели, чтобы я в него не стрелял? Он бы убил и вас, и госпожу Одзаки. Вы хотели, чтобы я стоял и смотрел, как он вас убивает?

— Откуда этот бандит мог узнать о нашей встрече?

— Не знаю, но это не бандит.

— В каком смысле? — устало спросил Дронго. — Что значит не бандит? Я сегодня видел их в гараже вашего банка. Лучше бы вы поинтересовались, как они могли там оказаться. И чем занимаются ваши охранники.

— Они выполняют свои обязанности, — ответил Удзава. — Эти люди имели пропуск на вход в наш гараж. Один из них работает в управлении информационной безопасности уже шесть лет. А второй в прошлом году принят на работу в наш банк. В это же управление.

— Который из них?

— Второй. Тот, в кого я стрелял. А первый работает в управлении Мори шесть с лишним лет.

— Чем он занимается?

— Цифровые системы, кодировки. Защищает наши телефоны от прослушивания. Лучше спросить у Мицуо Мори. Он знает более конкретно, чем занимался его сотрудник.

— Он имеет доступ к вашим телефонам?

— Скорее имел, — сказал Удзава, глядя, как убитого грузят на носилки.

— Тогда выходит, он имел возможность прослушивать ваши телефоны, — предположил Дронго. — Он мог прослушать телефоны руководителей банка? Например, Такахаси или Мориямы?

— Нет, — улыбнулся Удзава, — это исключено. У нас система дублированной проверки. Если даже кто-то и попытается подключиться к телефонам руководителей банка, это сразу будет замечено. Это абсолютно исключено. Все телефоны в банке защищены от прослушивания.

— А мобильные и домашние телефоны?

— Насколько я знаю, нет. Это не наше дело.

— Кажется, ваш сотрудник не только защищал безопасность ваших телефонов, но иногда и прослушивал некоторые из них. Сэцуко поговорила с Осакой и немедленно была убита. Тамакити позвонил Мори и тоже был убит. Мы поговорили с вами, и нас едва не убили. Какое странное совпадение.

— Может быть, — сказал Удзава, — нам нужно позвать Мори и проверить все данные по этим сотрудникам?

— Сейчас четыре часа утра, — взглянул Дронго на часы. — Пока мы разберемся с полицией, будет около шести. И насколько я знаю, Мори работает по ночам и приходит на работу гораздо позже обычного.

— Сегодня он придет вовремя, — возразил Удзава. — В десять часов утра должно состояться совещание совета директоров банка. Все руководители банка обязаны быть на этом совещании.

— В таком случае нам придется разбудить его пораньше, — сказал Дронго. — Мне нужно получить всю информацию об этих типах. И посмотреть закрытые файлы.

— Я могу вам помочь, — кивнул Удзава, — у меня есть код и пароль. Но если возникнут технические трудности, то я не смогу ничего сделать. Для этого нужен будет Мори.

— Вы сумеете уговорить сотрудников полиции отпустить нас?

— Не уверен, — пробормотал Удзава, — они ждут прокурора Хасэгаву. Его уже разбудили. В Японии не каждый день убивают руководителей банка. И тем более не каждый день стреляют в сотрудников полиции. Для нашей страны это чрезвычайное происшествие. Только я могу вам сказать, что вы напрасно теряете время. Если эти двое и виноваты в чем-то, то их можно обвинить лишь в убийстве Сэцуко Нуматы и Сиро Тамакити. Ни один из них не был в отеле «Империал» во время приема. И они не могли оказаться в розовом зале. Это был не их уровень, охрана не пустила бы их дальше коридора.

— Они исполнители, — согласился Дронго. — Я точно знаю, что они убили Тамакити. Его застрелили из оружия с глушителем.

— Это легко проверить, — сказал Удзава, глядя,

как забирают второе тело. — Если они стреляли из своих пистолетов, то экспертиза быстро все выяснит. И дело будет закрыто.

— Вот этого я и боюсь. Получается, эти двое самостоятельно решили убить Сиро Тамакити. Я убежден, что они подстроили и самоубийство Сэцуко.

— Может быть, — согласился Удзава. — Но тогда выходит, что за всеми этими убийствами стоит Мицуо Мори.

Дронго вспомнил длинные пальцы Мори и его лошадиные зубы. Этот интеллектуал играл в собственную игру? Для чего? Зачем ему нужны были все эти убийства? Нет, не похоже.

— Его не было в розовом зале, — напомнил Дронго.

— Да, — кивнул Удзава. — Но, может быть, кто-то ему помогал? Или его направлял?

— Мы не можем ждать, — сказал Дронго, — нужно немедленно отправляться к Мори. У нас мало времени...

— У нас его вообще нет, — возразил Удзава, показывая на подъехавшую машину. — Это прокурор Хасэгава. Боюсь, мы не попадем в банк до завтрашнего вечера.

Прокурор вышел из машины, сильно хлопнув дверцей. Он спал, его разбудили. Это уголовное дело становилось не просто громким, оно становилось скандальным. После убийства Сэцуко Нуматы выяснилось, что несколько месяцев назад была устроена автомобильная авария вице-президенту Вадати, затем эти выстрелы в «Империале», когда неизвестный стрелял в Симуру и Такахаси. И, наконец, убийство Тамакити и нападение на старшего инспектора Цубои. Прокурор был в ярости, уже зная, что напишут газеты. К тому же в момент покушения на жизнь Цубои рядом с ним находились этот подозрительный иностранный эксперт и дочь самого господина Одзаки. Два телевизионных канала, принадлежащих ему, уже вели прямой репортаж с места происшествия, и прокурор знал, что должен быть предельно дипломатичным, если хочет остаться на своем месте. Эти программы смотрит все правительство, и в новостях его могут размазать так, что он завтра вынужден будет подать в отставку.

Хасэгава подошел к полицейским, выдавливая из себя улыбку. Журналисты начали его снимать, камеры повернулись в его сторону.

— Что вы думаете о случившемся? Означает ли покушение на госпожу Одзаки, что происшествия в банке еще не закончились? Каких покушений вы ожидаете в будущем? Нападение на госпожу Одзаки и старшего инспектора Цубои может повториться?

— Господа журналисты, — сказал Хасэгава, дежурно улыбаясь, — мы держим ситуацию под контролем. К сожалению, после случившейся трагедии любое происшествие связывают с деятельностью банка. Я уполномочен заявить, что сегодняшний инцидент не имеет никакого отношения к работе банка. Обычное уличное нападение неизвестных лиц на госпожу Одзаки, случайно оказавшуюся в этом районе. Инспектор Цубои проявил личное мужество, защитив ее с риском для жизни. Мы благодарны господину Цубои. Надеюсь, вы не будете искажать факты.

Хасэгава прошел дальше, а журналистов сдерживали сотрудники полиции. Прокурор подошел к Дронго и Удзаве. Он с ненавистью взглянул туда, где немного запыхавшаяся и растрепанная Фумико рассказывала о случившемся в объективы камер. Она чувствовала себя настоящей звездой.

— Опять вы попали в историю, — тихо сказал прокурор, с понятным раздражением глядя на Дронго.

— Вы хотели, чтобы меня увезли отсюда в качестве трупа? — поинтересовался Дронго.

— Что здесь произошло? — спросил прокурор, обращаясь к старшему из офицеров полиции.

— Перестрелка, — пояснил тот. — Двое преступников напали на инспектора Цубои и его спутников. Инспектор тяжело ранен, оба нападавших убиты. Господин Удзава успел защитить пресс-секретаря их банка.

— Ясно, — Хасэгава опять повернулся к Дронго и Удзаве. — Надеюсь, все так и было. Наверно, эти бандиты хотели забрать машину госпожи Одзаки.

— Поэтому они ее изрешетили? — спросил Дронго.

— Хватит, — нахмурился прокурор, — мы разберемся с этим преступлением и опознаем бандитов.

— Это сотрудники банка, — сказал Дронго. — Они сегодня убили Сиро Тамакити.

Прокурор невольно взглянул на стоявших в стороне журналистов.

— Тихо, — вырвалось у него. — Как это сотрудники банка? Вы хотите сказать, что нападавшие работали в банке вместе с госпожой Одзаки?

— Да, — кивнул Дронго. — И если вы не распорядитесь немедленно нас отпустить, я подозреваю, что будут и другие погибшие. Теперь все зависит от вас, господин прокурор.

— Я вас выдворю из страны завтра утром, — прошипел прокурор.

— И тем не менее все будет зависеть от вас, — продолжал настаивать Дронго. — Мне нужно уехать немедленно.

Хасэгава посмотрел на Удзаву, и тот кивнул. Прокурор нахмурился. Нужно было мгновенно принимать решение, а он не любил, когда его загоняли в угол. Но ничего не делать было невозможно.

Фумико, закончив давать очередное интервью, подошла к ним.

— Это было не просто нападение, господин прокурор, — громко сказала она, — это продуманный план по устранению руководства банка. Мы должны выяснить, кто за этим стоит.

— Для этого есть прокуратура и полиция, — возразил Хасэгава.

Он собирался еще что-то сказать, но увидел подъехавший автомобиль. Лимузин представительского класса был метров восемь в длину. Сначала из него выбрались двое телохранителей, открывших дверь. А затем появился и сам Сокити Одзаки. Все камеры повернулись в его сторону. Прокурор почувствовал себя неловко. Приехал человек, который во многом определял внешнюю и внутреннюю политику страны. Он шагнул к нему.

— Здравствуйте, господин Одзаки, — вежливо поклонился прокурор. — Я очень рад, что с вашей дочерью ничего не случилось.

Одзаки подошел к прокурору и тоже поклонился. Потом посмотрел на дочь.

— Говорят, ты летаешь на вертолетах и участвуешь в перестрелках с бандитами, — строго сказал отец. — Тебе не кажется, что пора немного угомониться?

— Меня спас этот человек, — Фумико показала на Дронго.

— Благодарю вас, — кивнул господин Одзаки. — Я думаю, Фумико, тебе лучше поехать со мной. Вы разрешите, господин прокурор?

— Да, разумеется. Мы завтра побеседуем с вашей дочерью, — любезно улыбнулся прокурор.

— Извините, господин прокурор, но я хочу поехать со своим другом, спасшим мне жизнь, — вставила Фумико, показывая на Дронго.

Прокурор нахмурился. Он не знал, что сказать. Отпустить этого иностранца — значит потерять лицо. Но не отпустить тоже нельзя. Господин Одзаки терпеливо ждал его решения. И тут вмешался Удзава.

— Я думаю, господин Дронго может уехать, — сказал он, шагнув вперед, — а я останусь здесь и дам сотрудникам полиции нужные показания. А завтра днем госпожа Одзаки и ее гость смогут сами приехать в полицейское управление и все рассказать. Так будет лучше для всех. — Дронго улыбнулся. Удзава подставлял себя вместо него, чтобы выиграть для них время.

— Вы сможете сами все проверить, — быстро шепнул Удзава. — У вас есть время до утра. Назовите Мори их фамилии — Курахара и Нарихира.

Прокурор улыбнулся. Вмешательство Удзавы позволило ему сохранить лицо. И принять верное решение.

— Поезжайте и отдохните, госпожа Одзаки, — поклонился ей Хасэгава. — Конечно, вы можете поехать со своим другом. Я надеюсь, завтра вы приедете в полицейское управление и мы сможем с вами поговорить. До свидания, господин Дронго.

— Спасибо, господин прокурор, — с чувством сказал Одзаки. — Я благодарю вас за понимание наших проблем.

И он направился к машине. Фумико подмигнула Дронго и пошла следом. Прокурор обернулся к нему.

— Можете идти, — свистящим шепотом сказал он, — но завтра я буду настаивать, чтобы вас выдворили из нашей страны и аннулировали вашу визу.

Дронго прошел к автомобилю Одзаки и сел напротив Фумико, устроившейся на заднем сиденье с отцом. Телохранители поспешили занять передние места, и автомобиль тронулся.

— Вы спасли мою дочь, — сказал Сокити Одзаки. — Я хочу вас поблагодарить.

— Она мужественный человек, — ответил Дронго, видя счастливую улыбку на лице Фумико. Она взглянула на отца с любовью. Она явно гордилась им. А он сжал в руке ее ладонь. Он переволновался, но ни одним словом не обмолвился о своих чувствах.

— Я думаю, на сегодня ваши приключения закончились, — сказал Сокити Одзаки. — Мы поедем к нам домой, и вы отдохнете. А завтра сможете поехать в управление и дать свои показания. И ты, Фумико, не забывай, что завтра будет собрание директоров банка, на котором мы с тобой должны присутствовать.

Он говорил по-английски, чтобы его понимал Дронго.

— Вы тоже входите в совет директоров банка? — удивился Дронго.

— Конечно, — кивнул Одзаки, — я один из крупных акционеров этого банка. Поэтому случившееся в банке стало для меня большим ударом. Но надеюсь, все трудности уже позади.

— Нет, — довольно невежливо сказал Дронго. — Если можно, высадите меня по дороге. Я должен еще поговорить с некоторыми людьми.

— Мы поедем вместе, — сразу сказала Фумико, — ты не знаешь японского, и тебе нужен переводчик.

— Неужели это обязательно делать ночью? — спросил Одзаки. — После случившегося вам нужно быть осторожнее.

— Надеюсь, со мной ничего не случится, — сказал Дронго. — Хотя оружие у меня отобрали. А Фумико пусть останется с вами, сэр.

— Я пойду с тобой, — возразила Фумико. Она вырвала свою ладонь из руки отца.

— Фумико, — сказал Сокити Одзаки, — это очень рискованно. Я прошу тебя остаться со мной. Господин Дронго — профессиональный эксперт, это его работа. А ты должна быть дома. Я думаю, будет правильно, если ты поедешь со мной. — Он произнес это тоном, не терпящим возражений.

Фумико замерла. Затем взглянула на отца.

— Я должна с ним пойти, — упрямо сказала она. — И ты должен меня понять.

Они смотрели друг на друга. Очевидно, дочь пошла в отца своим упрямым характером. Неожиданно отец улыбнулся.

— Странно, — сказал он, — мне легче управлять

моей корпорацией, чем понимать собственную дочь. Кажется, я делаю все, чтобы тебе не мешать, и тем не менее между нами постоянно происходят конфликты. Останови автомобиль, — крикнул он водителю.

Тот мягко остановил машину. Отец взглянул на дочь.

— Можешь идти, — сказал он. — Надеюсь, завтра ты вернешься наконец домой.

Она открыла дверцу, улыбнувшись ему на прощание.

— Фумико, — окликнул ее отец, — будь осторожна. Ты уже не маленькая.

Дронго наклонился, чтобы вылезти из автомобиля, но Одзаки поднял руку, задержал его на мгновение. Затем открыл небольшой бардачок рядом с собой и, достав пистолет, протянул его Дронго. Тот ошеломленно глядел на оружие.

— Возьмите, — сказал Одзаки, — вы будете защищать мою дочь. Вернете мне завтра.

— Спасибо.

Дронго взял оружие. Вылез из автомобиля. Затем обернулся к Одзаки.

— Господин Одзаки, — сказал Дронго, — у меня нет дочери в таком возрасте, как Фумико. Но я думаю, если бы у меня была такая дочь, я бы брал пример с вас. Как вести себя с ней. Хочу вам сказать, что вы идеальный отец. Спасибо.

Одзаки кивнул. Машина тронулась. Дронго не

мог видеть, как радостно загорелись глаза Сокити Одзаки. Все его миллиарды не стоили одной улыбки Фумико. И отец был счастлив. На самом деле это труднее всего — быть обычным любящим отцом. Даже несмотря на все его влияние.

— Что ты ему сказал? — спросила Фумико.

— Спросил, как стать таким отцом, — ответил Дронго.

— И он тебе объяснил?

— Да, — кивнул Дронго, показывая оружие, — он дал мне пистолет. Он прекрасно мне все объяснил, Фумико.

Глава 25

В пять утра было еще достаточно темно, но рассвет уже зарождался где-то далеко, в Тихом океане, чтобы затем подняться над островами. Фумико позвонила Мори и попросила его о срочной встрече. Ничего не понявший, заспанный Мицуо согласился встретиться с ними, но просил не приезжать к нему домой, где царил беспорядок, а приехать в парк Уэно, что рядом с Национальным токийским музеем.

— Он никогда не принимает гостей у себя дома, — объяснила Фумико. — У него в квартире страшный беспорядок, что угодно может упасть на голову в любой момент.

— Ты часто бывала у него дома? — поинтересовался Дронго.

— Не ревнуй, — отрезала она. Затем сказала: —

Два или три раза. Но вообще мы не встречались у него дома, если ты об этом. Он не годится для подобных встреч. Очень быстро остывает. Компьютеры для него важнее любой женщины.

Она вышла на тротуар, поднимая руку. Такси плавно остановилось рядом с ними. Фумико села первой, Дронго уселся рядом с ней.

— Парк Уэно, — сказала Фумико, — ближе к его южной части. Где находятся музеи.

Пожилой таксист кивнул головой в знак понимания.

— Оба этих убитых были из управления Мицуо Мори, — сказал Дронго, — и он сам не явился на прием. Ты думаешь, это совпадение?

— Он никогда не ходит на приемы, — возразила Фумико, — и я не верю, что он может быть убийцей. Или даже организовать подобное...

— Почему?

— Это трудно объяснить. Дело в том, что Мицуо человек не совсем нормальный. Он всегда в себе, всегда занят своими проблемами. Он живет в своем виртуальном мире, где знает всех и его все знают. А в реальном мире он ориентируется слабо. Вадати несколько месяцев уговаривал его занять должность начальника управления информационной безопасности. Он абсолютно не интересуется ни своим положением в банке, ни своей карьерой. Деньги он всегда сможет заработать, с его головой любая корпорация будет платить ему огромные гонорары. Но он предпочитает работать у нас.

— Все вне подозрений, — сказал Дронго. — Но теперь я в это не могу поверить. Сэцуко Нумата и Сиро Тамакити убиты сотрудниками вашего банка. Извини, но логично предположить, что именно в вашем банке сидит их руководитель, который спланировал и осуществил всю эту дьявольскую операцию.

— Никто из наших не мог этого сделать, — упрямо произнесла Фумико. — Ты же познакомился с каждым. Кто из них мог решиться на подобное?

— Вы как заколдованные твердите, что никто из ваших не мог оказаться убийцей. Тем не менее именно ты нашла пистолет, который лежал рядом с вазой. И именно тебя пытались убить двое сотрудников вашего банка. Казалось, что после этого ты должна наконец поверить, что есть организатор всех этих преступлений. И ты все равно твердишь, что никто не мог. Может, нам вернуться? Может, действительно в Симуру и Такахаси никто не стрелял?

— Не кричи, — попросила она, — на меня никто никогда не кричал.

— Извини, — пробормотал он, — но мне кажется, что ты ведешь себя несколько нелогично.

Автомобиль остановился у парка, они расплатились с таксистом и вышли из машины. Рассвет уже вступал в свои права. Дронго огляделся по сторонам. Довольно пустынное место.

«Если здесь тоже будет засада, то мы отсюда не выберемся, — подумал Дронго. — Напрасно мы согласились приехать в такое место. И мне не нужно было брать с собой Фумико. Таксисту я бы объяснил, куда ехать, а Мицуо Мори говорит по-английски не хуже меня».

— Вон он идет, — Фумико показала на одинокую фигуру, появившуюся из-за кустов. Мицуо подходил, засунув руки в карманы куртки. Дронго тоже опустил руку в карман куртки, нащупывая рукоятку оружия. Мицуо подошел и кивнул Фумико. После чего обратился к Дронго:

— Мне кажется, вы вообще не спите по ночам, мистер Дронго. Что опять произошло? Снова нужен доступ? Или какая-нибудь информация?

— Вытащите руки из карманов, — попросил Дронго.

— Это был ты? — с ужасом спросила Фумико. — Это ты все придумал?

— О чем вы говорите? — спросил Мори, все еще держа руки в карманах. — Неужели, Фумико, ты можешь подозревать меня?

— Это были люди из твоего управления, — крикнула она. — Это были твои люди.

— Какая глупость, — сказал Мори, — мне казалось, ты можешь самостоятельно мыслить. Что касается вас, мистер Дронго, то я рад, что вы живы. Мне говорили, вас пытались убить в нашем гараже, но я не верил.

— Напрасно не верил, — резко сказала Фумико. — Два часа назад нас чуть не убили.

— Тебя тоже? — удивился Мицуо Мори. — Это уже становится интересным.

— Все, что ты можешь сказать? — напряженным голосом произнесла Фумико. — Ты всегда был бессердечным человеком.

— Неужели ты позвала меня, чтобы начать воспитывать? — поинтересовался Мицуо Мори. — Или я должен вам помочь?

— Помочь, — сказал Дронго, — именно поэтому мы хотели с вами встретиться.

Мори посмотрел на Фумико и наконец вынул руки из карманов. Дронго также вытащил руку.

— Нам нужна ваша помощь, — сказал Дронго. — Дело в том, что несколько часов назад нас пытались убить сотрудники вашего управления.

— Как это моего управления? — спросил он. — Вы шутите?

— Нет. Курахара и Нарихира. Вы знаете таких сотрудников?

— Конечно, знаю. Что с ними случилось?

— Они погибли.

— Как это произошло?

— Одного застрелил господин Удзава, другого я. Если вас интересует за что, то отвечу. Во-первых, они тяжело ранили старшего инспектора Цубои, во-вторых, пытались убить нас. И, наконец, в-третьих — а это, возможно, самое главное, — именно они убили

12 – 3065

Сиро Тамакити и, как я подозреваю, приложили руки к убийству Сэцуко Нуматы и, возможно, Ёситаки Вадати.

— Не может быть, — немного растерянно сказал Мори, — этого просто не может быть.

— Их трупы в полицейском морге, — сообщил Дронго. — Вы же разумный человек, Мори, должны понимать, что такое реальные факты.

Мори задумался, потом посмотрел на Фумико. И наконец уточнил:

— Почему они на вас напали?

— Я думал, вы мне об этом скажете.

— Откуда мне знать? Или вы думаете, я их послал? Этого Курахару мы приняли только в прошлом году. Он вообще раньше работал в полиции. Но Нарихира работает у нас шесть или семь лет. Если хотите, я могу вас ознакомить с его закрытым файлом. Но там ничего не может быть. Всю информацию проверяет не только наше управление, но и управление безопасности Удзавы.

— Если мы сейчас поедем в банк, вас пропустят? — спросил Дронго.

— Конечно, — удивился Мори, — у меня есть право входа в любое время. И все охранники знают меня в лицо. Да и Фумико может войти, когда захочет.

— Тогда поехали, — предложил Дронго, — у нас не так много времени до заседания совета директоров. Осталось около четырех часов, Мори. Нужно как можно быстрее получить всю имеющуюся у вас информацию.

— Поехали, — согласился Мори, — у меня здесь машина.

Мори сел за руль, а Дронго попросил Фумико сесть сзади. Так они и поехали в банк. У здания стояли две полицейские машины. Очевидно, это было распоряжение прокурора Хасэгавы. Войдя в здание, они довольно долго ждали, пока наконец Дронго оформили разрешение на вход. И наконец все трое поднялись в кабинет Мори.

Он сел за компьютер, ввел в него данные. Заработал, ловко бегая пальцами по буквам. Дронго смотрел на его вдохновенное лицо. Фумико была права. Этот человек действительно был предан компьютеру. Через несколько минут Мори предложил Дронго сесть рядом с ним. И Дронго с изумлением прочел, что Курахара работал в техническом отделе городского управления полиции. И ушел оттуда в прошлом году, перейдя на работу в банк. Его приняли по рекомендации Такахаси.

— Это он организовал аварию Вадати, — уверенно сказал Дронго, — и он устроил эту подлую выдумку с феном для Сэцуко.

— Пока это только ваши предположения, — возразил Мори. — У вас нет доказательств.

— Давайте данные по Нарихире.

Мори снова заработал на компьютере.

— Вот негодяи, — улыбнулся Мори, — они несанкционированно подключались к телефонам сотрудников наших управлений в Токио и в Осаке.

— Они могли контролировать ваши телефоны? — уточнил Дронго.

— Да. Здесь и по всей Японии.

— И в Осаке тоже?

— Да, там тоже. Система блокировки, которую они установили в Осаке, сразу выдавала номера телефонов, по которым звонили из Осаки в другие города.

— Вот вам и доказательства, — вздохнул Дронго. — Они узнали о звонке из Осаки. Бедная Сэцуко, она не могла предположить, что в самом банке сидят ее убийцы. Наверно, открыла им дверь. Они воспользовались ситуацией.

— Теперь можете посмотреть информацию про другого, — сказал Мори.

— Характеристика, биография, его послужной список. Он был у вас на хорошем счету, Мори. Неплохо разбирался в этих телефонах, умел прослушивать чужие разговоры, ставить блокаду для собственных телефонных номеров и обходить блокаду чужих. Он знал номер вашего мобильного телефона?

— Знал, — ответил Мори.

— Откуда он к вам перешел?

— Из банка Мицуи, — прочел Мори. — Но все эти факты не объясняют главного. Кто и зачем стрелял в президента Симуру и вице-президента Такахаси?

— Они все объясняют, — сказал Дронго. — Понимаете, дорогой друг, для вас нет ничего необычного в работе на компьютере. Вы можете жить в Интернете, чувствуя себя там как дома. Вы настоящий профессионал в этой области. А я профессионал в другой области. Я должен разбираться в малейших движениях человеческих душ, находить причинные связи между поступками различных людей. Вот поэтому каждый из нас занимается своим делом. Спасибо вам, господин Мицуо Мори.

— Что ты собираешься делать? — спросила Фумико, ничего не понимая.

— Отвезти тебя домой, — улыбнулся Дронго, — а потом поехать в дом сэнсэя Симуры. Побриться, принять душ и немного подумать. Чтобы сегодня утром рассказать вам обо всех деталях этого невероятного преступления.

— И ты знаешь, кто стрелял? — спросила пораженная Фумико.

— Почти наверняка.

— И ты сможешь объяснить все эти убийства?

— Безусловно. Только вызови сначала такси.

Фумико достала телефон, вызвала такси. Затем взглянула на Мори. Тот усмехнулся.

— Он немного странный человек, — сказал Мори, — но он мне нравится.

Она пожала плечами.

— Поедем домой, — согласилась она, — хотя я ничего не могу понять. Ты действительно думаешь, что сумеешь мне все объяснить?

— Сегодня утром, — уверенно сказал Дронго. — Надеюсь, у меня все получится.

Он поднялся и пошел к выходу. Фумико посмотрела на Мори и пробормотала:

— Извини, что я в тебе сомневалась.

— Ты постоянна в своих ошибках, — усмехнулся тот.

Дронго и Фумико спустились вниз. Было уже светло. Она посмотрела на часы. Половина седьмого утра.

— Что происходит? — спросила Фумико. — Может, ты мне объяснишь?

— Только после того, как уточню некоторые детали, — задумчиво ответил Дронго.

Они сели в подъехавшую машину, и Дронго повез Фумико домой. Всю дорогу он сосредоточенно молчал. Она иногда искоса смотрела на него и не решалась нарушить его молчание. Когда наконец они подъехали к ее дому, Дронго словно очнулся. Он достал пистолет и протянул его Фумико.

— Передай своему отцу. Скажи, что он мне не понадобился.

— Ты больше ничего не хочешь мне сказать? — спросила она.

— Извини, не сейчас. Мне еще нужно немного подумать.

— Ты стал чужим, — сказала она, — каким-то другим.

— Наверно, — согласился он. — Кстати, я хочу извиниться.

— За что? — удивилась она.

— Во-первых, японская баня действительно настоящее чудо. Если бы не она, я бы не смог так долго гулять по ночному городу.

— А во-вторых? — усмехнулась она.

— Во-вторых, ты, кажется, была права. Эти преступления, которые произошли в вашем банке, не могли произойти ни в одной стране мира. Только в Японии.

— Что ты хочешь этим сказать?

— Расскажу через несколько часов. Только постарайся ни с кем не разговаривать и ничего не рассказывать.

— И про японскую баню тоже? — рассмеялась она, выходя из машины.

В дом Кодзи Симуры он вернулся уже в восьмом часу утра. Испуганный садовник пытался жестами объяснить, что вчера дважды приезжали сотрудники полиции, которые проверяли вещи так неожиданно исчезнувшего гостя. Дронго прошел в ванную и встал под горячий душ. Тщательно побрившись, он достал свой любимый «Фаренгейт». Переодеваясь, он подумал, что сегодня самый важный день его пребывания в Японии. И если он ошибется, то второй попытки у него не будет. Прокурор Хасэгава наверняка сдержит свое слово и постарается выслать его из Японии первым же рейсом.

Дронго надел свежую белую рубашку, костюм, затянул галстук. Теперь он чувствовал себя готовым к встрече. После этого он прошел на кухню, чтобы выпить чашку чая. От завтрака он отказался. Сегодня ему следовало быть немного голодным и злым, чтобы наконец рассказать всем, что произошло в банке за последние несколько месяцев.

Глава 26

Заседание совета директоров должно было начаться в десять утра. В девять тридцать Дронго приехал в банк. Он узнал, что ему оставили пропуск. Получив разрешение, он поднялся в кабинет Фумико. Она была в розовом костюме. Фумико встала, подошла к нему.

— Сегодня ты неотразим, — восхищенно произнесла она.

— Ты тоже, — кивнул Дронго. — У меня к тебе последняя просьба.

— Какая?

— Мне нужно увидеться с Фудзиокой перед заседанием совета директоров. Ты можешь организовать эту встречу?

— Думаю, да. Хотя он наверняка очень занят. Но только на несколько минут, не больше.

— Хорошо, — согласился Дронго, и она взяла трубку, попросила соединить ее с кабинетом господина Фудзиоки. Через несколько секунд Фудзиока взял трубку.

— Я вас слушаю, госпожа Одзаки.

— Извините, Каору-сан, дело в том, что у меня находится господин Дронго, которому нужно срочно с вами переговорить...

Фудзиока молчал.

— Алло, вы меня слышите? — спросила недоумевающая Фумико.

— Слышу, — тихо ответил Фудзиока. — Хорошо, пусть он войдет ко мне. Только он один. У меня будет пять минут для разговора с ним.

— Он тебя ждет, — растерянно сказала Фумико. — Не понимаю, что происходит. Ты можешь что-нибудь объяснить?

— Через несколько минут, — сказал Дронго, — постараюсь все объяснить.

Он вышел из ее кабинета, оставив Фумико в полном недоумении. Через несколько минут она позвонила в приемную и выяснила, что, кроме самого Дронго, в кабинете Фудзиоки находится и срочно вызванный туда Удзава. Ничего не понимая, она ждала в своем кабинете, когда ее пригласят в большой конференц-зал, где должно было состояться заседание совета директоров. Фумико, поднявшись, прошла в зал, села на заранее приготовленное место. Рядом с каждым местом на столе стояли таблички с инициалами. Увидев отца, она улыбнулась ему. Рядом с ней сел Мори. Он даже не побрился, узел галстука был небрежно спущен вниз.

— Интересно, что сегодня будет, — сказал он Фумико.

Постепенно подходили все приглашенные. В этой стране не принято опаздывать на подобные мероприятия. Фумико обратила внимание, что среди почетных гостей рядом оказались Дронго и прокурор Хасэгава.

Наконец к гостям вышел Каору Фудзиока. Следом за ним сразу вошел Удзава. Он был мрачен, но, как всегда, спокоен и сосредоточен. Очевидно, они о чем-то договорились в кабинете Фудзиоки, поняла она. Фумико смотрела на Удзаву и видела, как тот волнуется. Фудзиока объявил собрание директоров открытым. Все почтили память погибшего Такахаси. Вспомнили о Симуре, находившемся в больнице. После чего около сорока минут обсуждались обычные финансовые проблемы. Затем Фудзиока объявил, что они переходят ко второму вопросу. Все смотрели на Фудзиоку.

— Мы оказались в нелегком положении, — начал он, оглядывая собравшихся, — после случившегося в нашем банке мы должны провести новые назначения. Как вам известно, господин Симура давно хотел уйти из банка. И поэтому он подготовил письмо к совету директоров банка с просьбой освободить его от должности президента банка. Мы все должны быть благодарны господину Симуре за многолетнюю работу на благо нашего банка.

Фумико взглянула на Дронго. Тот молча слушал Фудзиоку.

— Господин Симура болен. Он в коме, — сказал

председатель совета директоров банка, полный мужчина лет шестидесяти. — И мы не знаем, как долго он будет болеть. Поэтому мы должны решить вопрос о новом руководстве нашего банка. Мы не можем оставлять ситуацию в таком положении на длительное время. Нет президента и двух вице-президентов. Это слишком много, чтобы банк мог нормально функционировать.

У него было больше девяти процентов акций, и поэтому он мог позволить себе говорить об опасности, грозящей банку. Все внимательно слушали.

— Господин Симура сказал нам о своих пожеланиях, — объявил Фудзиока. — Первым вице-президентом банка он предложил назначить господина Морияму.

Все посмотрели на Морияму. Тот встал и поклонился.

— Вице-президентом по финансовым вопросам можно назначить господина Кавамуру Сато, — объявил Фудзиока.

Кавамура поднялся и поклонился всем присутствующим.

— Как это по финансовым? — не поняла Фумико. — Ведь Симура готовил Сато совсем на другое место. Почему он назначен вице-президентом на место самого Фудзиоки?

— Вице-президентом по вопросам филиалов — госпожу Аяко Намэкаву, — продолжал Фудзиока.

Фумико почувствовала себя неуютно. Такое ощущение, что все в сговоре. Почему они молчат? Они ведь были на совещании в розовом зале. Что происходит?

Аяко Намэкава, поднявшись, поклонилась присутствующим. Фудзиока замолк. Он оглядел собравшихся и, ничего больше не сказав, сел на свое место. Увидев, как он сел, поднялся Морияма:

— Мне кажется, будет справедливо, если новым президентом банка станет человек, который двадцать семь лет работал под руководством самого Тацуо Симуры. Уважаемый господин Фудзиока должен стать новым президентом банка.

Морияма сел в абсолютной тишине. Все молчали. Первым высказался председатель совета директоров.

— Это мудрое решение, — сказал он.

— Правильно, — поднялся следом за ним Сокити Одзаки.

Начали подниматься и другие директора. Никто не аплодировал, все молча смотрели друг на друга. Фудзиока встал и поклонился присутствующим. Только затем все стали легко аплодировать. В японских традициях нельзя навязывать человеку решение. Аплодировать можно только после того, как он примет его. Впрочем, аплодисменты были короткими и почти неслышными. Это было слишком по-европейски, и поэтому присутствующие лишь отдавали дань новой моде, а не аплодировали громко, как было бы в американском банке, случись там подобное событие. Фудзиока коротко поблагодарил собравшихся и объявил, что на следующее совещание будут внесены указанные сегодня кандидатуры. После чего замолчал, выждав, пока все усядутся и успокоятся. И лишь затем сказал:

— А теперь господин Дронго расскажет нам о преступлении, которое у нас произошло. Господин Дронго — один из самых известных экспертов в мире и приехал в нашу страну по приглашению самого сэнсэя Кодзи Симуры.

Дронго поднялся.

— Мы провели большую работу, — сказал он, — и нашли преступников. Двое сотрудников управления информационной безопасности Курахара и Нарихира решили провести финансовую операцию и подключились к телефонам некоторых сотрудников банка, в том числе и господина Мори. Узнав, что их вычислили, они испортили машину господина Вадати и устроили ему автокатастрофу. А затем убили госпожу Сэцуко Нумату и Сиро Тамакити. Мы не знали, кто действовал в розовом зале, но благодаря опыту господина Удзавы нам удалось выяснить, что Курахара дежурил в ту ночь у розового зала. Именно он, воспользовавшись темнотой, ворвался в комнату и выстрелил в президента Симуру и господина Такахаси. Вчера вечером благодаря мужеству господина Удзавы, полицейского инспектора господина Цубои и находчивости присутствующего здесь прокурора Хасэгавы все эти преступления были раскрыты, а преступники понесли заслуженное наказание.

«Какая чушь, — подумала Фумико, — почему он говорит заведомую неправду? Ни один из этих людей даже близко не был рядом с розовым залом. О чем он говорит? И почему все ему верят?»

Она хотела подняться, но вдруг увидела, как на нее смотрит Дронго. Он предостерегающе поднял правую бровь, давая ей понять, что сейчас не время для ее гневных выступлений. Совещание закончилось через пятнадцать минут. Фумико была в полной растерянности. Когда она поднималась, Мори усмехнулся:

— Вот и свалили все преступления на наших ребят. Я так и думал. Больше виноватых не нашли.

— Господин Мори, поднимитесь в кабинет господина Фудзиоки, — сказала любезно улыбавшаяся секретарь. — И вы, госпожа Одзаки, тоже.

Фумико увидела, что Дронго разговаривает с Удзавой. Она подошла к нему.

— Что происходит? — гневно спросила она. — И это твое расследование? Ты считаешь нас всех дураками? Ни одного из них не было в розовом зале. И никто туда не мог войти. Вы все врете. Почему ты рассказал нам такую чудовищную ложь? Кто такие эти ничтожные сотрудники, чтобы продумать и убить руководителя банка?

— Все верно, — улыбнулся Дронго, — наша сказка придумана для журналистов и ваших директоров.

Мы договорились с господином Удзавой, как нам вести себя на совете директоров. И твоя служба может дать полную информацию об этом совещании. Чтобы не портить репутацию банка, Фумико. А сейчас в кабинете Фудзиоки ты услышишь совсем другую историю. Настоящую историю этого поистине японского преступления.

Он вышел из зала. Гости постепенно расходились. К Фумико подошел ее отец.

— Ты знаешь, — произнес он задумчиво, — мне очень понравился твой друг. Он умный человек.

— Потому что всех обманывает? — разозлилась Фумико.

— Нет. Он сообщил то, что всех устраивает. Это спасительная ложь, — сказал отец. — Какая разница, что на самом деле произошло. Всем нужна именно такая правда, Фумико, иначе имидж банка может пострадать. Я думал, ты это поняла.

После такого разговора она поднялась в кабинет Фудзиоки в мрачном настроении. Здесь уже сидели несколько человек. Все, кто был в розовом зале в момент преступления. Фудзиока, Морияма, Сато, Намэкава и Удзава. Фумико присоединилась к ним. Четверо мужчин и две женщины. Последними в кабинет вошли Дронго и Мицуо Мори.

— Для чего нужна была эта ложь? — спросил Мори. — Неужели вы думаете, что все можно свалить на двух сотрудников моего управления?

— Сядьте, — устало предложил Фудзиока, — и

не нужно ничего говорить. Пусть господин Дронго расскажет нам обо всем. Но предупреждаю, услышанное должно остаться в этом кабинете.

Дронго поднялся, оглядел присутствующих.

— Меня пригласил в Японию сэнсэй Кодзи Симура, — начал свою речь Дронго. — Конечно, все, что я сказал сегодня на совете директоров, неправда. Или почти все. За исключением того, что двое сотрудников управления господина Мори действительно были убийцами и негодяями. Но госпожа Одзаки, которая сегодня сомневалась в их вине, абсолютно права. Они не были в розовом зале и не могли стрелять. Хотя бы потому, что охрана господина Удзавы никого не пустила бы в комнату.

— В таком случае убийца находится в этом кабинете, — подал насмешливую реплику Мори.

— Выслушайте меня до конца, — попросил Дронго. — Ваш банк — настоящее детище Тацуо Симуры, который пришел сюда пятьдесят четыре года назад и поднял банк, сделав его одним из самых известных финансовых учреждений мира.

Когда мне сообщили о смерти Вадати, я сразу понял, что такое убийство не могли спланировать и осуществить рядовые сотрудники даже вашего управления, господин Мори. Чтобы решиться на подобное преступление, они должны были иметь в банке мощную поддержку в лице одного из его руководителей. Итак, Вадати был убит, и его место оставалось вакантным. Зная, как близок был Вадати к семье Симуры, чей младший брат считался наставником погибшего, я сразу исключил возможность вины Тацуо Симуры, который мог отдать приказ об уничтожении опасного вице-президента.

— Для этого не нужно быть аналитиком, — прошептала Аяко Намэкава, — мы все знали, как близок был Вадати к семье Симуры.

— Но затем происходит странное событие. Я встречаюсь вечером с Сэцуко, а утром кто-то приезжает к ней и убивает несчастную молодую женщину, грубо замаскировав это под самоубийство. Настолько грубо, что полицейские сами догадались об этом. А вечером происходит такое страшное преступление. Итак, я твердо решил, что кто-то из руководителей банка стоит за этими загадочными происшествиями. И этот человек руководит двумя убийцами, действующими по его приказу. Они прослушивали телефоны Мори и Удзавы, были в курсе всех их дел. Но кто этот человек?

Неожиданно выясняется, что один из убийц перевелся сюда шесть с половиной лет назад из банка Мицуи. Именно из того банка, откуда за год до этого пришел первый вице-президент Такахаси, курировавший службу безопасности банка Мицуи. Возможно, это совпадение. Но выясняется, что и второго убийцу взяли на работу по рекомендации Такахаси. Интересные совпадения. Теперь дальше. После проверки филиала в Осаке господин Фудзиока звонит в Токио и сообщает Такахаси о том, что проверка завершена. Заодно он просит ускорить выдачу индивидуального кода. И звонит Удзаве, чьи телефоны прослушиваются сотрудниками, работающими на Такахаси. Они уже знают, что кто-то пытался проникнуть на закрытые файлы и что нужно ускорить выдачу индивидуального кода. Узнать, что именно интересовало нового начальника отдела в Осаке, нетрудно. Система работает таким образом, что всегда можно проконтролировать, что и откуда смотрят по закрытым файлам. К тому же выясняется, что этот человек уже звонил Кавамуре Сато, чтобы получить его согласие. Остается проверить, с кем именно он говорил из Осаки. Для этого нужно включить компьютер. И тогда выясняется, что Сэцуко стала интересоваться закрытыми файлами Такахаси. А эти двое сотрудников работали именно на Такахаси. Поэтому принимается решение убрать Сэцуко.

И, наконец, убийство Сиро Тамакити. Это уже когда преступники стараются замести следы, оставшись без хозяина. Они знают об убийстве Такахаси и пытаются сделать так, чтобы их не могли вычислить. Узнав, что Мори проверял, кто именно в Осаке выходил на закрытые файлы, и сообщил это имя Тамакити, они решают сначала убрать Тамакити, а затем убить и меня.

— Значит, за этими преступлениями стоял Такахаси? — спросила ошеломленная Фумико.

— Да. Он приказал убрать Вадати, который мешал

ему стать президентом. И потом убрали Сэцуко. Но Такахаси просчитался, его самого убили вечером этого дня в розовом зале. И здесь я перехожу к самому преступлению. Кто мог выстрелить в Такахаси? Среди присутствующих трое неплохо владели оружием. Бывший спортсмен-биатлонист Кавамура Сато...

— Я не знал, что за этими преступлениями стоит Такахаси, — гневно заметил Сато. — А если бы знал, то передал бы его в полицию, а не стал бы в него стрелять.

— У вас не было бы конкретных доказательств, — возразил Дронго. — Кроме того, стрелять могли Удзава или госпожа Аяко Намэкава. Но Удзава сидел с Такахаси по одну сторону стола и, чтобы выстрелить в первого вице-президента, должен был либо обежать стол, что было нереально, так как он потратил бы несколько секунд, либо пробежать у меня за спиной, а я бы это почувствовал. Но он не вставал со своего места. Значит, он отпадал...

— Получается, я убила господина Такахаси, — возмущенно сказала Аяко Намэкава. — Вы думаете, я могла в него выстрелить?

— Нет, не думаю, — ответил Дронго. — Дело в том, что это преступление могло быть спланировано и осуществлено только в Японии. Только в стране, где каждый мужчина боится потерять свое лицо. В стране, где много веков культивируется дух «бусидо» и где свято чтут многолетние традиции.

— Такахаси взял на работу двоих убийц, — сказал Морияма, — с этим мы можем согласиться. Но откуда вы знаете, что они подключались к телефонам?

— Он говорит правду, — сказал Мори. — У нас была разработана компьютерная система защиты наших телефонов. Я проверял лично. Именно эти двое выходили на наш телефон в Осаке.

— Предположим, — кивнул Морияма. — Возможно, именно Такахаси отдал приказ о ликвидации Вадати и об убийстве Сэцуко. Но кто тогда в него стрелял? Почему пытались убить президента Симуру?

— Вот мы и подошли к главному, — сказал Дронго. — Вспомните, как вы сидели вокруг стола. Убийца выстрелил два раза и затем бросил пистолет на пол и в сторону. Должен сказать, что отчасти виноватым оказался и я. Когда вы все вышли, я нашел это оружие и стер с него отпечатки пальцев.

— Почему вы это сделали? — спросил пораженный Кавамура Сато.

Дронго хотел соврать, но вмешалась Фумико:

— Я дотронулась до пистолета, и господин Дронго, пытаясь меня спасти, стер отпечатки моих пальцев с пистолета.

— Хорошо, — сказал Морияма, — но кто стрелял в Такахаси, кто пытался убить Симуру? Кто из нас стрелял?

— Неужели вы еще не поняли? Мне помогли некоторые обстоятельства, которые я узнал немного позже. Вспомните о разговоре, который состоялся у нас в розовом зале. Симура предложил вам, Морияма, место первого вице-президента. А на ваше место рекомендовал Кавамуру Сато, хотя еще днем был согласен с вами и готов был назначить Аяко Намэкаву. Я видел, как вы удивились, когда он назвал имя Сато. И еще больше удивились все присутствующие, не услышав имени Каору Фудзиоки. Ведь Фудзиока проработал в банке больше всех, если не считать самого Симуры, — более двадцати семи лет. И он был идеальной кандидатурой на должность руководителя банка. Но почему-то Симура промолчал.

— Сейчас вы скажете, что господин Фудзиока решил отомстить президенту, — вставил Мори, — и это будет неправдой. Они были друзья. Но тогда получается, что стреляла Фумико, о которой вы пока не говорите. Никого другого не осталось.

— Я знал, что господин Симура и господин Фудзиока проработали в банке много лет. И наверняка господин Симура хотел оставить банк тому, кому он доверял и кто столько лет был рядом с ним. К тому же я узнал, что господин Симура давно собирался уйти. Он был тяжело болен и знал, что не сможет руководить банком. Президент собирался подать в отставку на совете директоров банка.

— Вы не сказали про Фумико, — напомнил Мори. — Надеюсь, она ни в чем не виновата?

— Я тоже надеюсь, — улыбнулся Дронго. — Я думал, вы уже все поняли. Президент Симура, очевидно, подозревал своего первого заместителя. Именно поэтому он поручил Вадати следить за Такахаси, но, когда Вадати погиб, младший брат президента вызвал меня. А потом погибла Сэцуко. Дело в том, что инспектор Цубои сообщил мне нечто поразительное. Он понял, что самоубийство было мнимым, еще днем, до совещания в розовом зале. И сказал об этом прокурору Хасэгаве, который позвонил Симуре. Симура знал, на кого работает Сэцуко и почему она со мной встречалась. И когда ему сообщили о ее убийстве, он не выдержал. Никаких доказательств у него не было. Но оставить банк на человека, которому он не верил и который был виновен уже в двух убийствах, Симура не мог. Он сам пригласил Такахаси в банк, сам позволил ему стать всесильным первым вице-президентом, который должен был заменить его на этом посту. Вспомните, что сказал Симура за несколько мгновений до того, как погас свет. Он сказал, обращаясь ко мне, что желает мне найти мерзавцев, которые, выполняя злую волю, убили сотрудников банка. Он был всегда очень точен в формулировках. Он не сказал — найти того, кто приказал это сделать. Ведь если рассуждать логично, он должен был сказать именно так. Но он сказал только о мерзавцах, выполняющих злую волю.

Дронго вздохнул. В кабинете стояла абсолютная тишина. Даже Мори боялся пошевельнуться.

— Пятьдесят четыре года в банке. Согласиться на скандал, рассказать о Такахаси — значит потерять лицо, признать, что вся его жизнь оказалась ошибкой. Симура не стал никуда выдвигать Фудзиоку именно потому, что знал, кто займет его место. Он наверняка нашел человека, который отключил электричество ровно в десять часов вечера. И когда свет отключился, Симура достал пистолет. Он выстрелил сначала в Такахаси, а потом в себя. Но он не приложил дуло вплотную к своей груди, иначе самоубийство стало бы явным. Он держал пистолет в вытянутой руке и поэтому не смог попасть себе в сердце. Симура был уверен, что Фудзиока сумеет его заменить. А по-другому остановить Такахаси было невозможно. Иначе бы он ушел, положив пятно на репутацию банка, или стал президентом, загубив дело всей жизни Симуры. После выстрела пистолет упал на пол, и кто-то из охранников, очевидно, задел его ногой и оттолкнул в угол.

Дронго кончил говорить. Все сидели молча, ошеломленные услышанным.

— Именно поэтому меня позвал сэнсэй Кодзи Симура, — сказал Дронго. — Он, видимо, подозревал нечто подобное и боялся поручать расследование кому-нибудь из местных детективов. Это было слишком необычное преступление. И в то же время типично японское. Фумико была права, когда говорила мне, что в их стране не стреляют в президентов банка. Никто в него и не стрелял. Ваши банки и корпорации как большая семья, здесь старший имеет право наказывать младшего. Симура действовал как глава клана, покаравший своего феодола, как великий князь «дайме», который имеет право на собственный приговор своему вассалу. Он сделал все, чтобы не потерять своего лица. А подвел его господин Фудзиока.

— Что вы такое говорите? — испугалась Аяко Намэкава.

— Он говорит правду, — поднялся со своего места Фудзиока. — Я должен был взять пистолет и унести его с собой, чтобы никто не мог подумать про Симуру. И тогда полиция искала бы неизвестного убийцу. Но, когда я наклонился, внезапно вбежали охранники, и я не успел найти оружие. Я сидел рядом и слышал, как стрелял Симура. Он был около меня. Но тогда я не знал о решении Симуры, хотя видел, как он не доверяет Такахаси. Но не успел найти пистолет. Симура нарочно часто приглашал Такахаси в свой кабинет, а когда тот уходил, менял свое решение. Если бы я унес пистолет, все было бы по-другому. И господин Дронго не был бы так убежден, что убийца находился среди нас.

— На эту мысль меня навел Морияма, — сказал Дронго. — Он рассказал, как беседовал с Симурой после того, как в кабинете побывали Такахаси и Фудзиока. Симура говорил с Фудзиокой и Мориямой совсем по-другому, чем с Такахаси. И тогда я подумал — почему? Либо он ему не доверяет, либо не доверяет остальным двум. И сделал выбор не в пользу Такахаси.

— Вы рассказали нам неприятную историю, господин Дронго, — произнес Морияма. — Надеюсь, это ваши домыслы и ничего подобного на самом деле не было.

Дронго осторожно вздохнул. Потом кивнул и сказал:

— Конечно, это только мои предположения. — Он сел на стул, устало глядя на присутствующих.

— Господин Дронго имеет право на свою версию, — сказал Фудзиока. — Мы обязаны были выслушать все варианты. А вы как думаете, Удзава?

— Этого не может быть, — сказал Удзава, избегая смотреть на Дронго, — мы все проверили. Стрелял один из преступников, который сумел ворваться в комнату. Мои охранники могут все подтвердить.

— Вот видите, — кивнул Фудзиока.

И в этот момент раздался телефонный звонок. Фудзиока поднял трубку, выслушал сообщение. И медленно поднялся. Затем посмотрел на присутствующих.

— Господин Тацуо Симура умер, — торжественным голосом произнес он. — Я надеюсь, мы все будем на церемонии кремации его тела. Это наш долг перед памятью покойного.

Его глаза увлажнились. Но он стоял, высоко подняв свою маленькую голову. Все сидевшие в кабинете встали, чтобы почтить память Тацуо Симуры.

«Бусидо, — подумал Дронго, — это кодекс поведения, который Они впитывают с молоком матери».

Эпилог

Он стоял в аэропорту, глядя на меняющиеся вывески. Через несколько минут заканчивалась посадка на его рейс. Он возвращался обратно во Франкфурт, чтобы сделать в Европе промежуточную посадку. Пассажиры первого класса могли подождать в специальном салоне, но они предпочли выйти в общий зал. Дронго смотрел на Фумико и молчал. Никакие слова не могли ничего передать. «Слова придуманы лишь для того, чтобы скрывать наши мысли, — подумал Дронго. — Разве можно выразить обычными словами сколь-нибудь глубокие чувства? Боль мы выражаем криком. Горе мы выражаем слезами. Радость проявляется в наших глазах. И, наконец, любовь или счастье. Разве можно выражать эти чувства словами?»

— Ты уезжаешь, — она произнесла это так, словно подписывала приговор. И ему, и себе. И их отношениям.

— Уезжаю, — подтвердил Дронго.

«Такое ощущение, что Япония находится в миллионах километрах от Земли», — подумал он. И чтобы попасть сюда снова, ему нужно будет пролететь эти миллионы километров. Он не любил, когда его провожали в аэропортах. Однажды уже был аэропорт. И крик Натали, закрывшей его своим телом. С тех пор он не любил, когда его провожали. Но отказать Фумико он не мог.

— Ты уезжаешь, — повторила она, глядя на него.

Он вдруг осознал, что их разделяют не только миллионы километров. Их разделяли сотни лет, прожитые ими в разных мирах и в разное время. Их разделяла его жизнь, такая насыщенная и безумная, которой могло хватить на несколько других, более спокойных и благоразумных судеб. Но это была его жизнь. И ничего изменить было нельзя. Откуда она знает, что такое боль? Что такое горечь утраты? Откуда эта девочка может знать, что творится в его душе?

— Я хочу тебя поблагодарить, — произнес он непослушными губами, — хочу поблагодарить за все, что ты для меня сделала.

— Ну да, конечно, — улыбнулась она, — я ведь была твоим переводчиком.

Она протянула ему руку. Их обтекал людской поток. Он сжал ее руку.

— До свидания.

— Знаешь, о чем я подумала? — неожиданно сказала она. — Я вдруг поняла, кем ты был в прошлой жизни. Ты был дельфином. Такие, как ты, спасают людей и рыб от акул. Может быть, в следующей жизни мы оба будем дельфинами. Как ты думаешь? Мы когда-нибудь встретимся? Хотя бы через сто лет? Или через тысячу?

— Да, — согласился он, — через тысячу лет. И где-нибудь в другом месте. Может быть, на Марсе или на Луне. К тому времени там будут жить люди.

У нее задрожали губы.

— Прощай, — сказала она, — я всегда буду тебя помнить.

— А я буду помнить вашу «чайную церемонию», — пообещал он, — и вашу горячую баню фуро, и ваши бумажные домики, такие теплые, что в них бывает по-настоящему жарко. И тебя, Фумико.

Он успел ее быстро поцеловать и поспешил встать на ленту транспортера, увозившего его к стойке, где находился паспортный контроль. Он оглянулся в последний раз. Отсюда уже невозможно было ее разглядеть.

Через полчаса авиалайнер взял курс на Европу.

Литературно-художественное издание

Абдуллаев Чингиз Акифович

ПУТЬ ВОИНА

Ответственный редактор *С. Рубис*
Редактор *В. Ротов*
Художественный редактор *А. Сауков*
Художник *В. Петелин*
Технический редактор *Н. Носова*
Компьютерная верстка *С. Кладов*
Корректоры *М. Мазалова, Л. Фильцер*

Налоговая льгота — общероссийский классификатор продукции ОК-005-93, том 2; 953000 — книги, брошюры

Подписано в печать с готовых диапозитивов 12.03.2001.
Формат 84×108 1/32. Гарнитура «Таймс».
Печать офсетная. Усл. печ. л. 20,16.
Тираж 40 100 экз. Зак. 3065

Отпечатано в полном соответствии
с качеством предоставленных диапозитивов
в ОАО «Можайский полиграфический комбинат».
143200, г. Можайск, ул. Мира, 93.

ЗАО «Издательство «ЭКСМО-Пресс». Изд. лиц. № 065377 от 22.08.97.
125190, Москва, Ленинградский проспект, д. 80, корп. 16, подъезд 3.
Интернет/Home page — www.eksmo.ru
Электронная почта (E-mail) — info@ eksmo.ru